Aluísio Azevedo no final do século XIX.

O Cortiço

CLÁSSICOS ATELIÊ

Aluísio Azevedo

O Cortiço

Apresentação
Paulo Franchetti

Notas
Leila Guenther

Ilustrações
Carlos Clémen

Ateliê Editorial

Direitos reservados e protegidos pela Lei 9.610 de 19.02.1998.
É proibida a reprodução total ou parcial sem autorização,
por escrito, da editora.

1ª edição, 2012
1ª reimpressão, 2013
2ª reimpressão, 2014
3ª reimpressão, 2014
4ª reimpressão, 2015

Dados Internacionais de Catalogação na Publicação (CIP)
(Câmara Brasileira do Livro, SP, Brasil)

Azevedo, Aluísio, 1857-1913.
   O Cortiço / Aluísio Azevedo; apresentação Paulo
Franchetti; notas Leila Guenther; ilustrações
Carlos Clémen. – São Paulo: Ateliê Editorial,
2012. – (Coleção Clássicos Ateliê)

   ISBN 978-85-7480-579-5
   Bibliografia.

   1. Romance brasileiro   I. Franchetti, Paulo.
II. Guenther, Leila. III. Clémen, Carlos. IV. Título.
V. Série.

12-00929   CDD-869.93

Índices para catálogo sistemático:
1. Romances: Literatura brasileira   869.93

Direitos reservados à

ATELIÊ EDITORIAL
Estrada da Aldeia de Carapicuíba, 897
06709-300 – Cotia – SP – Brasil
Telefax: (11) 4612-9666
www.atelie.com.br
contato@atelie.com.br

Printed in Brazil   2015
Foi feito o depósito legal

✺ Sumário ✺

Apresentação – *Paulo Franchetti* 9

O Cortiço 61

    I 65
    II 82
    III 95
    IV 109
    V 119
    VI 126
    VII 136
    VIII 154
    IX 170
    X 191
    XI 215
    XII 229
    XIII 240
    XIV 251
    XV 264
    XVI 276
    XVII 290
    XVIII 295
    XIX 302
    XX 317
    XXI 327
    XXII 342
    XXIII 350

Notas 358
Aluísio Azevedo – Vida e Obra 375
Bibliografia 381

✂ Apresentação ✂

Paulo Franchetti

Aluísio Azevedo era apenas o autor de textos menores e de um romance romântico quando, em 1881, publicou *O Mulato*, livro cujo tema e linguagem crua causaram sensação em sua cidade natal e no Rio de Janeiro, centro da vida literária da época, e que passou a ser usualmente referido como o primeiro romance naturalista do Brasil. Nos anos seguintes publicará, entre outros, *Casa de Pensão*, em 1884, e *O Cortiço*, em 1890.

Essas são as suas obras principais, do ponto de vista da tradição crítica, e ainda hoje lidas na escola e referidas com destaque nas histórias literárias. Paralelamente, porém, Aluísio produziu uma porção de textos de caráter romântico, que hoje pouca atenção despertam, bem como textos de escopo naturalista que, apesar do sucesso de público, não tiveram a mesma recepção favorável por parte da crítica ou lugar de destaque na historiografia, como é o caso do romance *O Homem*, de 1887.

Uma possível explicação para tal variação de registros nos é fornecida pelo próprio Aluísio, numa crônica publicada na *Gazeta de Notícias*, em 1883.

Põe ele aí na boca de uma personagem o seguinte diagnóstico quanto às dificuldades de escrever romances no Brasil:

O pobre escritor tem a lutar [*sic*] com dois terríveis elementos – o público e o crítico. O público que sustenta a obra e o crítico que a julga e às vezes a inutiliza; o público que compra um livro para aprender, e o crítico que exige que o livro sustente as suas ideias e pense justamente com ele – crítico.

E continua, apontando a defasagem das expectativas:

[...] seria muito razoável, se o público caminhasse ao lado do crítico; mas assim não sucede – aquele navega ainda no romantismo de 1820, e este não admite literatura que não esteja sujeita às regras de 1883. A dificuldade está em agradar a ambos, ou, pelo menos, não desagradar totalmente a nenhum dos dois[1].

O diagnóstico não parece exato, pois desde 1878, com o grande sucesso de *O Primo Basílio,* de Eça de Queirós, ficou evidente que havia no Rio de Janeiro e no Brasil público numeroso para o romance de feitio moderno. E a própria história da recepção de *O Homem,* quatro anos depois, seria suficiente para diminuir o peso de verdade da afirmação ou para indicar que, nesses anos do começo da década de 1880, o público do romance no Brasil sofreu transformações significativas. Mas parece razoável aceitar o diagnóstico, no sentido de que os leitores majoritários de folhetins de jornais pudessem ser descritos como público de expectativas românticas.

---

1. Aluísio Azevedo, *O Touro Negro*, São Paulo, Livraria Martins Editora, 1961, p. 49.

Fosse correta ou não a sua percepção do descompasso entre público e crítica, o certo é que, vivendo da escrita até conseguir um lugar no corpo diplomático, em 1895 – quando abandonou definitivamente a literatura – Aluísio de Azevedo tratou de atender a esses dois "terríveis elementos", produzindo ao mesmo tempo textos de grande facilidade de leitura e de apelo imediato e alguns romances nos quais o estudo realista dos temperamentos ou dos fenômenos sociais ocupa o centro do interesse.

Dentre estes últimos, a crítica consagrou *O Cortiço* como a melhor realização romanesca do autor e o ponto mais alto do romance naturalista brasileiro.

1. *O Naturalismo*

Antes de entrar no comentário do romance, vale a pena fazer uma breve discussão do conceito de Naturalismo, bem como uma apresentação do que terá sido esse movimento literário no mundo e no Brasil, pois muitas das avaliações do romance ou de alguns aspectos dele passam pela questão da escola naturalista, suas ambições, características e limitações.

No último quarto do século XIX, o nome geral para a produção literária que não se enquadrava nos preceitos românticos era Realismo. Só posteriormente se fixou a denominação Naturalismo, para designar um tipo especial de literatura realista, que tinha em Émile Zola (1840-1902) seu principal teórico e expoente.

Para vários autores, as fronteiras entre o que se denomina Naturalismo e o que se denomina Realismo são tênues, como constatam dois historiadores do movimento:

O conteúdo dos termos Realismo e Naturalismo parece tão vizinho que várias obras de crítica consagradas a esses momentos de nossa literatura puderam, indevidamente, sob o nome de Realismo ou de Naturalismo, estudar os mesmos autores, os mesmos temas e os mesmos fatos[2].

Mas, embora julguem ser indevida essa comutação de termos, Bornecque e Cogny pouco têm a acrescentar, em termos de delimitação dos movimentos, além de uma lista de autores que pertenceriam a um e a outro. Uma lista que é sobretudo um corte cronológico e da qual a única conclusão a tirar é que o Realismo é uma etapa do Naturalismo, formando ambos um só movimento literário:

Se se considera o conjunto do movimento, é possível distinguir na sua evolução:

Um período afetivo (1848-1868): *o Realismo;*

Um período de luta metódica em torno de um homem, Zola, e de um embrião de escola, o grupo de Medan (1868-1887). O Realismo se transforma em Naturalismo, *se endurece e se sistematiza*. Ele pretende ao mesmo tempo sublimar-se. Ele triunfa mas se exaspera.

De que decorre *um período de ruptura* (1887-1891), no qual cada um retoma sua liberdade. A escola abortou, suas ideias triunfaram e uma corrente da literatura contemporânea se impregnou delas.

A questão, vê-se, não é simples, e talvez possamos situá-la de forma mais produtiva se levarmos em conta outra consideração dos mesmos autores:

Da mesma forma que, por si só, Zola pode encarnar o Naturalismo dogmático, os Goncourt, extremamente receptivos, simbolizam,

---

2. J.-H. Bornecque e P. Cogny, *Réalisme et Naturalisme – l'histoire, la doctrine, les ouevres*, Paris, Librairie Hachette, 1958, p. 15, em Classiques Hachette.

pelas suas contradições, a história mesma da confusão possível entre Realismo e Naturalismo, segundo se atente para as teorias ou para as realizações[3].

Essa passagem tem o mérito de tornar mais claros os termos da discussão: "segundo se atente para as teorias ou para as realizações" e "naturalismo dogmático". Ou seja, o Naturalismo é tanto uma teoria, ou, melhor, uma preceptiva, um programa, quanto um tipo de texto, um conjunto de procedimentos literários. No sentido de ser um programa literário, não é excessivo pensar que o nome Naturalismo e o nome de Zola designam o mesmo objeto.

Num outro livro de introdução ao Naturalismo, Pierre Cogny, fazendo um levantamento do uso dos dois termos em questão ao longo do tempo, chega à seguinte conclusão:

Naturalismo e Realismo representam um só e único conteúdo [...] De imediato, aguardando que novos documentos autorizem uma discriminação mais refinada, nós admitiremos que o Naturalismo saiu cronologicamente – e sem dúvida historicamente – do Realismo, do qual ele seria o herdeiro. Haveria, nesta hipótese, um problema essencialmente geracional e o Realismo-filho se denominaria Naturalismo para se distinguir de seu pai...[4]

Também nesse livro, Cogny afirma que é possível pensar que "o Realismo é movimento e o Naturalismo, escola" – isto é, que o Realismo é uma tendência ampla e o Naturalismo é

---

3. *Idem*, p. 40.

4. Pierre Cogny, *Le Naturalisme*, 5ª ed., Paris, Presses Universitaires de France, 1976, pp. 6-7. O próprio trabalho de Cogny constitui uma demonstração de como a questão de distinguir o Naturalismo do Realismo se tornou complexa. Na primeira edição desse livro, em 1953, o autor não se sentiu chamado a refletir tão longamente sobre ela.

uma forma particular de Realismo, codificada por Émile Zola – "em quem se resume, finalmente, o Naturalismo todo"[5].

No Brasil, os termos tendem a ser compreendidos de modo diferente, em função de um episódio importante. Trata-se da repercussão, aqui, da publicação do livro *O Primo Basílio*, de Eça de Queirós, em 1878. Na época, predominava no Brasil o romance de recorte romântico, cujas modalidades mais generalizadas eram a narrativa passional, a histórica, a intimista e a de atualidade. No mesmo ano da publicação de *O Primo Basílio*, Machado de Assis lançava seu quarto romance, *Iaiá Garcia*, em que mais uma vez (mas agora em discurso impessoal, sem intervenções do narrador) centrava a intriga no conflito entre o sentimento e a conveniência social.

É esse primeiro Machado, anterior à reviravolta temática e estilística que terá lugar em sua obra a partir de *Memórias Póstumas de Brás Cubas* (1881), que criticará os dois primeiros romances de Eça de Queirós como representantes de uma tendência literária nociva, capitaneada por Émile Zola. Para o brasileiro, o português era "um fiel e *aspérrimo discípulo* do realismo propagado pelo autor do *Assommoir*". Realismo este que se caracterizaria por ser "implacável, consequente, lógico", "sem rebuço, sem atenuações, sem melindres", empenhado na "reprodução fotográfica e servil das coisas mínimas e ignóbeis" e em tratar "o escuso e o torpe [...] com um carinho minucioso e [...] com uma exação de inventário."

Para Machado, o caminho correto da literatura brasileira estaria num retorno às "águas sadias do *Monge de Cister*, do *Arco de Sant'Ana* e do *Guarani*". Não obstante seu parecer, o Naturalismo impôs-se, no Brasil, como no restante do

---

5. *Idem*, p. 15.

mundo, tornando-se sinônimo de atualidade, de modernidade artística[6].

Ante o impacto do Realismo de Zola, Machado mudará o rumo de sua obra, utilizando, a partir das *Memórias Póstumas*, o velho tipo do narrador romântico intrometido, sem recusar o tratamento das próprias "coisas mínimas e ignóbeis".

Daí resulta alguma confusão, quando se fala de Realismo e Naturalismo no Brasil. Da mesma forma que este último quase se pode reduzir, na França, à figura de Zola, no Brasil o Realismo fica sendo a literatura de Machado de Assis, por oposição seja às linhas de continuidade romântica, seja à nova literatura naturalista. Mas justamente aqui reside o problema, pois Machado não é realista, do ponto de vista da forma e da fatura literária – não há nada mais distante dos pressupostos realistas do que um romance que se propõe escrito por um morto ou uma narrativa em primeira pessoa, na qual um sujeito expõe a sua miséria no amor e na vida. Nada menos "realista" – no sentido que essa palavra tem para descrever um dado momento da história da literatura – do que o completo ceticismo quanto à capacidade de a ciência explicar o mundo, do que a ausência de determinismo genético como fator central para o desenvolvimento da trama, do que o narrador digressivo, que dialoga incessantemente com o leitor, se refere com frequência ao ato da leitura e da escrita, abandona o fio da história a cada momento não para instruir o leitor sobre algum tópico de interesse para a trama – como faziam os românticos –, mas por mero capricho e graça. Machado, assim, pode ser denominado "realis-

---

6. A propósito, lembremos que Aluísio Azevedo, então no Rio de Janeiro, participou da polêmica, desenhou uma charge na qual se representava o combate entre o velho romantismo e o moderno realismo, e o fazia de um modo que não era possível iludir-se quanto à sua adesão à nova escola. A caricatura se encontra reproduzida a seguir.

APRESENTAÇÃO ~ 15

Aluísio Azevedo, "A Comédia Popular", Rio de Janeiro, 5.4.1878.

O lívido D. Juan e o pálido Basílio,
em fervoroso idílio,
arrancam o revólver e a durindana fria
à sombra do balcão de Elvira — a Poesia.

Contribuição de Aluísio Azevedo à polêmica entre realistas e românticos
por ocasião do lançamento de "O primo Basílio".

Fonte: Jean-Yves Mérian. Aluísio Azevedo – Vida e Obra.

ta" num outro registro, que não diz respeito à forma, nem aos pressupostos, mas ao propósito de retratar o movimento social.

Ao atribuir a Machado um lugar dentro do Realismo no Brasil – classificação em que ele seguramente não se reconheceria –, o quadro histórico e crítico da nossa literatura sofre uma distorção: as obras realistas/naturalistas tendem a ser avaliadas por confronto com uma obra (a de Machado) que se constrói noutro registro, com outros meios e pressupostos. Disso resulta que, na nossa forma de contar a história literária, não há aqui a mesma continuidade nem identidade parcial entre o Realismo e o Naturalismo.

Nesse quadro, é possível entender o conflito entre o leitor acostumado à literatura de 1820 e a crítica que exige a aplicação das "regras de 1883", a que se referia Aluísio na crônica há pouco mencionada. Essas novas regras, sem dúvida, eram as do romance naturalista, tais como definidas por Zola num livro de 1880, intitulado *O Romance Experimental*.

Sob essa denominação, o volume comportava sete trabalhos: "O Romance Experimental", "Carta à Juventude", "O Naturalismo no Teatro", "O Dinheiro na Literatura", "Sobre o Romance", "Sobre a Crítica" e "A República e a Literatura".

Desses sete ensaios, o mais importante para a compreensão da escola (para usar um termo do tempo que, neste caso, não parece anacrônico) é o primeiro, que passamos a comentar.

O propósito principal do texto é afirmar a necessidade e viabilidade do tratamento científico da matéria narrada. Logo no início, Zola apresenta o pensamento que subjaz à proposta de um romance experimental: o exposto por Claude Bernard no seu livro *Introdução ao Estudo da Medicina Experimental*, publicado em 1865.

Após fazer um resumo das principais ideias de Bernard, entre as quais ressalta a de que "há um determinismo absoluto nas condições de existência dos fenômenos naturais, tanto para os corpos vivos, quanto para os corpos brutos", Zola formula a questão central do seu texto: "será que em Literatura [...] a experiência é possível?"[7]

Para responder a essa pergunta, Zola recorre ainda a Bernard, segundo o qual existem ciências de observação, como a astronomia, e de experimentação, como a química. A distinção entre ambas é que o químico pode agir sobre o seu objeto de estudo, de modo a experimentar, isto é, obter resultados e comprová-los por meio da repetição, da contraprova; e pode variar as condições determinantes para obter novos resultados; já o astrônomo não pode.

Embora, do ponto de vista da sua relação com a realidade da vida social, tudo levasse a crer que a literatura fosse assimilada à ciência de observação, Zola vai propor que o romance constitui um exercício de experimentação. Sua explicação para isso é que o romance é como uma experiência de laboratório: colocam-se em um dado ambiente umas tantas personagens, estabelecem-se as determinações biológicas de cada uma delas e se obtém um desenvolvimento lógico, uma série de ações e/ou temperamentos que obedecem a essas determinações.

O lugar do "experimental" é, como se pode perceber, complicado no romance. Se o romancista tem liberdade de inventar ambientes e caracteres, se não dispõe da possibilidade de repetir a "experiência" para confirmar os resultados, nem trata de reescrever o romance inúmeras vezes, alterando condições de modo a obter resultados que, juntos, permitam elaborar leis ou teorias, em que consistiria de fato o seu caráter experimental?

A resposta de Zola é esta:

---

7. Emile Zola, *O Romance Experimental e o Naturalismo no Teatro*, trad. Ítalo Caroni e Célia Berrettini, São Paulo, Perspectiva, 1982, p. 29.

[...] o romancista experimentador é, portanto, aquele que aceita os fatos provados, que mostra, no homem e na sociedade, o mecanismo dos fenômenos que a ciência domina, e que faz o seu sentimento pessoal intervir apenas nos fenômenos cujo determinismo ainda não está de forma alguma fixado, procurando controlar o mais que puder este sentimento pessoal, esta ideia *a priori*, pela observação e pela experiência[8].

Como se vê, a experimentação, aqui, significa algo muito diferente do que significava em Bernard e em qualquer outro pensador da ciência do seu tempo. Isto porque há uma inversão na relação entre o observador e o observado. Na observação e experiência científica, trata-se de abstrair constantes, leis, da consideração do objeto. No romance experimental o conhecimento das leis e princípios antecede a construção do enredo, que é desenvolvido de forma a não infringi-los, de forma a adequar-se o mais possível a eles. Isto é: aceitando os "fatos provados" e buscando conformar os episódios ao "mecanismo dos fenômenos", tal como definidos pela ciência, o que o romance experimental faz é construir um discurso que comprove a possibilidade de obter verossimilhança a partir dos pressupostos científicos, eliminando ou impedindo o surgimento de eventos ficcionais que não pudessem ser explicados pelos pressupostos, embora fossem verossímeis em outro regime discursivo.

Nisso reside sua principal reivindicação de verdade e de atualidade – palavras que, por conta do paradigma científico de base, terminam por se equivaler. Ou seja, a reivindicação principal do Naturalismo de Zola é que a arte baseada na ciência será sempre mais moderna e mais verdadeira do que a que constrói sua verossimilhança sobre outros pressupostos

8. *Idem*, p. 75.

e convenções, cujo valor científico não é reconhecido. É o que se lê nesta passagem:

Fica bem entendido que, todas as vezes que uma verdade é fixada pelos cientistas, os escritores devem abandonar imediatamente sua hipótese para adotar essa verdade; em caso contrário, eles permaneceriam por *parti pris* no erro, sem benefício para ninguém. É assim que, à medida que avança, a ciência nos fornece, a nós escritores, um terreno sólido no qual devemos nos apoiar para lançar novas hipóteses. [...] Tomo um exemplo muito simples, para melhor me fazer compreender: está provado que a terra gira em torno do sol; o que se pensaria de um poeta que adotasse a antiga crença, o sol girando em torno da terra?[9]

Zola insiste nesse ponto, e torna clara a ambição científica que fundamenta o caráter experimental que propugna para o seu romance:

Em nosso romance experimental, poderemos muito bem arriscar hipóteses sobre as questões de hereditariedade e sobre a influência dos meios, após termos respeitado tudo o que a ciência sabe hoje sobre a matéria. Prepararemos os caminhos, forneceremos fatos de observação, documentos humanos que poderão se tornar muito úteis[10].

Para Zola, como se vê, essa forma de conceber a criação literária permitiria fazer do romance a vanguarda da ciência, pois o escritor poderia valer-se da sua liberdade criativa para ensaiar desenvolvimentos e explicações para as ações das personagens que, por sua vez, antecipassem as conclusões científicas. A ambição última de Zola é, portanto, uti-

9. *Idem*, p. 73.
10. *Idem*, p. 74.

lizar os pressupostos, o método e as conclusões científicas como instrumentos para promover o romance à categoria de atividade de valor científico. No caso, o romance inauguraria um novo tipo de psicologia. À psicologia romântica, centrada nos movimentos anímicos do herói em contraposição ao meio, sucederia, por obra do romance experimental, a "psicologia científica", que Zola entendia como uma derivação da fisiologia e das condições objetivas do ambiente: "o homem metafísico está morto – escreveu ele –, todo o nosso terreno se transforma com o homem fisiológico"[11].

Dessa ambição e desses pressupostos derivam dois elementos centrais do estilo naturalista: a base fisiológica das metáforas e comparações, pois o homem é compreendido principalmente como um organismo determinado pela herança genética e pelo meio em que se move; e o pendor descritivo, que constitui, mais do que um traço de gosto, uma questão de método.

A opção pelas metáforas biológicas não é originalidade do Naturalismo. Já Balzac delas fazia largo uso. Tanta importância tinham elas para o autor de *Eugênia Grandet*, que ele tratou de explicitar o seu papel seminal na composição da *Comédia Humana*. Eis como escreveu, num prefácio de 1842:

A ideia primeira da Comédia Humana [...] nasceu de uma comparação entre a humanidade e a animalidade. [...] Não há senão um animal. O Criador se serviu de um só e único padrão para todos os seres organizados. O animal é um princípio que adquire sua forma

---

11. *Idem*, p. 75. É possível pensar que o lugar que o criador do "romance experimental" previa para o romance será ocupado, pouco depois da sua morte, por outra "psicologia científica": a psicanálise. E é mesmo muito plausível que o triunfo da psicanálise seja uma das principais causas da drástica diminuição do interesse pelo romance naturalista a partir dos primeiros anos do século XX.

exterior, ou, para falar com mais rigor, as diferenças de sua forma, nos meios em que ele se desenvolve. As espécies zoológicas resultam dessas diferenças. [...] Compenetrado desse sistema, muito antes dos debates aos quais deu ensejo, compreendi que, desse ponto de vista, a sociedade se assemelhava à natureza. Não transforma a sociedade o homem, segundo os meios em que se desenvolve sua ação, em outros tantos indivíduos diferentes, à semelhança das variedades em zoologia? [...] Existiram, pois, e existirão sempre, espécies sociais, como há espécies zoológicas. Se Buffon fez um trabalho magnífico tentando apresentar num livro o conjunto da zoologia, não seria desejável fazer-se uma obra desse gênero com relação à sociedade?[12]

O que é novo no Naturalismo é antes a intensificação da recorrência dessas metáforas e o emprego da linguagem mais crua para representar a motivação biológica dos atos humanos.

Desse predomínio da explicação biológica resulta a outra característica do estilo naturalista, que é a abundância e grande pormenorização das descrições de ambientes. Nas palavras de Zola:

Os romancistas naturalistas descrevem muito, não pelo prazer de descrever, como são censurados, mas porque entram na sua fórmula circunstanciar e completar a personagem pelo meio. O homem não é mais para eles uma abstração intelectual, assim como o consideravam no século XVI; é um animal pensante, que faz parte da grande natureza e que está submetido às múltiplas influências do solo em que ele cresceu e em que vive. É porque um clima, uma região, um horizonte, um quarto, têm frequentemente uma importância decisiva. Portanto, o romancista não separa mais a personagem da at-

12. Honoré de Balzac, "Prefácio", *Obras Escolhidas*, trad. Vidal de Oliveira, Rio de Janeiro, Editora Globo, 1955, pp. 9-11.

mosfera em que ela se move; não descreve por uma necessidade de retórica, como os poetas didáticos, como Delille, por exemplo; nota, simplesmente, a cada hora, as condições materiais nas quais agem os seres e se produzem o fatos, com o fito de ser absolutamente completo, de abranger em sua investigação o conjunto do mundo e de evocar a realidade inteirinha[13].

De tal conjunto de pressupostos deriva também a proposição de um tipo preferencial de narrador, cujo modelo é o cientista – o médico, para ser mais exato. É o clássico tipo do narrador em terceira pessoa, objetivo e neutro – com a vantagem, sobre o cientista, de ter sobre o seu objeto um ponto de vista onisciente, isto é, de ser capaz de expor com autoridade não apenas as cenas observáveis de fora, mas também os pensamentos e movimento interiores das personagens.

Por fim, é fácil verificar o quanto tais proposições devem aos avanços da ciência do tempo, bem como à sensação orgulhosa com que a segunda metade do século XIX avaliava os progressos da técnica. Uma pesquisa na internet sobre os nomes de Darwin, Lamarck, Herbert Spencer, Charcot, Comte e Taine, e sobre os termos positivismo, evolucionismo, darwinismo permitirá formar rapidamente uma imagem do quadro de pensamento no qual se move a literatura realista.

2. O Naturalismo no Brasil

No Brasil, o Naturalismo começou a ser assunto importante – como vimos – quando Eça de Queirós publicou *O Pri-*

---

13. "O Naturalismo no Teatro", em E. Zola, *O Romance Experimental*, *op. cit.*, p. 131.

mo Basílio, em 1878. A publicação de *O Crime do Padre Amaro* não causara comoção, mas a história do adultério de Luísa com Basílio, a descrição de suas aventuras sexuais – com destaque para uma cena de sexo oral – fizeram do livro um motivo de escândalo, embora (ou talvez justamente porque) tenha tido enorme sucesso de público e de crítica[14].

O debate sobre a nova escola centrou-se tão fortemente na obra de Eça que um conhecido historiador da literatura dedica ao escritor português (com algumas pinceladas sobre o Naturalismo em Portugal) 157 das 248 páginas de seu livro intitulado precisamente *O Naturalismo no Brasil* – ou seja, mais da metade do volume[15].

Entretanto, quando Aluísio de Azevedo publica *O Mulato*, já o autor português dificilmente poderia ser classificado como naturalista. Em 1880, Eça publicara uma novela fantástica, intitulada *O Mandarim*, que em nada se parece aos seus dois primeiros livros. E na sequência sua obra se afasta dos preceitos da escola, ganhando maior variedade em termos de tom – com destaque para a ironia mordente, em vez da descrição desapaixonada – e, principalmente, de construção do narrador.

Daí que alguma crítica tenda a discernir duas vertentes no Naturalismo brasileiro. É o caso de Sodré:

O naturalismo do Eça, na verdade, ficou longe do modelo rigoroso, não se acomodou às normas ortodoxas. No Brasil, as influências

---

14. Ver, a propósito, a apresentação do volume *O Primo Basílio*, nesta mesma coleção. Também poderá ser consultado o capítulo "*O Primo Basílio* e a Batalha do Realismo no Brasil", em Paulo Franchetti, *Estudos de Literatura Brasileira e Portuguesa*, Cotia (SP), Ateliê Editorial, 2007.

15. Nelson Werneck Sodré, *O Naturalismo no Brasil*, Rio de Janeiro, Civilização Brasileira, 1965.

se bifurcam, claramente: há os imitadores de Zola e há os imitadores de ambos, mas é a exceção[16].

Não vale a pena discutir aqui os termos empobrecedores com que o crítico apresenta a questão. Basta registrar que, com maior ou menor afastamento em relação aos preceitos de Zola, um conjunto significativo de livros publicados no final do século XIX no Brasil pode ser denominado naturalista, se essa expressão designar romances nos quais a história está centrada na determinação dos comportamentos ou temperamentos das personagens pelo meio social e pela herança biológica e a narração é conduzida por um narrador objetivo, não personalizado e onisciente.

Nesse sentido, são pontos altos do Naturalismo no Brasil os romances *O Homem, Casa de Pensão* e *O Cortiço*, de Aluísio Azevedo, *Bom Crioulo* e *A Normalista*, de Adolfo Caminha, bem como *O Missionário*, de Inglês de Sousa, e *A Carne*, de Júlio Ribeiro.

Ora, todos esses livros, incluindo *A Carne* – que Álvaro Lins considerava tão ruim a ponto de propor que fosse excluído da literatura –, experimentaram razoável sucesso de público[17]. Desses, apenas *O Cortiço* mereceu valorização constante e unânime.

O diagnóstico de Aluísio Azevedo quanto à disparidade de gosto da crítica e do público, portanto, não subsiste. Pelo contrário, manifesta-se em outra dimensão: na exclusão de vários romances "modernos" de apelo escandaloso e popular e na seleção de apenas alguns poucos títulos naturalistas

---

16. *Idem,* p. 154.

17. Eis o que escrevia o crítico em 1941: "Literariamente, é um livro que só nos deixa indiferença ou aborrecimento. Ou mais exatamente: para a literatura este livro não existe." Álvaro Lins, *Jornal de Crítica*, Segunda Série, Rio de Janeiro, José Olympio, 1943, p. 153.

como dignos de atenção. Ou seja, entre a crítica e o público – o público romântico, por um lado; e o público ávido de sensações novas, por outro – havia um divórcio mais acentuado do que o que ele propunha.

Num trabalho sobre o Naturalismo no Brasil, Flora Süssekind formula esta pergunta, que interessa neste ponto desta apresentação:

> Seriam, no entanto, tais estudos de temperamento tão fora de propósito, tão afastados da sociedade brasileira? Se o fossem como se explica, então, o seu sucesso? Por que fizeram escola? Por que a preferência pelas "nevropatas" em detrimento de personagens coletivos ou romances cujo cenário fosse mais amplo do que uma típica casa de família? Seria possível, ainda, considerarmos gratuita tal preferência, quando a associamos à voga cientificista e ao desenvolvimento de uma *medicina do comportamento* no final de século?[18]

E eis como responde:

> A exigência de uma sintonia nítida entre literatura e vida nacional, de uma literatura que "documente" o que ocorre no país, aponta para o fato de a crítica literária brasileira ter sido geralmente "mais realista que o rei". Não é só como programa literário de romancistas em momentos diversos de nossa história que surge o naturalismo. Ele tem sido, sobretudo, um parâmetro crítico. Normativamente tem servido para a exclusão e o esquecimento de escritores e obras menos documentais, e para o privilégio daqueles que "representem" claramente a nacionalidade[19].

De fato, a história do Naturalismo no Brasil foi contada a partir de dois focos de atenção, que operaram sobre ele

---

18. Flora Süssekind, *Tal Brasil, Qual Romance?*, Rio de Janeiro, Achiamé, 1984, pp. 122-123.

19. *Idem*, pp. 121-122.

uma seleção violenta, tornando-o até hoje objeto de uma descrição deficiente: por um lado, o Naturalismo foi avaliado no quadro dos pressupostos de uma forma de conceber o sentido e a função da literatura brasileira que nasceu com os românticos, empenhados na construção simultânea da literatura e do país, e que perdura até hoje; por outro, foi submetido à sombra de Machado de Assis, que se tornou o modelo do romance oitocentista brasileiro e cuja crítica a Eça de Queirós assumiu, para muitos, não o caráter do embate de uma perspectiva ainda romântica com uma perspectiva realista, como vimos, mas de uma crítica de um realista a um naturalista.

O resultado é que se valorizaram, do Naturalismo, quase exclusivamente aqueles livros nos quais o documento da especificidade brasileira, o retrato da sociedade, a reflexão sobre a estrutura da nação vêm para primeiro plano, e se condenaram ao desinteresse aqueles em que o determinismo ocupa um lugar central na constituição dos temperamentos.

Nesse quadro, *O Cortiço* naturalmente sobressai – é quase uma estrela isolada no romance brasileiro oitocentista, capaz de brilhar ao lado de Alencar e de Machado.

Quanto à forma e sentido do romance, comecemos por verificar o que diz, por exemplo, o ferrenho opositor de Júlio Ribeiro, Álvaro Lins, no mesmo artigo em que exclui da literatura o romance *A Carne*:

Neste romance, Aluísio fez recuar os personagens, pessoalmente, para um plano quase que secundário; o que se encontra no primeiro plano é uma dualidade de existências coletivas e simbólicas: o sobrado patriarcal e a habitação dos cortiços. Não são os personagens que determinam a ação; é a ação, resultante do ambiente, que vai criando e movimentando os personagens. E esta inovação é que lhe deu oportunidade para se revelar numa habilidade extremamente difícil: a de movimentar grupos e massas de homens. Mas movimentá-los num todo, numa unidade orgânica, fazendo de um agrupamento social um verdadeiro personagem. Na verdade, o principal personagem neste romance nem é João Romão, nem Bertoleza, nem Miranda, nem Rita. O principal personagem é o cortiço, que aparece, documentariamente, em toda a sua história: nos seus princípios, na sua plenitude e na sua decadência. [...] é a cidade do Rio de Janeiro numa das fases mais particulares e mais características da sua formação histórica[20].

E agora vejamos o que diz um crítico mais recente, Antonio Candido, num ensaio bem conhecido a que adiante retornaremos:

Mas em outro nível, não será [o cortiço] também antinaturalisticamente uma alegoria do Brasil, com a sua mistura de raças, o choque entre elas, a natureza fascinadora e difícil, o capitalista estrangeiro postado na entrada, vigiando, extorquindo, mandando, desprezando e participando?[21]

E conclui, a partir dessa leitura alegorizante – que afinal valoriza o que seria o nosso melhor romance naturalista justamente pelo que nele seria antinaturalista[22] –, com a seguinte avaliação do mérito estético da obra: "como solução literária foi excelente, porque graças a ele o coletivo exprime a generalidade do social"[23].

20. Álvaro Lins, *op. cit.,* pp. 148-149.
21. Antonio Candido, "De Cortiço a Cortiço", *O Discurso e a Cidade*, 3ª ed., São Paulo/Rio de Janeiro, Duas Cidades/Ouro sobre Azul, 2004, p. 117.
22. Candido discorda de Lukács, que atribui ao Naturalismo como um todo o uso da alegoria como forma de representação social. De seu ponto de vista, Verga e Eça, por exemplo, não fazem alegorias; Zola, sim. E entende que "talvez por influência de Zola nós a encontramos também nos [romances] de Aluísio, sendo em ambos os casos, a meu ver, elemento de força e não de fraqueza". *Idem*, p. 116.
23. *Idem*, p. 117.

Na verdade, a história do Naturalismo no Brasil só recentemente está sendo contada, talvez porque só nos últimos anos tenha afrouxado a normatividade do julgamento sobre os objetivos e funções da literatura nacional. De momento, porém, um panorama da historização do movimento e do julgamento crítico já realizado apenas conduzirá a reafirmar o que se lê na passagem acima, extraída do livro de Flora Süssekind e que os textos referidos de Álvaro Lins e Antonio Candido exemplificam.

De modo que o melhor é passar logo à história da recepção de *O Cortiço* e ao comentário da obra, buscando identificar suas características mais notáveis, tanto as valorizadas quanto as condenadas pela crítica interessada.

3. O livro

O Cortiço foi o único romance que Aluísio Azevedo escreveu de uma série em que, a exemplo do ciclo dos *Rougon Macquart*, de Zola, ou da *Comédia Humana*, de Balzac, pretendia traçar um panorama da vida brasileira desde 1820 ao seu próprio tempo. Como se vê pelo plano original, que vem transcrito a seguir, o conjunto (denominado *Brasileiros Antigos e Modernos*) seria composto de cinco volumes:

O primeiro romance, *O Cortiço*, faz-nos ver um colono analfabeto, que de Portugal vem com a mulher trabalhar no Brasil, trazendo consigo uma filhinha de dois anos. Essa criança vem a ser a *menina do cortiço*, um dos tipos mais acentuados da obra, o qual será ligado imediatamente a um tipo novo, *o tipo do vendeiro amancebado com a preta*. O colono deixa a mulher por uma mulatinha, e deste novo enlace surgem *O Felizardo* e *A Loureira*: participa deste grupo o tipo do *capadócio*, o pai-avô do *capoeira*, que mais tarde é chefe de malta e força ativa nas eleições. Ligado a este chefe de malta está um tipo que contrasta com ele: é o antigo conselheiro de Estado, político formado durante a menoridade do Sr. D. Pedro II e graduado pelos seus serviços à causa da revolução mineira. Do Conselheiro nasce *A Família Brasileira*, composta de quatro figuras, a saber, o chefe, Conselheiro, de cinquenta e tantos anos, conservador e lírico; a esposa deste, senhora de quarenta, muito apaixonada pela *História dos Girondinos* de Lamartine, sonhando reformas e lamentando não ser homem para desenvolver o que ela julga possuir de ambição política no seu espírito; a filha, moça de vinte anos, prática e interesseira, vendo sempre as coisas pelo prisma das comodidades e das conveniências sociais; e o filho, rapaz de dezesseis anos, presumido, filósofo e muito convencido de que está senhor de toda a ciência de Augusto Comte.

É sobre esta família que têm de agir o Felizardo e a Loureira, é nesta família que a Loureira vai buscar o amante, o filósofo de dezesseis anos, a quem não valerá toda a teoria científica de Comte e Spencer, e que dará um dos bilontras da *Bola Preta;* enquanto o Felizardo, conseguindo casar com a filha do Conselheiro, e conseguindo, uma vez rico, fazer carreira política, vai influenciar nos destinos do Brasil e comprometer a situação do monarca, como se verá no último livro[24].

O que primeiro salta aos olhos nesse plano é que nele o que parece importar mais é a fixação de tipos: o colono, a menina do cortiço, o vendeiro amancebado com uma negra, o capadócio, o capoeira, o conselheiro, a senhora romântica. Depois, impõe-se a percepção de que o plano original do *Cortiço* era bem diferente do que foi a sua realização, bem como a de que confluíram para este romance elementos dos outros, que terminaram por não ser escritos.

Segundo o projeto inicial, o romance seria centrado na figura de Jerônimo e sua família. Mas não apenas Jerônimo é

---

24. Trata-se de artigo publicado no periódico *A Semana*, em 1885. Transcrito em Lúcia Miguel Pereira, *História da Literatura Brasileira: Prosa de Ficção (de 1870 a 1920)*, Belo Horizonte/São Paulo, Itatiaia/Edusp, 1988, pp. 155-156.

somente uma entre várias figuras de relevo (como João Romão e Bertoleza), como também sua filha termina por não ter grande destaque na obra, não se liga ao vendeiro nem termina por ser o tipo da "menina de cortiço", que será desenvolvido em Pombinha e insinuado em Juju. Tampouco tem Jerônimo filhos com Rita Baiana. E quando o romance começa Firmo já deixara de ter papel como chefe de bando encarregado de fazer coação em épocas eleitorais, e encontra-se reduzido a um desclassificado que sonha em se tornar "contínuo de alguma repartição pública", para ter horário de trabalho regular.

De qualquer forma, o que se vê neste projeto é um desenho de obra que desenvolveria a ideia de mestiçagem, atribuindo aos filhos de Jerônimo e Rita Baiana, isto é, do português e da mulata, um lugar de destaque na série. Ora, nada disso existe no romance publicado, no qual brancos e negros ou mulatos se acasalam, mas não têm ou não deixam descendência. Já no que toca às relações interraciais, Romão e Jerônimo são figuras especulares: enquanto o primeiro abandona a mulher negra para casar-se com uma mulher branca, Jerônimo abandona a mulher branca para juntar-se à mulher mulata. No quadro do romance, não seria absurdo dizer que esse movimento por si só permite caracterizar – no que diz respeito aos homens – o que ascende e o que decai na escala social, pois em *O Cortiço* aparece como biologicamente fundada e sentida a questão da supremacia dos brancos sobre os negros ou mestiços[25].

25. As crenças de Aluísio Azevedo quanto à hierarquia das raças constituem hoje a parte menos palatável de sua obra e se manifestam muitas vezes de maneira subentendida ao longo do texto, mas de modo explícito em duas passagens. A primeira é quando assim explica a submissão de Bertoleza a João Romão: "ele propôs-lhe morarem juntos, e ela concordou de braços abertos, feliz em meter-se de novo com um português, porque, como toda a cafuza, Bertoleza não queria sujeitar-se a negros e procurava instintivamente o homem numa raça superior à sua". A segunda é quando espelha a

Exposto o projeto inicial, vejamos agora, em linhas gerais, o enredo e a estrutura ampla do livro.

O Cortiço é um romance breve, composto de 23 capítulos. O eixo principal do enredo é a história do enriquecimento de João Romão, proprietário de uma venda, de um conjunto de casas populares e de uma pedreira.

O livro abre com uma apresentação dessa personagem e de sua companheira, uma negra chamada Bertoleza, cujo trabalho João Romão explora e com quem viverá amancebado até enriquecer e completar a sua ascensão social por meio do casamento com a filha de um capitalista e barão. E fecha com o suicídio de Bertoleza, quando descobre que fora enganada por Romão e que continuava presa à condição servil.

Como parte do processo de enriquecimento de Romão, ergue-se o cortiço que ele possui, e dentre os habitantes do cortiço destacam-se, porque têm suas histórias narradas de forma mais extensa, um casal de portugueses (Jerônimo e Piedade) e um casal de mulatos (Firmo e Rita Baiana), bem como Pombinha (menina que terminará por se tornar prostituta de luxo). São, embora com funções e relações diferentes entre si, tipos listados no projeto de série romanesca acima transcrito.

Entre as personagens secundárias, avultam os habitantes de um sobrado vizinho do cortiço: Miranda, sua mulher e sua filha (com a qual se casará João Romão).

Desde o primeiro capítulo esboça-se a relação competitiva de Romão e Miranda, cuja forma principal é a inveja. Entretanto, a inveja não tem sentido único. É, na verdade, recíproca: no capítulo 2, vemos Miranda remoer-se de inveja

---

mesma situação no que diz respeito à união de Rita Baiana e Jerônimo, que ela escolhe em vez do mulato Firmo: "o sangue da mestiça reclamou seus direitos de apuração, e Rita preferiu no europeu o macho de raça superior". A mesma Rita é descrita, mais adiante, assim: "volúvel como toda mestiça".

do fato de Romão ter enriquecido pelo próprio esforço, sem ter de se submeter, como ele, a um casamento de conveniência, humilhante, com uma mulher adúltera; já no capítulo 10, quando Miranda recebe o título de barão, é a vez de Romão amargurar-se, comparando a sua vida de privações com a do vizinho. A rivalidade entre ambos terá final pacífico, dissolvendo-se em aliança.

No que toca à estrutura dos capítulos, o livro se divide em duas partes de extensão parecida. Na primeira, que vai até o capítulo 10, o centro da atenção é o enriquecimento de João Romão; a partir do capítulo 13 começam as negociações de Romão com um agregado da casa de Miranda, para casar-se com a filha do capitalista, e começam os planos para livrar-se de Bertoleza, que passa a constituir um empecilho, em vez de uma trabalhadora útil. Ocorre no capítulo 13 o primeiro sinal de superação da barreira entre o cortiço e o sobrado, com a visita de João Romão à casa de Miranda, anunciada pelo convite por ele recebido e recusado no capítulo 10.

Entre essas duas partes há dois capítulos centrados na personagem Pombinha, num dos quais se conta, em *flashback*, a sua sedução pela prostituta Léonie, que formam uma espécie de *intermezzo*[26].

No capítulo 10 se dá também o anúncio da destruição do velho cortiço, com o primeiro incêndio provocado pela Bruxa. E no capítulo 13 se anuncia a formação de um novo cortiço, o Cabeça de Gato, destinado a herdar os miserá-

---

26. A história de Pombinha cumpre em outro momento essa função de intervalo no fluxo da ação principal. Trata-se do capítulo 22, o penúltimo. Entre o momento em que Romão descobre a forma de se livrar de Bertoleza, restituindo-a ao antigo senhor, e o episódio final, em que põe seu plano em prática, surge de novo Pombinha e outra vez sua história – a da vida de casada e de sua transformação em prostituta associada a Léonie – é narrada em *flashback*.

APRESENTAÇÃO ∻ 33

veis que serão expulsos do cortiço de João Romão, que, como seu proprietário, sofrerá uma mudança de classe, deixando de abrigar imigrantes miseráveis, pequeno-burgueses falidos, lavadeiras e trabalhadores sem qualificação, e passará a ser habitado preferencialmente por operários, pequenos funcionários, artistas de teatro e estudantes sem muitos recursos.

Do ponto de vista da história de Jerônimo, que, no projeto original, seria o centro do enredo, a divisão do livro é aproximadamente a mesma: é no capítulo 10 que se manifesta publicamente a sua paixão por Rita e tem lugar, em decorrência, a briga entre ele e Firmo, da qual sai ferido gravemente. E é no capítulo 14 que Jerônimo volta ao cortiço e começa a planejar o assassinato do rival para poder juntar-se a Rita, abandonando a mulher e a filha.

No que diz respeito à representação do cortiço, o livro é igualmente dividido em duas partes bem marcadas. Na primeira, compreendida entre o capítulo 3 e o capítulo 10, a habitação coletiva é descrita com vigor e senso de pitoresco. É nela que melhor se sente o poder do escritor em fazer viver os aglomerados de personagens, em dar conta do típico, em descrever de modo vívido o ambiente degradado e sujo. Já a partir do primeiro incêndio, no capítulo 10, diminui o vigor das cenas coletivas, e o romance começa a se centrar em personagens individuais. Enquanto na parte inicial a estalagem aparece primeiro em dia de trabalho (capítulo 3) e depois quase que apenas em dias de festa (um domingo, que ocupa o capítulo 6 e 7; e outro domingo, no capítulo 10), na segunda parte cai para segundo plano: já não há festas e a ação se passa, a maior parte do tempo, fora dela. O espaço exterior e comum do cortiço, o pátio, antes caracterizado pela aglomeração do trabalho ou do festejo, é agora apenas cenário de guerra e de destruição: a briga de Rita e Piedade, que se amplia na pancadaria entre portugueses e brasileiros, logo substituída pela invasão e incêndio do cortiço. As principais personagens, em torno das quais se erguiam as vozes corais do cortiço, já estão situadas ou focadas em outros espaços: Firmo, no cortiço rival; João Romão, no sobrado de Miranda e na rua do Ouvidor, transformado em capitalista e investidor na bolsa; Jerônimo e Rita, em outra estalagem. Como declara o narrador no capítulo 20, constatando o final do processo de mudança que começara a ocorrer dez capítulos antes: "Em diversos pontos cantavam e tocavam a viola. Mas o cortiço já não era o mesmo; estava muito diferente; mal dava ideia do que fora". Como anota ironicamente, "o cortiço aristocratizava-se". A festa passa a se desenvolver apenas nos espaços domésticos: "agora o forte eram os forrobodós dentro de casa, com três ou quatro músicos, ceia de café com pão, muita calça branca e muito vestido engomado". E eis a principal alteração, no que diz respeito à ordenação do espaço coletivo, que dera o tom das passagens mais animadas da primeira parte: "O pátio, como João Romão havia prometido, estreitara-se com as edificações novas; agora parecia uma rua, todo calçado por igual e iluminado por três lampiões grandes simetricamente dispostos".

Nessa frase se encontra sintetizada a transformação do cortiço de espaço desordenado, que lembrava (como as várias metáforas do narrador indicam) o desenvolvimento de um organismo vivo (e doente), em espaço marcado pela simetria, pela organização geométrica, racional, como observa Antonio Candido:

O cortiço renovado é descrito por uma imagem de cunho mecânico, quando o antigo sempre o fora por meio de imagens orgânicas, que continuam a ser usadas para o cortiço desorganizado que recebe os seus rebotalhos. A passagem do espontâneo ao dirigido manifesta a acumulação do capital, que disciplina à medida que se disciplina, enquanto o sistema metafórico passa do orgânico da natureza para o mecânico do mundo urbanizado[27].

O que também é um símbolo, um reflexo da alteração que se processa na figura do seu proprietário: Romão passa da exploração bruta, avarenta e extrativa da negra, do cortiço e da pedreira, à exploração racional da nova avenida, ao casamento lucrativo e à especulação financeira.

4. O cortiço

Nesse mesmo ensaio, Antonio Candido propõe, como vimos no começo desta apresentação, que *O Cortiço* seja lido como uma alegoria do Brasil. Para o crítico, "é visível que a carreira de João Romão tem para o romancista um caráter de paradigma, inclusive devido à reação suscitada no brasileiro mais ou menos ressentido pela constituição das fortunas portuguesas naquele tempo." Também é visível para o crítico que a acumulação de dinheiro por João Romão "assume para o romancista a forma odiosa da exploração do nacional pelo estrangeiro". Nesse quadro alegórico, Romão é o "capitalista estrangeiro postado na entrada" (do cortiço-Brasil)[28].

A questão devia, quando da redação do ensaio, parecer óbvia, já que Candido se dispensa de comprová-la, registrando apenas que "n'*O Cortiço* há pouco sentimento de injustiça social e nenhum da exploração de classe, mas nacionalismo e xenofobia, ataque ao abuso do imigrante 'que vem tirar o nosso sangue' "[29]. É possível e mesmo provável que essa fosse a maneira de ver de Aluísio Azevedo, em outros textos, mas parece pouco razoável aproximar-se do romance atribuindo

---

27. Cf. Antonio Candido, *op. cit.*, p. 115.
28. *Idem*, p. 111.
29. A frase entre aspas na citação de Candido não faz parte do romance.

a Aluísio Azevedo, como faz Candido, "uma curiosa visão popular ressentida de freguês endividado de empório".

Tal leitura sem dúvida é possível. Mas não se faz sem violência ao texto do romance, cujo recorte é mais sutil.

É certo que Candido trata da miscigenação, mas não há referência nem reflexão sobre o fato de que no cortiço habitam, além de brasileiros brancos e vários tipos de mestiços, muitos europeus – portugueses, mas também um grupo significativo e coeso de europeus não portugueses, os mascates italianos. A "comuna ruidosa e porca [...] dos demônios dos mascates italianos", além de presente ao longo de todo o livro, parece ganhar mais importância no novo cortiço, pois monopoliza o seu lado esquerdo e aí mantém "a esterqueira" que caracterizava a velha estalagem. Assim, se o cortiço pode ser uma alegoria do Brasil, por conta da miscigenação, a leitura simplificada, que reduz os conflitos a uma oposição entre o nacional e o estrangeiro, não se sustenta. Tampouco é razoável dizer que João Romão está "postado na entrada". Ele labuta furiosamente a maior parte do romance, privando-se de confortos, conforme o velho modelo do avarento (que tem outra atualização no livro, na figura de Libório), e dificilmente (exceto no final do romance) poderia ser descrito como um capitalista.

O capitalista que explora cortiço é outro: é brasileiro, se mantém no anonimato e coloca, como administrador, um português. Mas não se trata aqui de Romão e sua estalagem, mas de seu homólogo no concorrente "Cabeça de Gato": "Figurava como seu dono um português que também tinha venda, mas o legítimo proprietário era um abastado conselheiro, homem de gravata lavada, a quem não convinha, por decoro social, aparecer em semelhante gênero de especulações"[30].

30. Ver p. 241.

É certo que há uma oposição entre portugueses e brasileiros, dentro do cortiço. Ela se manifesta com clareza no episódio da briga de Piedade com Rita. Mas também é certo que essa rivalidade cessa imediatamente, perante o ataque dos integrantes do outro cortiço.

É ainda verdade que é o próprio narrador quem afirma, a propósito de Jerônimo: "o português abrasileirou-se para sempre; fez-se preguiçoso, amigo das extravagâncias e dos abusos, luxurioso e ciumento; fora-se-lhe de vez o espírito da economia e da ordem; perdeu a esperança de enriquecer". E é praticamente impossível não levar adiante a oposição entre Jerônimo e Romão, como representando dois tipos de europeu: o que vence o meio e o que é submetido por ele – oposição que precisaria, em todo caso, ser complementada por um terceiro elemento, que é Miranda, um português submetido inteiramente não ao meio, mas à imoralidade que advém da sua dependência do dinheiro da mulher brasileira; e também ser complementada pela consideração de que há vários outros europeus no cortiço, que não fazem o caminho nem de João Romão nem de Jerônimo.

Por fim, a aceitar a pertinência da leitura alegórica do nacional, não parece razoável aplicá-la a somente parte da história. Seria preciso ao menos incluir nela o "Cabeça de Gato", para onde, como Candido reconhece, "os moradores inadaptados [ao cortiço remodelado de Romão] são expulsos ou se expulsam, indo continuar o ritmo da desordem". Qual deles seria o Brasil? Ou haveria dois Brasis? E qual seria o sentido da reforma do cortiço-Brasil do português Romão? Seria uma proposta de reconstrução nacional, teria algo a ver com a passagem do Império à República?

Não será esse o nosso caminho, por certo. Nem nosso interesse estará focado na questão imediatamente decorrente da insistência na leitura alegórica – isto é, da insistência em que

38 ⤳ PAULO FRANCHETTI

o imperativo da literatura brasileira é a representação do país como um todo –, que é a de estimar os efeitos desse imperativo na particularização do Naturalismo no Brasil. Quanto a esse ponto, Antonio Candido entende que, enquanto na representação do cortiço parisiense por Zola, a pretensão alegórica estaria ausente; *O Cortiço*, "em vez de representar apenas o modo de vida do operário, passa a representar, através dele, aspectos que definem o país todo". É o que ele denomina "o Brasil como intermediário". Isso diminuiria "o alcance geral do romance de Aluísio", mas "aumentaria o seu significado específico". Ou seja, diminuiria o valor universal e aumentaria o seu valor nacional.

A verdade é que a alegoria não se sustenta. E o próprio Antonio Candido traz à tona a insubsistência da leitura que ele mesmo propõe, quando se pergunta: se Romão é um exemplo dos "homens superiores de outra cepa", "por que então apresentá-lo de maneira tão acerba? Por que mostrar nele um explorador abjeto, se sua matéria-prima era uma caterva desprezível?"

No romance, não se fala de homens, de indivíduos superiores, mas de raças superiores. E é fácil constatar que, para Aluísio, a questão da superioridade das raças nada tem a ver com superioridade moral. De fato, tudo é desprezível no mundo desse romance: como animais que se devoram, sobrevive o mais apto. Mas o indivíduo pertencente a uma raça biologicamente superior, nos termos de Aluísio, não é sequer o mais apto a sobreviver. A prova é Jerônimo, escolhido por Rita por conta do impulso da mulata de se unir a um branco, mas cujo destino é a decadência física, econômica e moral.

Em *O Cortiço*, para usar a linguagem do tempo, tanto os exemplares da raça superior quanto os da inferior são descritos da mesma perspectiva pessimista e com recurso a vocabulário e imagens que denotam, sobretudo, desagrado e repugnância. O que levou Lúcia Miguel Pereira a escrever:

[...] parece ter havido, em Aluísio Azevedo, uma contradição essencial, que se poderá exprimir sucintamente dizendo que foi um naturalista com horror à realidade. O seu feitio independente, sempre em revolta contra o meio, devia levá-lo à literatura de evasão, mas a moda do tempo o impelia para a objetividade, e o real que assim se obrigava a buscar não o satisfazia, antes como que lhe repugnava, preso que ficava aos pormenores mais grosseiros[31].

E ainda:

Jungido assim, tanto pelos imperativos da escola como pelas suas próprias limitações, a uma realidade que não o satisfazia, e nem, porque só a apreciava de um ângulo, dominava de maneira total, Aluísio, inconscientemente, procurava vingar-se, apresentando-a de modo odioso. [...] A natureza, para esse naturalista, era uma força cruel e avassaladora que endoidecia as mulheres quando não se punham, apenas púberes, a serviço da perpetuação da espécie, transformava em "supuração fétida" as decepções dos homens, armava umas contra as outras todas as criaturas, numa ferocidade de cães à disputa de ossos[32].

Esse nivelamento por baixo é uma das características mais marcantes desse romance e responde até hoje pelo estranhamento da leitura, pois torna impossível atribuir-lhe perspectiva política coerente, ou ainda desenho ideológico em direção ao justo ou ao moral.

A expressão "nivelamento por baixo" é utilizada num estudo de Affonso Romano de Sant'Ana (cuja leitura vale a pena, pois continua sendo interessante aproximação ao romance de Aluísio Azevedo) para referir-se apenas a um dos

31. Lúcia Miguel Pereira, *op. cit.*, p. 147.
32. *Idem*, pp. 148-149.

40 ⊹ PAULO FRANCHETTI

dois ambientes que ele distingue no romance: o do cortiço, que ele denomina conjunto simples, regido pelas leis do instinto e próximo da natureza; já o do sobrado de Miranda, que ele denomina conjunto complexo, seria regido por regras culturais e pautado por um sistema de trocas objetivas[33]. Distinguindo os dois conjuntos pelo grau de afastamento em relação à natureza, Sant'Ana escreve que João Romão perfaz o trânsito entre ambos, realizando a passagem do simples ao complexo, do mundo da natureza ao da cultura. O mesmo movimento é experimentado por Pombinha.

A consideração das personagens que ascendem de um a outro universo mostra que essa passagem não tem, a rigor, implicação moral. Igualam-se antes os dois conjuntos numa só amoralidade básica. Tanto Romão quanto as prostitutas (tal como representadas no romance) configuram-se como predadores. Perante eles, todas as demais personagens perdem relevo enquanto indivíduos, ficando confinadas a um ambiente apenas, enquanto elas transitam de um para outro e entre um e outro.

Nesse sentido, se há uma crítica ideológica nesse romance ela se processa pela afirmação de um absoluto pessimismo quanto ao conjunto da sociedade, cuja estratificação nada tem a ver com a moralidade ou com a justiça. Por isso, no romance, as personagens mais simpáticas (por assim dizer) terminam por ser os derrotados, os que permanecem no nível mais próximo da animalidade. Entre a paixão de Jerônimo por Rita, mesmo que descrita na clave mais baixa das comparações aviltantes, e o cálculo de João Romão ao se utilizar de Bertoleza, com quem fica a simpatia – mes-

---

33. Affonso Romano de Sant'Ana, "O Cortiço", *Análise Estrutural de Romances Brasileiros*, 4ª ed., Rio de Janeiro, Vozes, 1977 (1ª ed.: 1975). Este estudo de Sant'Ana antecede o de Candido, que constitui uma contraposição a ele.

mo que limitada ou contrafeita – do leitor? Entre a sexualidade gratuita de Rita (ainda que condicionada pelo desejo de apurar o sangue, nos termos do livro) e a de Pombinha, qual a menos aviltante? E em que cena o leitor teria mais propensão a se emocionar: no encontro de Piedade com o ex-marido, quando se abraçam os dois derrotados e destruídos, ou no namoro de Romão com "a brasileirinha fina e aristocrática", quando ele se delicia com a evocação da "doce existência dos ricos, dos felizes e dos fortes, dos que herdaram sem trabalho ou dos que, a puro esforço, conseguiram acumular dinheiro, rompendo e subindo por entre o rebanho dos escrupulosos ou dos fracos"?

Essa reflexão do vendeiro coloca, por sua vez, bem clara a questão moral: estão no nível do rebanho, equivalem-se os escrupulosos e os fracos – o que é o mesmo que dizer que os escrupulosos são fracos.

Por outro lado, é ponto pacífico que o romance tem forte preocupação documental. Conta-se que o autor, como bom realista, chegou a frequentar, disfarçado, um cortiço do Rio de Janeiro, para tomar apontamentos ao vivo, a almoçar nas tabernas imundas e a ouvir memórias de capoeiras e operários. Sobre isso, escreveu Gilberto Freyre:

Nesses mulatos, a má origem era completa e para todos os efeitos sociais: ilícita a união de que resultavam; socialmente desprezíveis os pais; socialmente inferior o meio em que nasciam e se criavam – cortiços, "quadros", mucambos. De um desses meios – o cortiço – deixou Aluísio Azevedo no seu *O Cortiço* um retrato disfarçado em romance que é menos ficção literária que documentação sociológica de uma fase e de um aspecto da formação brasileira[34].

---

34. Gilberto Freyre, *Sobrados e Mocambos*, em Silviano Santiago (org.). *Intérpretes do Brasil*, vol. II, Rio de Janeiro, Nova Aguilar, 2002, p. 1246.

Entretanto, na sua época houve quem colocasse em questão justamente a verossimilhança do enredo, no que diz respeito à ascensão de João Romão, como foi o caso de Pardal Mallet:

[...] lá em Botafogo não existem casas bancárias, nem o vendeiro do cortiço, no círculo da vida em que foi colocado, poderia ganhar mais de uns contos de réis[35].

De qualquer forma, é verdade que vem exposto no livro, de modo claro e objetivo, o sistema de exploração da classe trabalhadora, do operariado em formação no Brasil escravocrata. A negociação entre João Romão e Jerônimo é exemplar: Romão a custo concorda em pagar-lhe o que pede para ser seu empregado na pedreira, e só o faz com o compromisso de Jerônimo de morar (e pagar aluguel) no cortiço e de fazer todas as compras na sua venda.

Não entanto, não há simpatia, nem há condescendência para com os pobres. Não há como concluir, como faz Álvaro Lins, que a "a simpatia com que descreve a gente dos cortiços e a antipatia com que expõe a gente dos sobrados – revelam o romancista de espírito popular animado de prevenções contra a burguesia". No romance, os pobres explorados formam, como escreveu Antonio Candido, "uma caterva desprezível". Ou, como diz o próprio narrador, "a gentalha". Tampouco existe, em *O Cortiço*, propaganda libertária direta ou indireta, exceto no que diz respeito à escravidão, nem, como bem notou Jean-Yves Mérian, proposta política: "Aluísio Azevedo não colore seu romance com nenhuma ideo-

35. Pardal Mallet, "O Cortiço", artigo publicado na *Gazeta de Notícias*, do Rio de Janeiro, em 22, 24 e 26 de maio de 1890. Reproduzido em Aluísio Azevedo, *Ficção Completa em Dois Volumes*, Rio de Janeiro, Nova Aguilar, 2005. A frase transcrita se encontra na p. 88.

logia socialista como alguns críticos desejariam. Ele não propõe nenhuma solução contra os males que atingem a sociedade que descreve"[36].

5. A natureza

No que diz respeito à posição do narrador em face das suas criaturas, já se notou inúmeras vezes o vezo animalizante da descrição das personagens de *O Cortiço* ou na descrição de suas ações.

Lembremos algumas mais notáveis. Bertoleza é um animal de trabalho, foi abandonada como uma cavalgadura e se suicidou num ímpeto de anta bravia. Rita Baiana tinha muito de serpente e arrulhava como pomba no cio. Firmo, quando cantava, grunhia, miava, com todas as vozes de bichos sensuais. Jerônimo é a princípio um animal bom e forte, é como um cão, mas depois desenvolve lascívias de macaco, adquire o cheiro sensual dos bodes e tem gozo de besta-fera. Sua mulher Piedade é um animal enxotado, que muge como uma vaca e ulula como um cão. Léonie tem corcovos de égua, bufa, relincha e gane – e forma, com Pombinha, uma serpente de duas cabeças. Há ainda Florinda, com olhos luxuriosos de macaca, Miranda que se comporta como animal no cio, sua mulher que grunhe, Marciana que ulula como uma cadela, Machona que tem anca de animal do campo e um avarento que tem expressão de abutre. Por fim, nem

---

36. Jean-Yves Mérian, *Aluísio Azevedo – Vida e Obra (1857-1913) – O Verdadeiro Brasil do Século XIX*, Rio de Janeiro/Brasília, Espaço e Tempo/INL, 1988, p. 582. Nisso diverge, e com razão a nosso ver, de Pardal Mallet, que no referido artigo escrevia: "*O Cortiço* deixa de ser um livro de estudo, impassível e frio como a ciência, para tornar-se um livro de propaganda, onde vibra toda inteira a bela alma sonhadora e compassiva do escritor maranhense. / De propaganda nativista, e de propaganda socialista também".

mesmo os visitantes eventuais escapam, pois os bombeiros que socorrem o incêndio são descritos como mais ágeis que macacos.

Esse exemplário animalizado vive, por sua vez, num ajuntamento que vemos minhocar e multiplicar-se como larvas no esterco, verminar constantemente como formigueiro assanhado, exalar o fartum de bestas no coito e o prazer animal de existir e produzir clamor de galinheiro assustado.

Na leitura do romance ressaltam também as metáforas e comparações de origem vegetal, bem como a constante referência à natureza brasileira – especialmente o sol tropical – e seu poder de determinação das personagens.

No que diz respeito à personificação da natureza brasileira, há dois momentos notáveis no livro, embora muito diferentes em alcance e em método. Um é o da dança de Rita; outro, o da menstruação de Pombinha.

O da dança de Rita está na segunda metade do capítulo VII. Vale a pena observá-lo com atenção:

> Naquela mulata estava o grande mistério, a síntese das impressões que ele recebeu chegando aqui: ela era a luz ardente do meio-dia; ela era o calor vermelho das sestas da fazenda; era o aroma quente dos trevos e das baunilhas, que o atordoara nas matas brasileiras; era a palmeira virginal e esquiva que se não torce a nenhuma outra planta; era o veneno e era o açúcar gostoso; era o sapoti mais doce que o mel e era a castanha do caju, que abre feridas com o seu azeite de fogo; ela era a cobra verde e traiçoeira, a lagarta viscosa, a muriçoca doida, que esvoaçava havia muito tempo em torno do corpo dele, assanhando-lhe os desejos, acordando-lhe as fibras embambecidas pela saudade da terra, picando-lhe as artérias, para lhe cuspir dentro do sangue uma centelha daquele amor setentrional, uma nota daquela música feita de gemidos de prazer, uma lavra daquela nuvem de cantáridas que zumbiam em torno da Rita Baiana e espalhavam-se pelo ar numa fosforescência afrodisíaca.

APRESENTAÇÃO ~ 45

O narrador ainda prossegue, desenvolvendo o motivo vegetal, ao anotar:

Isto era o que Jerônimo sentia, mas o que o tonto não podia compreender. De todas as impressões daquele resto de domingo só lhe ficou no espírito o entorpecimento de uma desconhecida embriaguez, não de vinho, mas de mel chuchurreado no cálice de flores americanas, dessas muito alvas, cheirosas e úmidas, que ele na fazenda via debruçadas confidencialmente sobre os limosos pântanos sombrios, onde as oiticicas trescalam um aroma que entristece de saudade.

Como se vê, a paixão de Jerônimo por Rita transcende a relação homem/mulher. O que sucede aí é o fim de um processo de "revolução começada desde a primeira vez em que lhe bateu em cheio no rosto, como uma bofetada de desafio, a luz deste sol orgulhoso e selvagem". Rita é encarnação da natureza do Brasil, que arrasta após si o português e o faz entrar num caminho descendente, no qual perderá aos poucos todos os valores e pudores: "sentiu nela o resumo de todos os quentes mistérios que os enlearam voluptuosamente nestas terras de luxúria". A descida de Jerônimo se dá também na escala zoológica: de "animal bom e forte" a "macaco" lascivo. Tudo se passa como se a integração à vida brasileira conduzisse não à animalidade (pois ele já era referido antes por analogia com um animal, o "bom animal") mas ao triunfo da pior animalidade.

Ao entregar-se ao desejo e unir-se à mulata, Jerônimo perde não só o domínio racional sobre seu corpo e sua vontade, mas também a sua própria história e identidade e mergulha no inferno da indiferenciação. Eis o desenvolvimento da cena de sexo entre ele e Rita, no capítulo 15, em que se dá uma espécie de explosão do calor tropical acumulado nos seus anos de vida brasileira:

[...] sua alma derreteu-se, fervendo e borbulhando como um metal ao fogo, e saiu-lhe pela boca, pelos olhos, por todos os poros do corpo, escandescente, em brasa, queimando-lhe as próprias carnes e arrancando-lhe gemidos surdos [...] uma agonia de anjos violentados por diabos, entre a vermelhidão cruenta das labaredas do inferno.

Vazada na linguagem do fogo, essa passagem consubstancia o movimento geral do texto: não há desfrute do sensual no universo do cortiço, há o triunfo do instinto – que, no caso de Jerônimo, significa a destruição pela luxúria.

Mas não é só quando domina um europeu que o instinto recebe coloração negativa no romance. Na verdade, não há nenhum domínio do humano onde a palavra, nesse romance, designe algo positivo. E mesmo a ligação de Firmo e Rita – que era, afinal, a ligação de pessoas da mesma classe e etnia – é descrita no mesmo registro aviltante: Rita "amara-o a princípio por afinidade de temperamento, pela irresistível conexão do instinto luxurioso e canalha que predominava em ambos".

A degradação dos caracteres não é, assim, apenas efeito do meio social ou da raça (para usar o termo do tempo). É também e principalmente efeito da natureza tropical. Tanto que o narrador escreve, ao narrar o embate dos habitantes dos dois cortiços: "E no entanto o sol, *único causador de tudo aquilo*, desaparecia de todo nos limbos do horizonte, indiferente" (itálico nosso, p. 291 desse volume).

Para os padrões de hoje, a responsabilidade exclusiva do sol – isto é, do clima – num romance em que a personagem principal é um usurário que submete à sua ganância a amante, os empregados, os clientes e qualquer pessoa em que possa pôr a mão, pareceria excessiva. Não para Aluísio, por certo, que inclusive promove uma curiosa oposição entre a natureza europeia e a brasileira, numa reflexão de Piedade sobre os motivos da sua desgraça, conduzida em discurso indireto livre, no capítulo 16. Aí vemos a pobre mulher, que nos é apresentada como ignorante, traçar um rigoroso e poético paralelo entre a terra portuguesa e a brasileira. Do lado português, frio e melancolia; do brasileiro, um inferno de sol, perfume e lascívia. No Brasil, campos dominados por animais selvagens (onça, maracajá, queixada, anta, sucuruju, cobra-coral); em Portugal, o campo habitado pelo gado "que à tarde levanta para o céu de opala o seu olhar humilde, compungido e bíblico". A contraposição é entre o presépio português e a orgia brasileira, entre o céu e o inferno, lugar da salvação e lugar de queda e perdição.

O sol é também protagonista ainda num dos episódios mais marcantes do livro: o sono de Pombinha, narrado no capítulo 11, do qual ela desperta menstruada, depois de longo tempo à espera da puberdade.

A cena é bem preparada e constitui um momento de destaque no romance, pois difere, em tom, do restante do livro. O capítulo em que ocorre é composto de três partes: a primeira narra o rescaldo da luta com os invasores do outro cortiço e do primeiro incêndio provocado pela Bruxa; a segunda, a sedução de Pombinha por Léonie – contada em *flashback*; finalmente, na terceira, vem o episódio em pauta.

Para a introduzir a narração retrospectiva da violentação de Pombinha por Léonie, o narrador nos apresenta o mal-estar da jovem, decorrente não só do que lhe tinha sucedido em casa da prostituta, mas também da "notícia do defloramento e da fuga de Florinda", que a abalaram. A seguir, depois de narrar a cena de sexo homossexual, descreve desta maneira o estado de espírito da menina: "assim a delicada planta murcha languesce e morre, se carinhosa borboleta não vai sacudir sobre ela as asas prenhes de fecundo e dourado pólen".

A flor é, portanto, uma constante nessa passagem. Florinda (que traz a flor no nome) é deflorada, engravida e cai em desgraça, cumprindo seu destino de mulher de cortiço, submetida ao instinto (tinha "olhos luxuriosos de macaca") e ao engano do macho que a abandona. Pouco adiante, é a "embriaguez de flores traiçoeiras" que induz Pombinha ao repouso ao ar livre, onde adormece e sonha ser uma flor fecundada pelo sol, transformado em borboleta. E é aqui que se dá o completo desenvolvimento do tema anunciado em página anterior, na página erótica que Lúcia Miguel Pereira considerava "uma das mais declamadoras e piegas de Aluísio Azevedo"[37].

É certo que se trata de uma cena singular, pela extensão e pelo tratamento sensório. Mas não nos parece mal construída. Pelo contrário, é um dos trechos que ainda hoje se leem com interesse por fugir ao padrão imagético do restante do romance.

Ocorre aí uma estranha alusão a figuras emblemáticas da Natividade: pomba, fecundação espiritual, virgindade mantida após a fecundação. Mas o domínio pagão e animal em que se dá essa contrafacção é claro no nome da virgem do cortiço; e o domínio do natural é completo, pois praticamente todas as imagens pertencem ao domínio da flora. Não se trata de anunciação de redenção, mas de um quadro de perdição: Pombinha, que se mantivera casta e pura – "flor mimosa e peregrina criada num monturo, violeta infeliz, que um estrume forte demais para ela atrofiara" – experimenta o sexo estéril com Léonie, é fecundada não por um homem, mas pelo sol, e consegue assim, de alguma forma, libertar-se de "toda aquela esterqueira, onde ela, depois de se arrastar por muito tempo como larva, um belo dia acordou borboleta à luz do sol".

A imagem é eloquente. Pombinha, após a iniciação sexual e o episódio do sono ao ar livre, incorpora o sol: é ela agora a borboleta. Passa a ser, simbolicamente, um êmulo do sol,

---

37. Lúcia Miguel Pereira, *op. cit.*, p. 153. Ao que acrescenta: "Felizmente trechos assim são raros no *Cortiço*, em regra sóbrio nas linhas gerais, incisivo nos detalhes".

adquire o poder sedutor e nocivo do sol dos trópicos, no esquema simbólico do romance. Deixa o lugar metafórico da flor, que é o da feminilidade, e assume o da borboleta, que é o poder fecundante masculino. Torna-se, por assim dizer, uma versão em nível mais elevado de Rita, uma espécie de fusão entre Rita e Léonie: sedutora como a natureza tropical, mas não seduzida; uma predadora – como sugere o nome de sua mentora e parceira – e não mais uma presa.

No nível das imagens, Pombinha é a que é capaz de transformação, de adoção do lado forte a que primeiro se submete: fecundada pela borboleta solar, passa a ser ela mesma uma borboleta, e quando se entrega finalmente a Léonie, que é identificada a uma cobra que vence a ave indefesa ("a serpente vencia afinal: Pombinha foi, pelo seu próprio pé, atraída, meter-se-lhe na boca"), logo ressurge com as propriedades da outra: "as duas cocotes, amigas inseparáveis, terríveis naquela inquebrantável solidariedade, que fazia delas uma só cobra de duas cabeças, dominam o alto e o baixo Rio de Janeiro".

Rita também é, ao largo do romance, várias vezes associada a uma cobra. Essas três mulheres são, portanto, portadoras de veneno. A diferença é que Pombinha e Léonie conseguem controlar o próprio corpo e desejo, transformando-os em meio de apropriação de riqueza. Ambas se afastam, assim, do domínio do natural – que é o do cortiço. Já Rita permanece sempre igual a si mesma e é tão senhora quanto escrava dos seus desejos.

É esse afastamento ou liberação do nível do instinto que torna Pombinha capaz de transitar entre os dois "conjuntos" ou universos do romance. E também Léonie, que é estrangeira como João Romão e Jerônimo e que, se os encararmos como polos opostos, está mais próxima do primeiro do que do segundo. Nesse sentido, Pombinha e Léonie estão na mesma categoria de João Romão, que tampouco sucumbe aos encantos da natureza tropical nem aos próprios instintos e que, pelo contrário, subordina ambos à paixão maior do dinheiro.

Ao apresentar a perdição de Jerônimo, o narrador descreve essa natureza como "muralha de fogo com que o espírito eternamente revoltado do último tamoio entrincheirou a pátria contra os conquistadores aventureiros". Essa trincheira, entretanto, se vale como defesa contra os Jerônimos, não vale contra os Romãos. Ou seja, vale contra os que não são aventureiros e não é eficaz contra os conquistadores verdadeiramente aventureiros. A "muralha de fogo", assim, não é eficaz e a pátria entrincheirada não é um lugar puro, a ser preservado – como o sabor de indianismo tardio da imagem poderia fazer supor. Na verdade, não há – quando consideramos o romance como um todo – uma muralha separando dois mundos. Há o fogo, sem dúvida, mas que domina a pátria inteira, que a caracteriza e define como inferno, lugar de degradação, no qual conseguem triunfar apenas a prostituta e o escroque. De fato, Romão, a única das personagens principais a que se pode atribuir sucesso, é de longe a mais odiosa do livro, a mais imoral e mais pervertida, pois ele é não só avarento, mas ainda ladrão e falsificador, e tem como únicas molas da sua existência a obsessão do dinheiro e o desejo de poder. É uma figura, sem exagero, diabólica. Mas os que ele explora não são melhores do que ele: são brutos, inconscientes e capazes de semelhantes vícios e atrocidades, como mostra o caso de Jerônimo, transformado em assassino, e o do avarento que morre no incêndio.

O que diferencia Romão e o coloca, de certa forma, no mesmo nível de Pombinha, é que ele é antinatural, apenas cálculo e ambição. Por isso mesmo, ele aparece como imune aos encantos da natureza brasileira. Melhor diríamos talvez: indiferente a ela. Na verdade, não há em João Romão qualquer comprazimento no gozo dos sentidos. Mesmo quando se torna capitalista, o prazer lhe aparece basicamente como símbolo de ascensão social. Nisso se distingue também de seu compatriota de sucesso, Miranda, que é prisioneiro não só do dinheiro da mulher brasileira, mas do desejo que sente por ela e que é evidente, ainda que ele afirme que a procura apenas para aliviar-se, "como quem se serve de uma escarradeira".

Constrói-se assim, nesse romance, um quadro sem esperança: entregues a si mesmos e à lascívia estimulada pelo ambiente dos trópicos, os homens e as mulheres se comportam como animais e não têm outros fins que não a satisfação das necessidades fisiológicas; os que conseguem sair desse círculo de animalidade o fazem não por virtude ou por melhor adaptação ao meio, mas por serem capazes de se imunizar contra ele para se tornarem exploradores dos primeiros. E para piorar o quadro, até Piedade – "feita de um só bloco, compacta, inteiriça e tapada, [que] recebia a influência do meio só por fora, na maneira de viver, conservando-se inalterável quanto ao moral, sem conseguir, à semelhança do esposo, afinar a sua alma pela alma da nova pátria que adotaram" – termina por incorporar a desordem geral, depois de traída e abandonada por Jerônimo, entregando-se ao álcool e à depravação.

Não parece que se possa vislumbrar aqui um projeto nacional. Nem oposição real entre o nacional e o estrangeiro. Eles se mesclam em vários níveis e o triunfo ou fracasso das personagens tem a ver não com uma separação entre o autóctone e o adventício, mas entre a cedência ao natural – exacerbado, no caso da natureza tropical – e a recusa (ou manipulação) do natural, não como caminho de ascese ou de obtenção de equilíbrio, mas como outra forma de perversão. Não há pecado ao sul do Equador, dizia um ditado do século XVII, reproduzido por um historiador holandês[38]. Não há também virtude, parece dizer este livro.

---

38. Caspar Barlaeus (1584-1648). Segundo Sérgio Buarque de Holanda, Barlaeus comentara o ditado nestes termos: "Como se a linha que divide o mundo em dois hemisférios também separasse a virtude do vício". In: *Raízes do Brasil*, Rio de Janeiro, José Olympio, 1975, p. 33.

É certo que não há representação das classes superiores em *O Cortiço*. Mas não há razão para crer que haja uma distinção significativa – exceto em termos de dinheiro e privilégios – entre as várias classes que compõem a sociedade brasileira, a julgar pelo plano de trabalho traçado pelo autor, no qual se previa que um dos filhos de Jerônimo e Rita Baiana seria capaz, após enriquecer, de "influenciar nos destinos do Brasil e comprometer a situação do monarca".

Expressão de profundo pessimismo, *O Cortiço* é um livro que perturba. As várias leituras alegorizantes que dele se ensaiaram constituem, na verdade, uma forma consoladora de lidar com o quadro geral que o livro traça da contingência humana e, como caso particular, da cidade do Rio de Janeiro, num momento preciso do seu crescimento e caminho em direção à anonimização típica das grandes cidades.

Transição, aliás, é uma palavra-chave, que está consignada na página de abertura do volume, como logo veremos.

6. Muita luz

De modo geral, a crítica, ao longo do tempo, tem insistido na discussão do enquadramento do romance nos princípios do Naturalismo. E alguma crítica tem mesmo reduzido o interesse do romance à exemplificação do movimento a que pertenceria.

A questão foi importante, especialmente para os leitores da época. Mas não parece a mais produtiva para a leitura de hoje, porque termina por afastar o leitor da concretude do texto, da experiência da leitura, em busca da historização do estilo ou da identificação das marcas de época.

É claro que tudo isso interessa. Porém mais interessante do que o esforço de definir a aproximação ou distanciamento de um texto concreto em relação a um modelo é verificar o que ele tem a dizer além ou aquém desse quadro estreito, ou seja, observar a sua singularidade, a sua forma específica de significar.

No caso de *O Cortiço*, vale a pena observar os paralelismos entre personagens e situações, as oposições e complementaridade de caracteres (que em rápidas linhas traçamos nas seções anteriores – e que Affonso Romano de Sant'Ana descreve com precisão), bem como as variações do estilo. Estas especialmente chamam a atenção a uma leitura atenta.

Já comentamos a efusão lírica da passagem relativa à menstruação de Pombinha. Vale a pena ainda observar que há muitos outros momentos com aparente tendência lírica, nos quais a descrição ensaia recolher a beleza sensória dos quadros, para logo regredir ao nível do registro baixo, do repulsivo ou do simplesmente desagradável. Por exemplo, este:

E aquilo se foi constituindo numa grande lavanderia, agitada e barulhenta, com as suas cercas de varas, as suas hortaliças verdejantes e os seus jardinzinhos de três e quatro palmos, que apareciam como manchas alegres por entre a negrura das limosas tinas transbordantes e o revérbero das claras barracas de algodão cru, armadas sobre os lustrosos bancos de lavar. E os gotejantes jiraus, cobertos de roupa molhada, cintilavam ao sol, que nem lagos de metal branco.

E naquela terra encharcada e fumegante, naquela umidade quente e lodosa, começou a minhocar, a esfervilhar, a crescer, um mundo, uma coisa viva, uma geração, que parecia brotar espontânea, ali mesmo, daquele lameiro, e multiplicar-se como larvas no esterco.

Essa passagem é o fecho do capítulo inicial. No primeiro parágrafo, a descrição da lavanderia que se compraz em construir um quadro pleno de vida, de caráter bucólico. Já o segundo abaixa brutalmente o registro, ao terminar com a síntese da cena na conjunção de vermes e de esterco. Esse movimento de rebaixamento será constante no livro todo e dará o seu tom específico de oscilação entre o comprazimento nos sentidos e o nojo.

Talvez venha daí um certo tom moralizante que tem o discurso do narrador, cujo distanciamento das personagens do livro (quando não sua repulsa por eles) fica a cada passo evidente. Ou seja, esse narrador não é neutro. Ao contrário, trata de marcar posição todo o tempo, ou por meio de qualificação das personagens ou por meio de comentário judicativo sobre os eventos.

Por exemplo, logo no primeiro capítulo se refere a João Romão como "o velhaco". E sua descrição do vendeiro transpira desprezo todo o tempo. Ou seja, não se trata de deixar o leitor concluir pelo caráter da personagem, mas de apresentá-la acompanhada de um conceito e um julgamento. E assim com outros.

E é muitas vezes exclusivamente sua a descrição aviltante, que termina por ser sentida apenas como manifestação da sua onipresença. Como neste caso:

> Não obstante, ao lado dele a crioula roncava, de papo para o ar, gorda, estrompada de serviço, tresandando a uma mistura de suor com cebola crua e gordura podre.
>
> Mas João Romão nem dava por ela; só o que ele via e sentia era todo aquele voluptuoso mundo inacessível vir descendo para a terra...

Aqui, a descrição do estado e dos odores de Bertoleza são sentidos pelo narrador (e pelo leitor), pois a única outra personagem ali presente não tinha consciência deles. Mas o narrador julga necessário sublinhar, por sua conta, independente da percepção da personagem naquele momento, o contraste entre as duas vidas – a verdadeira e a imaginada – de João Romão. E o faz à custa de reforçar os traços repulsivos de Bertoleza, que são as marcas do seu trabalho, explorado por Romão.

A recorrência desses procedimentos termina por constituir um vezo didatizante. Neste romance, tudo se passa como se o narrador nada quisesse deixar na sombra e a apresentação das personagens, seu meio, motivos e ações é feita de tal forma, que delas extrai um sentido unívoco. A perspectiva demonstrativa e didatizante também impede que os objetos descritos possam funcionar como equivalentes objetivos de emoções ou sentimentos. Cada elemento nos chega devidamente valorado, com um sentido claro. E como as personagens são rasas do ponto de vista psicológico, não há indagação, nem suspeita sobre seus motivos ou razões.

É também disso que provém a impressão documental do romance, a sua aproximação ao discurso expositivo do jornalismo ou da história – ou mesmo da antropologia ou da sociologia – como tantas vezes foi afirmado. Isto é, a impressão de documento, o efeito de recorte de realidade, não provém apenas (e nem principalmente) da possível consonância entre o que o discurso ficcional apresenta com outros discursos do tempo sobre o mesmo objeto. Provém sobretudo da forma de organização da matéria ficcional. Porque neste livro os únicos movimentos "interiores" das personagens são as pulsões instintivas, por um lado, e as paixões típicas (como a avareza de Romão ou a canalhice de Miranda), por outro. Reduz-se, nele, a quase nada o campo da justificação individual das ações (isto é, o campo propriamente moral). Reduz-se, portanto, o espaço de projeção e identificação do leitor com os eventos narrados, bem como o espaço para o julgamento subjetivo. As ações e seus motivos passam a ser apresentadas e avaliadas de forma unívoca, sem complexidade, sem ambiguidades, de fora. E o leitor, por meio dessa operação, é, por sua vez, empurrado também para fora: o papel que lhe cabe é o de comprovar a justeza dos pressupostos e a coerência dos mecanismos em ação.

Daí resulta a força do conjunto: o cortiço, como um todo, surge como a grande personagem, uma vez que as personagens, em si mesmas, constituem antes tipos, casos, exemplos; como num mural, o que se perde em profundidade e em particularização é compensado pela visão de conjunto, pelo grande plano que se abre e exibe ao espectador e que seria impossível se o particular ocupasse o lugar do típico. E aí também se localiza a sua possível fraqueza, que é o fato de a primeira leitura parecer suficiente para a compreensão do universo retratado e do sentido das ações das personagens, bem como dos seus motivos e do seu destino.

7. Zona de sombra

Para terminar este comentário, gostaríamos de apresentar um problema de difícil solução, que não parece ter sido ainda elucidado pela crítica. Pode parecer um problema menor, mas a sua localização no livro e a sua relativa obscuridade aguardam por um esforço interpretativo. Trata-se de uma epígrafe do romance.

Como se pode ver, a parte narrativa do livro é antecedida por quatro epígrafes, que deveriam funcionar como registro do propósito ou da inspiração da obra.

A primeira delas tem relação evidente com o conteúdo do livro e com a postura que o narrador pretende assumir: não recuso o perigo de dizer. É uma frase de Cícero e, como abertura, combina bem com a que segue, extraída do direito: o juramento "a verdade, toda a verdade, nada além da verdade". Não teme assim o autor do romance o perigo de dizer toda a verdade sobre o seu tema, de fugir às idealizações ou de suprimir, por pudor, uma parte da crua verdade. A terceira epígrafe também se junta bem às duas primeiras. Trata-se de um texto de um conterrâneo, João Francisco Lisboa, que afirma a importância da crítica social numa "verdadeira época de transição", como a que julga ser a sua. O perigo de dizer, o juramento de verdade e a necessidade da crítica incisiva numa época difícil formam um conjunto coerente.

Já a quarta epígrafe destoa. Trata-se de um trecho da *Legenda Áurea*, coleção medieval de lendas de santos (século XIII), na qual se narra um episódio da vida de São Francisco.

A questão que imediatamente se impõe é: como essa citação, que se refere ao poder do santo em se fazer entender pelos animais e determinar que louvem a Deus, conjuga com as anteriores? E com o projeto ou a matéria do livro?

Vejamos a passagem toda, isto é, o trecho mais amplo de onde foi retirada a epígrafe:

Com simplicidade de uma pomba, o beato Francisco convidava todas as criaturas ao amor do Criador. Pregava aos pássaros, que o escutavam, deixavam-se tocar por ele e só se retiravam depois de ter recebido sua permissão. Certa vez em que as andorinhas chilreavam enquanto ele pregava, calaram-se imediatamente diante de uma ordem sua nesse sentido. Na Porciúncula havia ao lado de sua cela uma figueira na qual uma cigarra [no original, um pássaro chamado cigarra] cantava com frequência. O homem de Deus estendeu a mão e chamou-a, dizendo: "Minha irmã cigarra, venha aqui". Ela obedeceu imediatamente e subiu na mão de Francisco, que lhe disse: "Cante, minha irmã cigarra, e louve seu Senhor". Ela se pôs a cantar no mesmo instante e retirou-se apenas depois de ter sido dispensada. Ele não tocava nas lanternas, lâmpadas ou velas, pois não queria deturpar seu fulgor. Caminhava sobre as pedras com reverência, em consideração por aquele que foi chamado Pedro. Tirava os vermes do caminho com medo de que fossem esmagados sob os pés dos passantes. A fim de que as abelhas não morressem com o frio invernal, mandava dar-lhes mel e um ótimo vinho. Chamava todos os animais de irmãos. Cheio de uma alegria maravilhosa e inefável em seu amor pelo Criador, contemplava o sol, a lua e as estrelas e convidava-os a amar o Criador[39].

39. Jacopo de Varazze, *Legenda Áurea – Vidas de Santos,* trad. Hilário Franco Júnior, São Paulo, Companhia das Letras, 2006, pp. 842-843.

Frente a tal epígrafe, em tal livro, temos de perguntar: seria apenas ironia? A simplicidade da pomba, encarnada por São Francisco, ecoaria com o escárnio no nome Pombinha, dado à menina que tem com a natureza uma comunhão erótica e termina por se prostituir?

Mas, ainda que as imagens do livro fossem uma paródia do texto de Francisco, qual a necessidade de convocá-lo na abertura do livro e na sequência das três outras epígrafes que tratam da necessidade e justiça da crítica acerba?

A epígrafe é um problema porque é difícil imaginar contraste mais violento entre a atitude de Francisco perante a natureza e a do narrador, quando utiliza as imagens brutalizantes para descrever os seres humanos. E também porque não é fácil conciliar a citação da legenda dos santos com o perfil que a história nos legou do escritor: positivista, anticatólico e anticlerical militante.

A epígrafe, porém, está ali e sua presença instaura uma perspectiva (ou um problema) que, pela sua absoluta estranheza, ficou invisível à crítica. De fato, em toda a bibliografia que pudemos consultar, não havia uma só menção a essa epígrafe, embora ela conste de todas as edições do livro.

Talvez não fosse excessivo aproximar a escolha da epígrafe ao trajeto de outros autores denominados naturalistas, como Flaubert e Eça de Queirós, que, no final da vida, dedicaram-se a narrar vidas de santos. Como se o trabalho de contemplação e descrição da bestialidade e das iniquidades sociais tivesse exigido um ponto de referência ético, situado do lado de fora do universo representado.

No caso de Aluísio, como observamos, não há proposta de solução dos problemas descritos, nem há simpatia pelas personagens, nem investimento na psicologia. A epígrafe parece inserir, nas margens do livro, um padrão de conduta, o louvor da virtude da pobreza e da submissão da natureza. Num romance que tem como tema a ganância desabrida e a redução do homem à animalidade embrutecida, o exemplo de Francisco, o pobre de Deus, é um contraponto forte. Por outro lado, não há como não considerar que a intervenção do santo constitui a eliminação do determinismo, a suspensão da lei natural. Por meio dela, a natureza deixa de ser apenas lugar da queda e do pecado, ganhando coloração mais positiva, em que todas as criaturas comungam: do sol à lua, passando pelos animais silvestres, todos são tomados por Francisco como irmãos. Ou seja, a relação entre o homem e os animais é marcada pela elevação dos segundos ao nível do primeiro, e não de rebaixamento daquele em direção a estes.

De modo que, da inserção da epígrafe, embora não nos pareça possível por agora concluir muito, pode-se ao menos imaginar (já que não há outra explicação para ela) que possa não ser lida em clave apenas irônica e sim como um aceno de Aluísio de Azevedo à possibilidade de redenção, a um modelo ou esperança de alteração do triste e desesperançado quadro que ele compôs no romance.

Últimas palavras

O leitor deve ter observado que, ao longo desta apresentação, tratou-se de apresentar o romance de modo a focar os elementos de sua composição. Ao mesmo tempo, tentamos ressaltar, nos comentários, aquilo que ainda pode interessar hoje e que certamente não se reduz ao caráter documental do texto ou ao seu caráter de exemplo bem ou mal acabado de obra naturalista. O que julgamos mais importante é destacar a rede simbólica que se constrói e que, no final das contas, garante o interesse e justifica a leitura.

Se viemos andando certo ou não, só o leitor poderá dizer, logo que, deixando esta apresentação, der início à leitura do romance.

O CORTIÇO

Aluísio Azevedo

Periculum dicendi non recuso[1].

(Cícero[2])

La vérité, toute la vérité, rien que la vérité[3].

(*Droit Criminel*)

Os meus honrados colegas do jornalismo, e todos esses grandes publicistas que fatigam o céu e a terra para provar que esta em que estamos é a verdadeira época de transição, esses nos dirão se a Providência andaria bem ou mal se hoje suscitasse um novo Timon[4] *da verdadeira raça das fúrias, que com as pontas viperinas do azorrague*[5] *vingador lacerasse sem piedade os crimes e os vícios que a desonram.*

(João Francisco Lisboa[6], *Jornal de Timon*.
Prospecto. *Obras Completas*, vol. 1, p. 12.)

Un Oyseau qui se nomme cigale estoit en un figuier, et François tendit sa main et appella celluy oyseau, et tantost il obeyt et vint sur sa main. Et il lui deist: Chante, ma seur, et loue nostre Seigneur. Et adoncques chanta incontinent, et ne s'en alla devant quelle eust congé[7].

(Jacques de Voragine[8], *La Légende Dorée*.
Traduction française.)

I

João Romão foi, dos treze aos vinte e cinco anos, empregado de um vendeiro que enriqueceu entre as quatro paredes de uma suja e obscura taverna nos refolhos[1] do bairro de Botafogo; e tanto economizou do pouco que ganhara nessa dúzia de anos, que, ao retirar-se o patrão para a terra[2], lhe deixou, em pagamento de ordenados vencidos, nem só a venda com o que estava dentro, como ainda um conto e quinhentos em dinheiro.

Proprietário e estabelecido por sua conta, o rapaz atirou-se à labutação ainda com mais ardor, possuindo-se de tal delírio de enriquecer, que afrontava resignado as mais duras privações. Dormia sobre o balcão da própria venda, em cima de uma esteira, fazendo travesseiro de um saco de estopa cheio de palha. A comida arranjava-lha, mediante quatrocentos réis por dia, uma quitandeira sua vizinha, a Bertoleza, crioula trintona, escrava de um velho cego residente em Juiz de Fora e amigada com um português que tinha uma carroça de mão e fazia fretes na cidade.

Bertoleza também trabalhava forte; a sua quitanda era a mais bem afreguesada do bairro. De manhã vendia angu, e à noite peixe frito e iscas de fígado; pagava de jornal[3] a seu dono vinte mil-réis por mês, e, apesar disso, tinha de parte quase que o necessário para a alforria. Um dia, porém, o seu homem, depois de correr meia légua, puxando uma carga superior às suas forças, caiu morto na rua, ao lado da carroça, estrompado[4] como uma besta.

João Romão mostrou grande interesse por esta desgraça, fez-se até participante direto dos sofrimentos da vizinha, e com tamanho empenho a lamentou, que a boa mulher o escolheu para confidente das suas desventuras. Abriu-se com ele, contou-lhe a sua vida de amofinações e dificuldades. "Seu senhor comia-lhe a pele do corpo! Não era brinque-

O CORTIÇO ~ 65

do para uma pobre mulher ter de escarrar pr'ali, todos os meses, vinte mil-réis em dinheiro!" E segredou-lhe então o que já tinha juntado para a sua liberdade e acabou pedindo ao vendeiro que lhe guardasse as economias, porque já de certa vez fora roubada por gatunos que lhe entraram na quitanda pelos fundos.

Daí em diante, João Romão tornou-se o caixa, o procurador e o conselheiro da crioula. No fim de pouco tempo era ele quem tomava conta de tudo que ela produzia, e era também quem punha e dispunha dos seus pecúlios, e quem se encarregava de remeter ao senhor os vinte mil-réis mensais. Abriu-lhe logo uma conta corrente, e a quitandeira, quando precisava de dinheiro para qualquer coisa, dava um pulo até à venda e recebia-o das mãos do vendeiro, de "Seu João", como ela dizia. Seu João debitava metodicamente essas pequenas quantias num caderninho, em cuja capa de papel pardo lia-se, mal escrito e em letras cortadas de jornal: "Ativo[5] e passivo[6] de Bertoleza".

E por tal forma foi o taverneiro ganhando confiança no espírito da mulher, que esta afinal nada mais resolvia só por si, e aceitava dele, cegamente, todo e qualquer arbítrio. Por último, se alguém precisava tratar com ela qualquer negócio, nem mais se dava ao trabalho de procurá-la, ia logo direito a João Romão.

Quando deram fé estavam amigados.

Ele propôs-lhe morarem juntos, e ela concordou de braços abertos, feliz em meter-se de novo com um português, porque, como toda a cafuza, Bertoleza não queria sujeitar-se a negros e procurava instintivamente o homem numa raça superior à sua.

João Romão comprou então, com as economias da amiga, alguns palmos de terreno ao lado esquerdo da venda, e levantou uma casinha de duas portas, dividida ao meio paralelamente à rua, sendo a parte da frente destinada à quitan-

da e a do fundo para um dormitório que se arranjou com os cacarecos de Bertoleza. Havia, além da cama, uma cômoda de jacarandá, muito velha com maçanetas de metal amarelo já mareadas, um oratório cheio de santos e forrado de papel de cor, um baú grande de couro cru tacheado, dois banquinhos de pau feitos de uma só peça e um formidável cabide de pregar na parede, com a sua competente coberta de retalhos de chita.

O vendeiro nunca tivera tanta mobília.

– Agora, disse ele à crioula, as coisas vão correr melhor para você. Você vai ficar forra; eu entro com o que falta.

Nesse dia ele saiu muito à rua, e uma semana depois apareceu com uma folha de papel toda escrita, que leu em voz alta à companheira.

– Você agora não tem mais senhor! declarou em seguida à leitura, que ela ouviu entre lágrimas agradecidas. Agora está livre. Doravante o que você fizer é só seu e mais de seus filhos, se os tiver. Acabou-se o cativeiro de pagar os vinte mil-réis à peste do cego!

– Coitado! A gente se queixa é da sorte! Ele, como meu senhor, exigia o jornal, exigia o que era seu!

– Seu ou não seu, acabou-se! E vida nova!

Contra todo o costume, abriu-se nesse dia uma garrafa de vinho do Porto, e os dois beberam-na em honra ao grande acontecimento. Entretanto, a tal carta de liberdade era obra do próprio João Romão, e nem mesmo o selo, que ele entendeu de pespegar-lhe em cima, para dar à burla maior formalidade, representava despesa porque o esperto aproveitara uma estampilha já servida. O senhor de Bertoleza não teve sequer conhecimento do fato; o que lhe constou, sim, foi que a sua escrava lhe havia fugido para a Bahia depois da morte do amigo.

– O cego que venha buscá-la aqui, se for capaz… desafiou o vendeiro de si para si. Ele que caia nessa e verá se tem ou não pra peras![7]

Não obstante, só ficou tranquilo de todo daí a três meses, quando lhe constou a morte do velho. A escrava passara naturalmente em herança a qualquer dos filhos do morto; mas, por estes, nada havia que recear: dois pândegos de marca maior que, empolgada a legítima[8], cuidariam de tudo, menos de atirar-se na pista de uma crioula a quem não viam de muitos anos àquela parte. "Ora! bastava já, e não era pouco, o que lhe tinham sugado durante tanto tempo!"

Bertoleza representava agora ao lado de João Romão o papel tríplice de caixeiro, de criada e de amante. Mourejava a valer, mas de cara alegre; às quatro da madrugada estava já na faina de todos os dias, aviando o café para os fregueses e depois preparando o almoço para os trabalhadores de uma pedreira que havia para além de um grande capinzal aos fundos da venda. Varria a casa, cozinhava, vendia ao balcão na taverna, quando o amigo andava ocupado lá por fora; fazia a sua quitanda durante o dia no intervalo de outros serviços, e à noite passava-se para a porta da venda, e, defronte de um fogareiro de barro, fritava fígado e frigia sardinhas, que Romão ia pela manhã, em mangas de camisa, de tamancos e sem meias, comprar à praia do Peixe. E o demônio da mulher ainda encontrava tempo para lavar e consertar, além da sua, a roupa do seu homem, que esta, valha a verdade, não era tanta e nunca passava em todo o mês de alguns pares de calças de zuarte[9] e outras tantas camisas de riscado[10].

João Romão não saía nunca a passeio, nem ia à missa aos domingos; tudo que rendia a sua venda e mais a quitanda seguia direitinho para a caixa econômica e daí então para o banco. Tanto assim que, um ano depois da aquisição da crioula, indo em hasta pública[11] algumas braças de terra situadas ao fundo da taverna, arrematou-as logo e tratou, sem perda de tempo, de construir três casinhas de porta e janela.

Que milagres de esperteza e de economia não realizou ele nessa construção! Servia de pedreiro, amassava e carregava barro, quebrava pedra; pedra, que o velhaco, fora de horas, junto com a amiga, furtavam à pedreira do fundo, da mesma forma que subtraíam o material das casas em obra que havia por ali perto.

Estes furtos eram feitos com todas as cautelas e sempre coroados do melhor sucesso, graças à circunstância de que nesse tempo a polícia não se mostrava muito por aquelas alturas. João Romão observava durante o dia quais as obras em que ficava material para o dia seguinte, e à noite lá estava ele rente[12], mais a Bertoleza, a removerem tábuas, tijolos, telhas, sacos de cal, para o meio da rua, com tamanha habilidade que se não ouvia vislumbre de rumor. Depois, um tomava uma carga e partia para casa, enquanto o outro ficava de alcateia[13] ao lado do resto, pronto a dar sinal em caso de perigo; e, quando o que tinha ido voltava, seguia então o companheiro, carregado por sua vez.

Nada lhes escapava, nem mesmo as escadas dos pedreiros, os cavalos de pau, o banco ou a ferramenta dos marceneiros.

E o fato é que aquelas três casinhas, tão engenhosamente construídas, foram o ponto de partida do grande cortiço[14] de São Romão.

Hoje quatro braças de terra, amanhã seis, depois mais outras, ia o vendeiro conquistando todo o terreno que se estendia pelos fundos da sua bodega; e, à proporção que o conquistava, reproduziam-se os quartos e o número dos moradores.

Sempre em mangas de camisa, sem domingo nem dia santo, não perdendo nunca a ocasião de assenhorear-se do alheio, deixando de pagar todas as vezes que podia e nunca deixando de receber, enganando os fregueses, roubando nos pesos e nas medidas, comprando por dez réis de mel coado[15] o que os escravos furtavam da casa dos seus senhores, apertando cada vez mais as próprias despesas, empilhando privações sobre privações, trabalhando e mais a amiga como uma junta de bois, João Romão veio afinal a comprar uma boa parte da bela pedreira, que ele, todos os dias, ao cair da tarde, assentado um instante à porta da venda, contemplava de longe com um resignado olhar de cobiça.

Pôs lá seis homens a quebrarem pedra e outros seis a fazerem lajedos e paralelepípedos, e então principiou a ganhar em grosso, tão em grosso que, dentro de ano e meio, arrematava já todo o espaço compreendido entre as suas casinhas e a pedreira, isto é, umas oitenta braças de fundo sobre vinte de frente em plano enxuto e magnífico para construir.

Justamente por essa ocasião vendeu-se também um sobrado que ficava à direita da venda, separado desta apenas por aquelas vinte braças; de sorte que todo o flanco esquerdo do prédio, coisa de uns vinte e tantos metros, despejava para o terreno do vendeiro as suas nove janelas de peitoril. Comprou-o um tal Miranda, negociante português, estabelecido na rua do Hospício com uma loja de fazendas[16] por atacado. Corrida uma limpeza geral no casarão, mudar-se-ia ele para lá com a família, pois que a mulher, Dona Estela, senhora pretensiosa e com fumaças[17] de nobreza, já não podia suportar a residência no centro da cidade, como também sua menina, a Zulmirinha, crescia muito pálida e precisava de largueza para enrijar e tomar corpo.

Isto foi o que disse o Miranda aos colegas, porém a verdadeira causa da mudança estava na necessidade, que ele reconhecia urgente, de afastar Dona Estela do alcance dos seus caixeiros. Dona Estela era uma mulherzinha levada da breca: achava-se casada havia treze anos e durante esse tempo dera ao marido toda sorte de desgostos. Ainda antes de terminar o segundo ano de matrimônio, o Miranda pilhou-a em flagrante delito de adultério; ficou furioso e o seu primeiro impulso foi de mandá-la pra o diabo junto com o cúmplice; mas a sua casa comercial garantia-se com o dote que ela trouxera, uns oitenta contos em prédios e ações da dívida pública, de que se utilizava o desgraçado tanto quanto lhe permitia o regime dotal[18]. Além de que, um rompimento brusco seria obra para escândalo, e, segundo a sua opinião, qualquer escândalo doméstico ficava muito mal a um negociante de certa ordem. Prezava, acima de tudo, a sua posição social e tremia só com a ideia de ver-se novamente pobre, sem recursos e sem coragem para recomeçar a vida, depois de se haver habituado a umas tantas regalias e afeito à hombridade de português rico que já não tem pátria na Europa.

Acovardado defronte destes raciocínios, contentou-se com uma simples separação de leitos, e os dois passaram a dormir em quartos separados. Não comiam juntos, e mal trocavam entre si uma ou outra palavra constrangida, quando qualquer inesperado acaso os reunia a contragosto.

Odiavam-se. Cada qual sentia pelo outro um profundo desprezo, que pouco a pouco se foi transformando em repugnância completa. O nascimento de Zulmira veio agravar ainda mais a situação; a pobre criança, em vez de servir de elo aos dois infelizes, foi antes um novo isolador que se estabeleceu entre eles. Estela amava-a menos do que lhe pedia o instinto materno por supô-la filha do marido, e este a detestava porque tinha convicção de não ser seu pai.

Uma bela noite, porém, o Miranda, que era homem de sangue esperto e orçava então pelos seus trinta e cinco anos, sentiu-se em insuportável estado de lubricidade. Era tarde já e não havia em casa alguma criada que lhe pudesse valer. Lembrou-se da mulher, mas repeliu logo esta ideia com escrupulosa repugnância. Continuava a odiá-la. Entretanto, este mesmo fato de obrigação em que ele se colocou de não servir-se dela, a responsabilidade de desprezá-la, como que ainda mais lhe assanhava o desejo da carne, fazendo da esposa infiel um fruto proibido. Afinal, coisa singular, posto que moralmente nada diminuísse a sua repugnância pela perjura[19], foi ter ao quarto dela.

A mulher dormia a sono solto. Miranda entrou pé ante pé e aproximou-se da cama. "Devia voltar!... pensou. Não lhe ficava bem aquilo!..." Mas o sangue latejava-lhe, reclamando-a. Ainda hesitou um instante, imóvel, a contemplá-la no seu desejo.

Estela, como se o olhar do marido lhe apalpasse o corpo, torceu-se sobre o quadril da esquerda, repuxando com as coxas o lençol para a frente e patenteando[20] uma nesga de nudez estofada e branca. O Miranda não pôde resistir, atirou-se contra ela, que, num pequeno sobressalto, mais de surpresa que de revolta, desviou-se, tornando logo e enfrentando com o marido. E deixou-se empolgar[21] pelos rins, de olhos fechados, fingindo que continuava a dormir, sem a menor consciência de tudo aquilo.

Ah! ela contava como certo que o esposo, desde que não teve coragem de separar-se de casa, havia, mais cedo ou mais tarde, de procurá-la de novo. Conhecia-lhe o temperamento, forte para desejar e fraco para resistir ao desejo.

Consumado o delito, o honrado negociante sentiu-se tolhido de vergonha e arrependimento. Não teve ânimo de dar palavra, e retirou-se tristonho e murcho para o seu quarto de desquitado.

Oh! como lhe doía agora o que acabava de praticar na cegueira da sua sensualidade.

– Que cabeçada!... dizia ele agitado. Que formidável cabeçada!...

No dia seguinte, os dois viram-se e evitaram-se em silêncio, como se nada de extraordinário houvera entre eles acontecido na véspera. Dir-se-ia até que, depois daquela ocorrência, o Miranda sentia crescer o seu ódio contra a esposa. E, à noite desse mesmo dia, quando se achou sozinho na sua cama estreita, jurou mil vezes aos seus brios nunca mais, nunca mais, praticar semelhante loucura.

Mas, daí a um mês, o pobre homem, acometido de um novo acesso de luxúria, voltou ao quarto da mulher.

Estela recebeu-o desta vez como da primeira, fingindo que não acordava; na ocasião, porém, em que ele se apoderava dela febrilmente, a leviana, sem se poder conter, soltou-lhe em cheio contra o rosto uma gargalhada que a custo sopeava[22]. O pobre-diabo desnorteou, deveras escandalizado, soerguendo-se, brusco, num estremunhamento[23] de sonâmbulo acordado com violência.

A mulher percebeu a situação e não lhe deu tempo para fugir; passou-lhe rápido as pernas por cima e, grudando-se-lhe ao corpo, cegou-o com uma metralhada de beijos.

Não se falaram.

Miranda nunca a tivera, nem nunca a vira, assim tão violenta no prazer. Estranhou-a. Afigurou-se-lhe estar nos braços de uma amante apaixonada; descobriu nela o capitoso[24] encanto com que nos embebedam as cortesãs amestradas na ciência do gozo venéreo. Descobriu-lhe no cheiro da pele e no cheiro dos cabelos perfumes que nunca lhe sentira; notou-lhe outro hálito, outro som nos gemidos e nos suspiros. E gozou-a, gozou-a loucamente, com delírio, com verdadeira satisfação de animal no cio.

E ela também, ela também gozou, estimulada por aquela circunstância picante do ressentimento que os desunia; gozou a desonestidade daquele ato que a ambos acanalhava aos olhos um do outro; estorceu-se toda, rangendo os dentes, grunhindo, debaixo daquele seu inimigo odiado, achando-o também agora, como homem, melhor que nunca, sufocando-o nos seus braços nus, metendo-lhe pela boca a língua úmida e em brasa. Depois, num arranco de corpo inteiro, com um soluço gutural e estrangulado, arquejante e convulsa, estatelou-se num abandono de pernas e braços abertos, a cabeça para o lado, os olhos moribundos e chorosos, toda ela agonizante, como se a tivessem crucificado na cama.

A partir dessa noite, da qual só pela manhã o Miranda se retirou do quarto da mulher, estabeleceu-se entre eles o hábito de uma felicidade sexual, tão completa como ainda não a tinham desfrutado, posto que no íntimo de cada um persistisse contra o outro a mesma repugnância moral em nada enfraquecida.

Durante dez anos viveram muito bem casados; agora, porém, tanto tempo depois da primeira infidelidade conjugal, e agora que o negociante já não era acometido tão frequentemente por aquelas crises que o arrojavam fora de horas ao dormitório de Dona Estela; agora, eis que a leviana parecia disposta a reincidir na culpa, dando corda aos caixeiros do marido, na ocasião em que estes subiam para almoçar ou jantar.

Foi por isso que o Miranda comprou o prédio vizinho a João Romão.

A casa era boa; seu único defeito estava na escassez do quintal; mas para isso havia remédio: com muito pouco compravam-se umas dez braças daquele terreno do fundo que ia até à pedreira, e mais uns dez ou quinze palmos do lado em que ficava a venda.

Miranda foi logo entender-se com o Romão e propôs-lhe negócio. O taverneiro recusou formalmente.

Miranda insistiu.

– O senhor perde seu tempo e seu latim! retrucou o amigo de Bertoleza. Nem só não cedo uma polegada do meu terreno, como ainda lhe compro, se mo quiser vender, aquele pedaço que lhe fica ao fundo da casa!

– O quintal?

– É exato.

– Pois você quer que eu fique sem chácara, sem jardim, sem nada?

– Para mim era de vantagem...

– Ora, deixe-se disso, homem, e diga lá quanto quer pelo que lhe propus.

– Já disse o que tinha a dizer.

O CORTIÇO ~ 75

– Ceda-me então ao menos as dez braças do fundo.

– Nem meio palmo!

– Isso é maldade de sua parte, sabe? Eu, se faço tamanho empenho, é pela minha pequena, que precisa, coitada, de um pouco de espaço para alargar-se.

– E eu não cedo, porque preciso do meu terreno!

– Ora qual! Que diabo pode lá você fazer ali? Uma porcaria de um pedaço de terreno quase grudado ao morro e aos fundos de minha casa! quando você, aliás, dispõe de tanto espaço ainda!

– Hei de lhe mostrar se tenho ou não o que fazer ali!

– É que você é teimoso! Olhe, se me cedesse as dez braças do fundo, a sua parte ficaria cortada em linha reta até à pedreira, e escusava eu de ficar com uma aba de terreno alheio a meter-se pelo meu. Quer saber? não amuro o quintal sem você decidir-se!

– Então ficará com o quintal para sempre sem muro, porque o que tinha a dizer já disse!

– Mas, homem de Deus, que diabo! pense um pouco! Você ali não pode construir nada! Ou pensará que lhe deixarei abrir janelas sobre o meu quintal?...

– Não preciso abrir janelas sobre o quintal de ninguém!

– Nem tampouco lhe deixarei levantar parede, tapando-me as janelas da esquerda!

– Não preciso levantar parede desse lado...

– Então que diabo vai você fazer de todo este terreno?...

– Ah! isso agora é cá comigo!... O que for soará!

– Pois creia que se arrepende de não me ceder o terreno!...

– Se me arrepender, paciência! Só lhe digo é que muito mal se sairá quem quiser meter-se cá com a minha vida!

– Passe bem!

– Adeus!

Travou-se então uma lata renhida e surda entre o português negociante de fazendas por atacado e o português negociante de secos e molhados. Aquele não se resolvia a fazer o muro do quintal, sem ter alcançado o pedaço de terreno que o separava do morro; e o outro, por seu lado, não perdia a esperança de apanhar-lhe ainda, pelo menos, duas ou três braças aos fundos da casa; parte esta que, conforme os seus cálculos, valeria ouro, uma vez realizado o grande projeto que ultimamente o trazia preocupado – a criação de uma estalagem em ponto enorme, uma estalagem monstro, sem exemplo, destinada a matar toda aquela miuçalha de cortiços que alastravam por Botafogo.

Era este o seu ideal. Havia muito que João Romão vivia exclusivamente para essa ideia; sonhava com ela todas as noites; comparecia a todos os leilões de materiais de construção; arrematava madeiramentos já servidos; comprava telha em segunda mão; fazia pechinchas de cal e tijolos; o que era tudo depositado no seu extenso chão vazio, cujo aspecto tomava em breve o caráter estranho de uma enorme barricada tal era a variedade dos objetos que ali se apinhavam acumulados: tábuas e sarrafos, troncos de árvore, mastros de navio, caibros, restos de carroças, chaminés de barro e de ferro, fogões desmantelados, pilhas e pilhas de tijolos de todos os feitios, barricas de cimento, montes de areia e terra vermelha, aglomerações de telhas velhas, escadas partidas, depósitos de cal, o diabo enfim; ao que ele, que sabia perfeitamente como essas coisas se furtavam, resguardava, soltando à noite um formidável cão de fila.

Este cão era pretexto de eternas rezingas[25] com a gente do Miranda, a cujo quintal ninguém de casa podia descer, depois das dez horas da noite, sem correr o risco de ser assaltado pela fera.

– É fazer o muro! dizia João Romão, sacudindo os ombros.

– Não faço! replicava o outro. Se ele é questão de capricho, eu também tenho capricho!

Em compensação, não caía no quintal do Miranda galinha ou frango, fugidos do cercado do vendeiro, que não levasse imediato sumiço. João Romão protestava contra o roubo em termos violentos, jurando vinganças terríveis, falando em dar tiros.

– Pois é fazer um muro no galinheiro! repontava o marido de Estela.

Daí a alguns meses, João Romão, depois de tentar um derradeiro esforço para conseguir algumas braças do quintal do vizinho, resolveu principiar as obras da estalagem.

– Deixa estar, conversava ele na cama com a Bertoleza; deixa estar que ainda lhe hei de entrar pelos fundos da casa, se é que não lhe entre pela frente! Mais cedo ou mais tarde como-lhe, não duas braças, mas seis, oito, todo o quintal e até o próprio sobrado talvez!

E dizia isto com uma convicção de quem tudo pode e tudo espera da sua perseverança, do seu esforço inquebrantável e da fecundidade prodigiosa do seu dinheiro, dinheiro que só lhe saía das unhas para voltar multiplicado.

Desde que a febre de possuir se apoderou dele totalmente, todos os seus atos, todos, fosse o mais simples, visavam um interesse pecuniário. Só tinha uma preocupação: aumentar os bens. Das suas hortas recolhia para si e para a companheira os piores legumes, aqueles que, por maus, ninguém compraria; as suas galinhas produziam muito e ele não comia um ovo, do que no entanto gostava imenso; vendia-os todos e contentava-se com os restos da comida dos trabalhadores. Aquilo já não era ambição, era uma moléstia nervosa, uma loucura, um desespero de acumular; de reduzir tudo a moeda. E seu tipo baixote, socado, de cabelos à escovinha, a barba sempre por fazer, ia e vinha da pedreira para a venda, da venda às hortas e ao capinzal, sempre em mangas de camisa, de tamancos, sem meias, olhando para todos os lados, com o seu eterno ar de cobiça, apoderando-se, com os olhos, de tudo aquilo de que ele não podia apoderar-se logo com as unhas.

Entretanto, a rua lá fora povoava-se de um modo admirável. Construía-se mal, porém muito; surgiam chalés e casinhas da noite para o dia; subiam os aluguéis; as propriedades dobravam de valor. Montara-se uma fábrica de massas italianas e outra de velas, e os trabalhadores passavam de manhã e às ave-marias[26], e a maior parte deles ia comer à casa de pasto[27] que João Romão arranjara aos fundos da sua venda. Abriram-se novas tavernas; nenhuma, porém, conseguia ser tão afreguesada como a dele. Nunca o seu negócio fora tão bem, nunca o finório[28] vendera tanto; vendia mais agora, muito mais, que nos anos anteriores. Teve até de admitir caixeiros. As mercadorias não lhe paravam nas prateleiras; o balcão estava cada vez mais lustroso, mais gasto. E o dinheiro a pingar, vintém por vintém, dentro da gaveta, e a escorrer da gaveta para a burra[29], aos cinquenta e aos cem mil-réis, e da burra para o banco, aos contos e aos contos.

Afinal, já lhe não bastava sortir o seu estabelecimento nos armazéns fornecedores; começou a receber alguns gêneros diretamente da Europa: o vinho, por exemplo, que ele dantes comprava aos quintos[30] nas casas de atacado, vinha-lhe agora de Portugal às pipas, e de cada uma fazia três com água e cachaça; e despachava faturas de barris de manteiga, de caixas de conserva, caixões de fósforos, azeite, queijos, louça e muitas outras mercadorias.

Criou armazéns para depósito, aboliu a quitanda e transferiu o dormitório, aproveitando o espaço para ampliar a venda, que dobrou de tamanho e ganhou mais duas portas.

Já não era uma simples taverna, era um bazar em que se encontrava de tudo, objetos de armarinho, ferragens, porcelanas, utensílios de escritório, roupa de riscado para os trabalhadores, fazenda para roupa de mulher, chapéus de palha próprios para o serviço ao sol, perfumarias baratas, pentes de chifre, lenços com versos de amor, e anéis e brincos de metal ordinário.

E toda a gentalha daquelas redondezas ia cair lá, ou então ali ao lado, na casa de pasto, onde os operários das fábricas e os trabalhadores da pedreira se reuniam depois do serviço, e ficavam bebendo e conversando até às dez horas da noite, entre o espesso fumo dos cachimbos, do peixe frito em azeite e dos lampiões de querosene.

Era João Romão quem lhes fornecia tudo, tudo, até dinheiro adiantado, quando algum precisava. Por ali não se encontrava jornaleiro[31], cujo ordenado não fosse inteirinho parar às mãos do velhaco. E sobre este cobre, quase sempre emprestado aos tostões, cobrava juros de oito por cento ao mês, um pouco mais do que levava aos que garantiam a dívida com penhores de ouro ou prata.

Não obstante, as casinhas do cortiço, à proporção que se atamancavam[32], enchiam-se logo, sem mesmo dar tempo a que as tintas secassem. Havia grande avidez em alugá-las; aquele era o melhor ponto do bairro para a gente do trabalho. Os empregados da pedreira preferiam todos morar lá, porque ficavam a dois passos da obrigação.

O Miranda rebentava de raiva.

– Um cortiço! exclamava ele, possesso. Um cortiço! Maldito seja aquele vendeiro de todos os diabos! Fazer-me um cortiço debaixo das janelas!... Estragou-me a casa, o malvado!

E vomitava pragas, jurando que havia de vingar-se, e protestando aos berros contra o pó que lhe invadia em ondas as salas, e contra o infernal barulho dos pedreiros e carpinteiros que levavam a martelar de sol a sol.

O que aliás não impediu que as casinhas continuassem a surgir, uma após outra, e fossem logo se enchendo, a estenderem-se unidas por ali afora, desde a venda até quase ao morro, e depois dobrassem para o lado do Miranda e avançassem sobre o quintal deste, que parecia ameaçado por aquela serpente de pedra e cal.

O Miranda mandou logo levantar o muro.

Nada! aquele demônio era capaz de invadir-lhe a casa até à sala de visitas!

E os quartos do cortiço pararam enfim de encontro ao muro do negociante, formando com a continuação da casa deste um grande quadrilongo, espécie de pátio de quartel, onde podia formar um batalhão.

Noventa e cinco casinhas comportou a imensa estalagem.

Prontas, João Romão mandou levantar na frente, nas vinte braças que separavam a venda do sobrado do Miranda, um grosso muro de dez palmos de altura, coroado de cacos de vidro e fundos de garrafa, e com um grande portão no centro, onde se dependurou uma lanterna de vidraças vermelhas, por cima de uma tabuleta amarela, em que se lia o seguinte, escrito a tinta encarnada[33] e sem ortografia:

"Estalagem de São Romão. Alugam-se casinhas e tinas para lavadeiras".

As casinhas eram alugadas por mês e as tinas por dia; tudo pago adiantado. O preço de cada tina, metendo a água, quinhentos réis; sabão à parte. As moradoras do cortiço tinham preferência e não pagavam nada para lavar.

Graças à abundância de água que lá havia, como em nenhuma outra parte, e graças ao muito espaço de que se dispunha no cortiço para estender a roupa, a concorrência às tinas não se fez esperar; acudiram lavadeiras de todos os pontos da cidade, entre elas algumas vindas de bem longe. E, mal vagava uma das casinhas, ou um quarto, um canto onde coubesse um colchão, surgia uma nuvem de pretendentes a disputá-los.

E aquilo se foi constituindo numa grande lavanderia, agitada e barulhenta, com as suas cercas de varas, as suas hortaliças verdejantes e os seus jardinzinhos de três e quatro palmos, que apareciam como manchas alegres por entre a negrura das limosas tinas transbordantes e o revérbero das claras barracas de algodão cru, armadas sobre os lustrosos bancos de lavar. E os gotejantes jiraus, cobertos de roupa molhada, cintilavam ao sol, que nem lagos de metal branco.

E naquela terra encharcada e fumegante, naquela umidade quente e lodosa, começou a minhocar, a esfervilhar, a crescer, um mundo, uma coisa viva, uma geração, que parecia brotar espontânea, ali mesmo, daquele lameiro, e multiplicar-se como larvas no esterco.

❧ II ❧

E durante dois anos o cortiço prosperou de dia para dia, ganhando forças, socando-se de gente. E ao lado o Miranda assustava-se, inquieto com aquela exuberância brutal de vida, aterrado defronte daquela floresta implacável que lhe crescia junto da casa, por debaixo das janelas, e cujas raízes, piores e mais grossas do que serpentes, minavam por toda parte, ameaçando rebentar o chão em torno dela, rachando o solo e abalando tudo.

Posto que lá na rua do Hospício os seus negócios não corressem mal, custava-lhe a sofrer a escandalosa fortuna do vendeiro "aquele tipo! um miserável, um sujo, que não pusera nunca um paletó, e que vivia de cama e mesa com uma negra!"

À noite e aos domingos ainda mais recrudescia o seu azedume, quando ele, recolhendo-se fatigado do serviço, deixava-se ficar estendido numa preguiçosa[1], junto à mesa da sala de jantar, e ouvia, a contragosto, o grosseiro rumor que vinha da estalagem numa exalação forte de animais cansados. Não podia chegar à janela sem receber no rosto aquele bafo, quente e sensual, que o embebedava com o seu fartum[2] de bestas no coito.

E depois, fechado no quarto de dormir, indiferente e habituado às torpezas carnais da mulher, isento já dos primitivos sobressaltos que lhe faziam, a ele, ferver o sangue e perder a tramontana[3], era ainda a prosperidade do vizinho o que lhe obsedava o espírito, enegrecendo-lhe a alma com um feio ressentimento de despeito.

Tinha inveja do outro, daquele outro português que fizera fortuna, sem precisar roer nenhum chifre; daquele outro que, para ser mais rico três vezes do que ele, não teve de casar com a filha do patrão ou com a bastarda de algum fazendeiro freguês da casa!

Mas então, ele, Miranda, que se supunha a última expressão da ladinagem e da esperteza; ele, que, logo depois do seu casamento, respondendo para Portugal a um ex-colega que o felicitava, dissera que o Brasil era uma cavalgadura carregada de dinheiro, cujas rédeas um homem fino empolgava facilmente; ele, que se tinha na conta de invencível matreiro, não passava afinal de um pedaço de asno comparado com o seu vizinho! Pensara fazer-se senhor do Brasil e fizera-se escravo de uma brasileira mal-educada e sem escrúpulos de virtude! Imaginara-se talhado para grandes conquistas, e não passava de uma vítima ridícula e sofredora!... Sim! no fim de contas qual fora a sua África?...[4] Enriquecera um pouco, é verdade, mas como? a que preço? hipotecando-se a um diabo, que lhe trouxera oitenta contos de réis, mas incalculáveis milhões de desgostos e vergonhas! Arranjara a vida, sim, mas teve de aturar eternamente uma mulher que ele odiava! E do que afinal lhe aproveitara tudo isso? Qual era afinal a sua grande existência? Do inferno da casa para o purgatório do trabalho e vice-versa! Invejável sorte, não havia dúvida!

Na dolorosa incerteza de que Zulmira fosse sua filha, o desgraçado nem sequer gozava o prazer de ser pai. Se ela, em vez de nascer de Estela, fora uma enjeitadinha recolhida por ele, é natural que a amasse, e então a vida lhe correria de outro modo; mas, naquelas condições, a pobre criança nada mais representava que o documento vivo do ludíbrio[5] materno, e o Miranda estendia até à inocentezinha o ódio que sustentava contra a esposa.

Uma espiga[6] a tal da sua vida!

– Fui uma besta! resumiu ele, em voz alta, apeando-se da cama, onde se havia recolhido inutilmente.

E pôs-se a passear no quarto, sem vontade de dormir, sentindo que a febre daquela inveja lhe estorricava os miolos.

Feliz e esperto era o João Romão! esse, sim, senhor! Para esse é que havia de ser a vida!... Filho da mãe, que estava hoje tão livre e desembaraçado como no dia em que chegou da terra sem um vintém de seu! esse, sim, que era moço e podia ainda gozar muito, porque, quando mesmo viesse a casar e a mulher lhe saísse uma outra Estela, era só mandá-la pra o diabo com um pontapé! Podia fazê-lo! Para esse é que era o Brasil!

– Fui uma besta! repisava ele, sem conseguir conformar-se com a felicidade do vendeiro. Uma grandíssima besta! No fim de contas que diabo possuo eu?... Uma casa de negócio, da qual não posso separar-me sem comprometer o que lá está enterrado! um capital metido numa rede de transações que não se liquidam nunca, e cada vez mais se complicam e mais me grudam ao estupor desta terra, onde deixarei a casca! Que tenho de meu, se a alma do meu crédito é o dote, que me trouxe aquela sem-vergonha e que a ela me prende como a peste da casa comercial me prende a esta Costa d'África?...

Foi da supuração fétida destas ideias que se formou no coração vazio do Miranda um novo ideal – o título. Faltando-lhe temperamento próprio para os vícios fortes que enchem a vida de um homem; sem família a quem amar e sem imaginação para poder gozar com as prostitutas, o náufrago agarrou-se àquela tábua, como um agonizante, consciente da morte, que se apega à esperança de uma vida futura. A vaidade de Estela, que a princípio lhe tirava dos lábios incrédulos sorrisos de mofa, agora lhe comprazia à farta. Procurou capacitar-se de que ela com efeito herdara sangue nobre, e que ele, por sua vez, se não o tinha herdado, trouxera-o por natureza própria, o que devia valer mais ainda; e desde então principiou a sonhar com um baronato, fazendo disso o objeto querido da sua existência, muito satisfeito no íntimo por ter afinal descoberto uma coisa em que podia empregar dinheiro, sem ter, nunca mais, de restituí-lo à mulher, nem ter de deixá-lo a pessoa alguma.

Semelhante preocupação modificou-o em extremo. Deu logo para fingir-se escravo das conveniências, afetando escrúpulos sociais, empertigando-se quanto podia e disfarçando a sua inveja pelo vizinho com um desdenhoso ar de superioridade condescendente. Ao passar-lhe todos os dias pela venda, cumprimentava-o com proteção, sorrindo sem rir e fechando logo a cara em seguida, muito sério.

Dados os primeiros passos para a compra do título, abriu a casa e deu festas. A mulher, posto que lhe apontassem já os cabelos brancos, rejubilou com isso.

Zulmira tinha então doze para treze anos e era o tipo acabado da fluminense; pálida, magrinha, com pequeninas manchas roxas nas mucosas do nariz, das pálpebras e dos lábios, faces levemente pintalgadas de sardas. Respirava o tom úmido das flores noturnas, uma brancura fria de magnólia; cabelos castanho-claros, mãos quase transparentes, unhas moles e curtas, como as da mãe, dentes pouco mais claros do que a cútis do rosto, pés pequenos, quadril estreito, mas os olhos grandes, negros, vivos e maliciosos.

Por essa época, justamente, chegava de Minas, recomendado ao pai dela, o filho de um fazendeiro importantíssimo que dava belos lucros à casa comercial de Miranda e que era talvez o melhor freguês que este possuía no interior.

O rapaz chamava-se Henrique, tinha quinze anos e vinha terminar na corte alguns preparatórios[7] que lhe faltavam para entrar na Academia de Medicina. Miranda hospedou-o no seu sobrado da rua do Hospício, mas o estudante queixou-se, no fim de alguns dias, de que aí ficava mal acomodado, e o negociante, a quem não convinha desagradar-lhe, carregou com ele para a sua residência particular de Botafogo.

Henrique era bonitinho, cheio de acanhamentos, com umas delicadezas de menina. Parecia muito cuidadoso dos seus estudos e tão pouco extravagante e gastador, que não despendia um vintém fora das necessidades de primeira urgência. De resto, a não ser de manhã para as aulas, que ia sempre com o Miranda, não arredava pé de casa senão em companhia da família deste. Dona Estela, no cabo de pouco tempo, mostrou por ele estima quase maternal e encarregou-se de tomar conta da sua mesada, mesada posta pelo negociante, visto que o Henriquinho tinha ordem franca do pai.

Nunca pedia dinheiro; quando precisava de qualquer coisa, reclamava-a de Dona Estela, que por sua vez encarregava ao marido de comprá-la, sendo o objeto lançado na conta do fazendeiro com uma comissão de usurário. Sua hospedagem custava duzentos e cinquenta mil-réis por mês, do que ele todavia não tinha conhecimento, nem queria ter. Nada lhe faltava, e os criados da casa o respeitavam como a um filho do próprio senhor.

À noite, às vezes, quando o tempo estava bom, Dona Estela saía com ele, a filha e um moleque, o Valentim, a darem uma volta até à praia e, em tendo convite para qualquer festa em casa das amigas, levava-o em sua companhia.

A criadagem da família do Miranda compunha-se de Isaura, mulata ainda moça, moleirona e tola, que gastava todo o vintenzinho que pilhava em comprar capilé[8] na venda de João Romão; uma negrinha virgem, chamada Leonor,

86 ⁖ ALUÍSIO AZEVEDO

muito ligeira e viva, lisa e seca como um moleque, conhecendo de orelha, sem lhe faltar um termo, a vasta tecnologia da obscenidade, e dizendo, sempre que os caixeiros ou os fregueses da taverna, só para mexer com ela, lhe davam atracações: "Oia, que eu me queixo ao juiz de orfe!"[9], e finalmente o tal Valentim, filho de uma escrava que foi de Dona Estela e a quem esta havia alforriado.

A mulher do Miranda tinha por este moleque uma afeição sem limites: dava-lhe toda a liberdade, dinheiro, presentes, levava-o consigo a passeio, trazia-o bem vestido e muita vez chegou a fazer ciúmes à filha, de tão solícita que se mostrava com ele. Pois se a caprichosa senhora ralhava com Zulmira por causa do negrinho! Pois, se quando se queixavam os dois, um contra o outro, ela nunca dava razão à filha! Pois se o que havia de melhor na casa era para o Valentim! Pois, se quando foi este atacado de bexigas e o Miranda, apesar das súplicas e dos protestos da esposa, mandou-o para um hospital, Dona Estela chorava todos os dias e durante a ausência dele não tocou piano, nem cantou, nem mostrou os dentes a ninguém? E o pobre Miranda, se não queria sofrer impertinências da mulher e ouvir sensaborias defronte dos criados, tinha de dar ao moleque toda a consideração e fazer-lhe humildemente todas as vontades.

Havia ainda, sob as telhas do negociante, um outro hóspede além do Henrique, o velho Botelho. Este, porém, na qualidade de parasita.

Era um pobre-diabo caminhando para os setenta anos, antipático, cabelo branco, curto e duro, como escova, barba e bigode do mesmo teor; muito macilento, com uns óculos redondos que lhe aumentavam o tamanho da pupila e davam-lhe à cara uma expressão de abutre, perfeitamente de acordo com o seu nariz adunco e com a sua boca sem lábios: viam-se-lhe ainda todos os dentes, mas, tão gastos, que pareciam limados até ao meio. Andava sempre de preto, com um guarda-chuva debaixo do braço e um chapéu de Braga enterrado nas orelhas. Fora em seu tempo empregado do comércio, depois corretor de escravos; contava mesmo que estivera mais de uma vez na África, negociando negros por sua conta. Atirou-se muito às especulações; durante a guerra do Paraguai ainda ganhara forte, chegando a ser bem rico; mas a roda desandou e, de malogro em malogro, foi-lhe escapando tudo por entre as suas garras de ave de rapina. E agora, coitado, já velho, comido de desilusões, cheio de hemorroidas, via-se totalmente sem recursos e vegetava à sombra do Miranda, com quem por muitos anos trabalhou em rapaz, sob as ordens do mesmo patrão, e de quem se conservara amigo, a princípio por acaso e mais tarde por necessidade.

Devorava-o, noite e dia, uma implacável amargura, uma surda tristeza de vencido, um desespero impotente, contra tudo e contra todos, por não lhe ter sido possível empolgar o mundo com as suas mãos hoje inúteis e trêmulas. E, como o seu atual estado de miséria não lhe permitia abrir contra ninguém o bico, desabafava vituperando as ideias da época.

Assim, eram às vezes muito quentes as sobremesas do Miranda, quando, entre outros assuntos palpitantes, vinha à discussão o movimento abolicionista que principiava a formar-se em torno da lei Rio Branco[10]. Então o Botelho ficava possesso e vomitava frases terríveis, para a direita e para a esquerda, como quem dispara tiros sem fazer alvo, e vociferava imprecações, aproveitando aquela válvula para desafogar o velho ódio acumulado dentro dele.

– Bandidos! berrava apoplético. Cáfila[11] de salteadores!

E o seu rancor irradiava-lhe dos olhos em setas envenenadas, procurando cravar-se em todas as brancuras e em todas as claridades. A virtude, a beleza, o talento, a mocidade, a força, a saúde, e principalmente a fortuna, eis o que ele não perdoava a ninguém, amaldiçoando todo aquele que conseguia o que ele não obtivera; que gozava o que ele não desfrutara; que sabia o que ele não aprendera. E, para individualizar o objeto do seu ódio, voltava-se contra o Brasil, essa terra que, na sua opinião, só tinha uma serventia: enriquecer os portugueses, e que, no entanto, o deixara, a ele, na penúria.

Seus dias eram consumidos do seguinte modo: acordava às oito da manhã, lavava-se mesmo no quarto com uma toalha molhada em espírito[12] de vinho; depois ia ler os jornais para a sala de jantar, à espera do almoço; almoçava e saía, tomava o bonde e ia direitinho para uma charutaria da rua do Ouvidor[13], onde costumava ficar assentado até às horas do jantar, entretido a dizer mal das pessoas que passavam lá fora, defronte dele. Tinha a pretensão de conhecer todo o Rio de Janeiro e os podres de cada um em particular. Às vezes, poucas, Dona Estela encarregava-o de fazer pequenas compras de armarinho, o que o Botelho desempenhava melhor que ninguém. Mas a sua grande paixão, o seu fraco, era a farda, adorava tudo que dissesse respeito a militarismo, posto que tivera sempre invencível medo às armas de qualquer espécie, mormente as de fogo. Não podia ouvir disparar perto de si uma espingarda, entusiasmava-se porém com tudo que cheirasse a guerra; a presença de um oficial em grande uniforme tirava-lhe lágrimas de comoção; conhecia na ponta da língua o que se referia à vida de quartel; distinguia ao primeiro lance de olhos o posto e o corpo a que pertencia qualquer soldado, e, apesar dos seus achaques, era ouvir tocar na rua a corneta ou o tambor conduzindo o batalhão, ficava logo no ar, e, muita vez, quando dava por si, fazia parte dos que acompanhavam a tropa. Então, não tornava para casa enquanto os militares não se recolhessem. Quase sempre voltava dessa loucura às seis da tarde, moído a fazer dó, sem poder ter-se nas per-

O CORTIÇO ∾ 89

nas, estrompado de marchar horas e horas ao som da música de pancadaria. E o mais interessante é que ele, ao vir-lhe a reação, revoltava-se furioso contra o maldito comandante que o obrigava àquela estopada[14], levando o batalhão por uma infinidade de ruas e fazendo de propósito o caminho mais longo.

– Só parece, lamentava-se ele, que a intenção daquele malvado era dar-me cabo da pele! Ora vejam! Três horas de marche-marche por uma soalheira[15] de todos os diabos!

Uma das birras mais cômicas do Botelho era o seu ódio pelo Valentim. O moleque causava-lhe febre com as suas petulâncias de mimalho[16], e, velhaco, percebendo quanto elas o irritavam, ainda mais abusava, seguro na proteção de Dona Estela. O parasita de muito que o teria estrangulado, se não fora a necessidade de agradar à dona da casa.

Botelho conhecia as faltas de Estela como as palmas da própria mão. O Miranda mesmo, que o via em conta de amigo fiel, muitas e muitas vezes lhas confiara em ocasiões desesperadas de desabafo, declarando francamente o quanto no íntimo a desprezava e a razão por que não a punha na rua aos pontapés. E o Botelho dava-lhe toda a razão; entendia também que os sérios interesses comerciais estavam acima de tudo.

– Uma mulher naquelas condições, dizia ele convicto, representa nada menos que o capital, e um capital em caso nenhum a gente despreza! Agora, você o que devia era nunca chegar-se para ela…

– Ora! explicava o marido. Eu me sirvo dela como quem se serve de uma escarradeira!

O parasita, feliz por ver quanto o amigo aviltava a mulher, concordava em tudo plenamente, dando-lhe um carinhoso abraço de admiração. Mas por outro lado, quando ouvia Estela falar do marido, com infinito desdém e até com asco, ainda mais resplandecia de contente.

– Você quer saber? afirmava ela, eu bem que percebo quanto aquele traste do senhor meu marido me detesta, mas isso tanto se me dá como a primeira camisa que vesti! Desgraçadamente para nós, mulheres de sociedade, não podemos viver sem o esposo, quando somos casadas; de forma que tenho de aturar o que me caiu em sorte, quer goste dele quer não goste! juro-lhe, porém, que, se consinto que o Miranda se chegue às vezes para mim, é porque entendo que paga mais à pena ceder do que puxar discussão com uma besta daquela ordem!

O Botelho, com a sua encanecida[17] experiência do mundo, nunca transmitia a nenhum dos dois o que cada qual lhe dizia contra o outro; tanto assim que, certa ocasião, recolhendo-se à casa incomodado, em hora que não era do seu costume, ouviu, ao passar pelo quintal, sussurros de vozes abafadas que pareciam vir de um canto afogado de verdura, onde em geral não ia ninguém.

Encaminhou-se para lá em bicos de pés e, sem ser percebido, descobriu Estela entalada entre o muro e o Henrique. Deixou-se ficar espiando, sem tugir nem mugir, e, só quando os dois se separaram, foi que ele se mostrou.

A senhora soltou um pequeno grito, e o rapaz, de vermelho que estava, fez-se cor de cera; mas o Botelho procurou tranquilizá-los, dizendo em voz amiga e misteriosa:

– Isso é uma imprudência o que vocês estão fazendo!... Estas coisas não é deste modo que se arranjam! Assim como fui eu, podia ser outra pessoa... Pois numa casa, em que há tantos quartos, é lá preciso vir meterem-se neste canto do quintal?...

– Nós não estávamos fazendo nada! disse Estela, recuperando o sangue-frio.

– Ah! tornou o velho, aparentando sumo respeito; então desculpe, pensei que estivessem... E olhe que, se assim fosse, para mim seria o mesmo, porque acho isso a coisa mais natural do mundo e entendo que desta vida a gente só leva o que come!... Se vi, creia, foi como se nada visse, porque nada tenho a cheirar com a vida de cada um!... A senhora está moça, está na força dos anos; seu marido não a satisfaz, é justo que o substitua por outro! Ah! isto é o mundo, e, se é torto, não fomos nós que o fizemos torto!... Até certa idade todos temos dentro um bichinho carpinteiro, que é preciso matar, antes que ele nos mate! Não lhes doam as mãos!... apenas acho que, para outra vez, devem ter um pouquinho mais de cuidado e...

– Está bom! basta! ordenou Estela.

– Perdão! eu, se digo isto, é para deixá-los bem tranquilos a meu respeito. Não quero, nem por sombra, que se persuadam de que...

O Henrique atalhou, com a voz ainda comovida:

– Mas, acredite, seu Botelho, que...

O velho interrompeu-o também por sua vez, passando-lhe a mão no ombro e afastando-o consigo:

– Não tenha receio, que não o comprometerei, menino!

E, como já estivessem distantes de Estela, segredou-lhe em tom protetor: – Não torne a fazer isto assim, que você se estraga... Olhe como lhe tremem as pernas!

Dona Estela acompanhou-os a distância, vagarosamente, afetando preocupação em compor um ramalhete, cujas flores ela ia colhendo com muita graça, ora toda vergada sobre as plantas rasteiras, ora pondo-se na pontinha dos pés para alcançar os heliótropos e os manacás.

Henrique seguiu o Botelho até ao quarto deste, conversando sem mudar de assunto.

– Você então não fala nisto, hein? Jura? perguntou-lhe.

O velho tinha já declarado, a rir, que os pilhara em flagrante e que ficara bom tempo à espreita.

– Falar o quê, seu tolo?... Pois então quem pensa você que eu sou?... Só abrirei o bico se você me der motivo para isso,

mas estou convencido que não dará... Quer saber? eu até simpatizo muito com você, Henrique! Acho que você é um excelente menino, uma flor! E digo-lhe mais: hei de proteger os seus negócios com Dona Estela...

Falando assim, tinha-lhe tomado as mãos e afagava-as.

– Olhe, continuou, acariciando-o sempre; não se meta com donzelas, entende?... São o diabo! Por dá cá aquela palha[18] fica um homem em apuros! agora quanto às outras, papo com elas! Não mande nenhuma ao vigário, nem lhe doa a cabeça, porque, no fim de contas, nas circunstâncias de Dona Estela, é até um grande serviço que você lhe faz! Meu rico amiguinho, quando uma mulher já passou dos trinta e pilha a jeito um rapazito da sua idade, é como se descobrisse ouro em pó! sabe-lhe a gaitas![19] Fique então sabendo de que não é só a ela que você faz o obséquio, mas também ao marido: quanto mais escovar-lhe[20] você a mulher, melhor ela ficará de gênio, e por conseguinte melhor será para o pobre homem, coitado! que tem já bastante com que se aborrecer lá por baixo, com os seus negócios, e precisa de um pouco de descanso quando volta do serviço e mete-se em casa! Escove-a, escove-a! que a porá macia que nem veludo! O que é preciso é muito juizinho, percebe? Não faça outra criançada como a de hoje e continue pra diante, não só com ela, mas com todas as que lhe caírem debaixo da asa! Vá passando! menos as de casa aberta, que isso é perigoso por causa das moléstias; nem tampouco donzelas! Não se meta com a Zulmira! E creia que lhe falo assim, porque sou seu amigo, porque o acho simpático, porque o acho bonito!

E acarinhou-o tão vivamente desta vez, que o estudante, fugindo-lhe das mãos, afastou-se com um gesto de repugnância e desprezo, enquanto o velho lhe dizia em voz comprimida:

– Olha! Espera! Vem cá! Você é desconfiado!...

✃ III ✄

Eram cinco horas da manhã e o cortiço acordava, abrindo, não os olhos, mas a sua infinidade de portas e janelas alinhadas.

Um acordar alegre e farto de quem dormiu de uma assentada sete horas de chumbo. Como que se sentiam ainda na indolência de neblina as derradeiras notas da última guitarra da noite antecedente, dissolvendo-se à luz loura e tenra da aurora, que nem um suspiro de saudade perdido em terra alheia.

A roupa lavada, que ficara de véspera nos coradouros, umedecia o ar e punha-lhe um fartum acre de sabão ordinário. As pedras do chão, esbranquiçadas no lugar da lavagem e em alguns pontos azuladas pelo anil, mostravam uma palidez grisalha e triste, feita de acumulações de espumas secas.

Entretanto, das portas surgiam cabeças congestionadas de sono; ouviam-se amplos bocejos, fortes como o marulhar das ondas; pigarreava-se grosso por toda a parte; começavam as xícaras a tilintar; o cheiro quente do café aquecia, suplantando todos os outros; trocavam-se de janela para janela as primeiras palavras, os bons-dias; reatavam-se conversas interrompidas à noite; a pequenada cá fora traquinava já, e lá dentro das casas vinham choros abafados de crianças que ainda não andam. No confuso rumor que se formava, destacavam-se risos, sons de vozes que altercavam, sem se saber onde, grasnar de marrecos, cantar de galos, cacarejar de galinhas. De alguns quartos saíam mulheres que vinham pendurar cá fora, na parede, a gaiola do papagaio, e os louros, à semelhança dos donos, cumprimentavam-se ruidosamente, espanejando-se à luz nova do dia.

Daí a pouco, em volta das bicas era um zunzum crescente; uma aglomeração tumultuosa de machos e fêmeas. Uns, após outros, lavavam a cara, incomodamente, debaixo do fio de água que escorria da altura de uns cinco palmos. O chão inundava-se. As mulheres precisavam já prender as saias entre as coxas para não as molhar; via-se-lhes a tostada nudez dos braços e do pescoço, que elas despiam, suspendendo o cabelo todo para o alto do casco[1]; os homens, esses não se preocupavam em não molhar o pelo, ao contrário metiam a cabeça bem debaixo da água e esfregavam com força as ventas e as barbas, fossando e fungando contra as palmas da mão. As portas das latrinas não descansavam, era um abrir e fechar de cada instante, um entrar e sair sem tréguas. Não se demoravam lá dentro e vinham ainda amarrando as calças ou as saias; as crianças não se davam ao trabalho de lá ir, despachavam-se ali mesmo, no capinzal dos fundos, por detrás da estalagem ou no recanto das hortas.

O rumor crescia, condensando-se; o zunzum de todos os dias acentuava-se; já se não destacavam vozes dispersas, mas um só ruído compacto que enchia todo o cortiço. Começavam a fazer compras na venda; ensarilhavam-se discussões e rezingas; ouviam-se gargalhadas e pragas; já se não falava, gritava-se. Sentia-se naquela fermentação sanguínea, naquela gula viçosa de plantas rasteiras que mergulham os pés vigorosos na lama preta e nutriente da vida, o prazer animal de existir, a triunfante satisfação de respirar sobre a terra.

Da porta da venda que dava para o cortiço iam e vinham como formigas; fazendo compras.

Duas janelas do Miranda abriram-se. Apareceu numa a Isaura, que se dispunha a começar a limpeza da casa.

– Nhá Dunga! gritou ela para baixo, a sacudir um pano de mesa; se você tem cuscuz de milho hoje, bata na porta, ouviu?

A Leonor surgiu logo também, enfiando curiosa a carapinha por entre o pescoço e o ombro da mulata.

O padeiro entrou na estalagem, com a sua grande cesta à cabeça e o seu banco de pau fechado debaixo do braço,

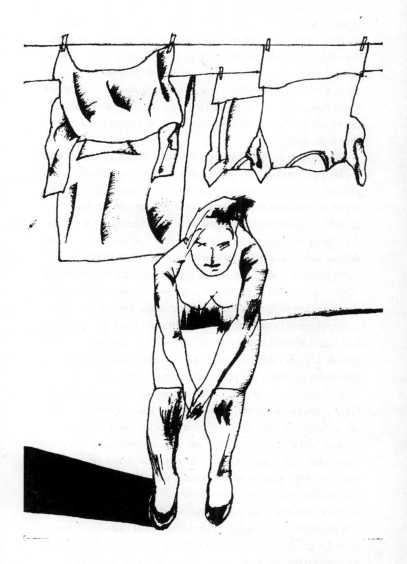

e foi estacionar em meio do pátio, à espera dos fregueses, pousando a canastra sobre o cavalete que ele armou prontamente. Em breve estava cercado por uma nuvem de gente. As crianças adulavam-no, e, à proporção que cada mulher ou cada homem recebia o pão, disparava para casa com este abraçado contra o peito. Uma vaca, seguida por um bezerro amordaçado, ia, tilintando tristemente o seu chocalho, de porta em porta, guiada por um homem carregado de vasilhame de folha[2].

O zunzum chegava ao seu apogeu. A fábrica de massas italianas, ali mesmo da vizinhança, começou a trabalhar, engrossando o barulho com o seu arfar monótono de máquina a vapor. As corridas até à venda reproduziam-se, transformando-se num verminar constante de formigueiro assanhado. Agora, no lugar das bicas apinhavam-se latas de todos os feitios, sobressaindo as de querosene com um braço de madeira em cima; sentia-se o trapejar da água caindo na folha. Algumas lavadeiras enchiam já as suas tinas; outras estendiam nos coradouros a roupa que ficara de molho. Principiava o trabalho. Rompiam das gargantas os fados portugueses e as modinhas brasileiras. Um carroção de lixo entrou com grande barulho de rodas na pedra, seguido de uma algazarra medonha algaraviada[3] pelo carroceiro contra o burro.

E, durante muito tempo, fez-se um vaivém de mercadores. Apareceram os tabuleiros de carne fresca e outros de tripas e fatos[4] de boi; só não vinham hortaliças, porque havia muitas hortas no cortiço. Vieram os ruidosos mascates, com as suas latas de quinquilharia, com as suas caixas de candeeiros e objetos de vidro e com o seu fornecimento de caçarolas e chocolateiras, de folha de flandres[5]. Cada vendedor tinha o seu modo especial de apregoar, destacando-se o homem das sardinhas, com as cestas do peixe dependuradas, à moda de balança, de um pau que ele trazia ao ombro. Nada mais foi preciso do que o seu primeiro guincho estridente e gutural para surgirem logo, como por encanto, uma enorme variedade de gatos, que vieram correndo acercar-se dele com grande familiaridade, roçando-se-lhe nas pernas arregaçadas e miando suplicantemente. O sardinheiro os afastava com o pé, enquanto vendia o seu peixe à porta das casinhas, mas os bichanos não desistiam e continuavam a implorar, arranhando os cestos que o homem cuidadosamente tapava mal servia ao freguês. Para ver-se livre por um instante dos importunos era necessário atirar para bem longe um punhado de sardinhas, sobre o qual se precipitava logo, aos pulos, o grupo dos pedinchões.

A primeira que se pôs a lavar foi a Leandra, por alcunha a "Machona", portuguesa feroz, berradora, pulsos cabeludos e grossos, anca de animal do campo. Tinha duas filhas, uma casada e separada do marido, Ana das Dores, a quem só chamavam a "das Dores" e outra donzela ainda, a Neném, e mais um filho, o Agostinho, menino levado dos diabos, que gritava tanto ou melhor que a mãe. A das Dores morava em sua casinha à parte, mas toda a família habitava no cortiço.

Ninguém ali sabia ao certo se a Machona era viúva ou desquitada; os filhos não se pareciam uns com os outros. A das Dores, sim, afirmavam que fora casada e que largara o marido para meter-se com um homem do comércio; e que este, retirando-se para a terra e não querendo soltá-la ao desamparo, deixara o sócio em seu lugar. Teria vinte e cinco anos.

Neném dezessete. Espigada, franzina e forte, com uma proazinha[6] de orgulho da sua virgindade, escapando como enguia por entre os dedos dos rapazes que a queriam sem ser para casar. Engomava bem e sabia fazer roupa branca de homem com muita perfeição.

Ao lado da Leandra foi colocar-se à sua tina a Augusta Carne Mole, brasileira, branca, mulher de Alexandre, um mulato de quarenta anos, soldado de polícia, pernóstico, de grande bigode preto, queixo sempre escanhoado e um luxo de calças brancas engomadas e botões limpos na farda, quando estava de serviço. Também tinham filhos, mas ainda pequenos, e um dos quais, a Juju, vivia na cidade com a madrinha que se encarregava dela. Esta madrinha era uma cocote de trinta mil-réis para cima, a Léonie, com sobrado na cidade. Procedência francesa.

Alexandre, em casa, à hora de descanso, nos seus chinelos e na sua camisa desabotoada, era muito chão[7] com os companheiros de estalagem, conversava, ria e brincava, mas envergando o uniforme, encerando o bigode e empunhando a sua chibata, com que tinha o costume de fustigar as calças de brim, ninguém mais lhe via os dentes e então a todos falava teso e por cima do ombro. A mulher, a quem ele só dava tu[8] quando não estava fardado, era de uma honestidade proverbial no cortiço, honestidade sem mérito, porque vinha da indolência do seu temperamento e não do arbítrio do seu caráter.

Junto dela pôs-se a trabalhar a Leocádia, mulher de um ferreiro chamado Bruno, portuguesa pequena e socada, de carnes duras, com uma fama terrível de leviana entre as suas vizinhas.

Seguia-se a Paula, uma cabocla velha, meio idiota, a quem respeitavam todos pelas virtudes de que só ela dispunha para benzer erisipelas[9] e cortar febres por meio de rezas e feitiçarias. Era extremamente feia, grossa, triste, com olhos desvairados, dentes cortados à navalha, formando ponta, como dentes de cão, cabelos lisos, escorridos e ainda retintos apesar da idade. Chamavam-lhe "Bruxa".

Depois seguiam-se a Marciana e mais a sua filha Florinda. A primeira mulata antiga, muito séria e asseada em exagero: a sua casa estava sempre úmida das consecutivas lavagens. Em lhe apanhando o mau humor punha-se logo a espanar, a varrer febrilmente, e, quando a raiva era grande, corria a buscar um balde d'água e descarregava-o com fúria pelo chão da sala. A filha tinha quinze anos, a pele de um moreno quente, beiços sensuais, bonitos dentes, olhos luxuriosos de macaca. Toda ela estava a pedir homem, mas sustentava ainda a sua virgindade e não cedia, nem à mão de Deus Padre, aos rogos de João Romão, que a desejava apanhar a troco de pequenas concessões na medida e no peso das compras que Florinda fazia diariamente à venda.

Depois via-se a velha Isabel, isto é, Dona Isabel, porque ali na estalagem lhe dispensavam todos certa consideração, privilegiada pelas suas maneiras graves de pessoa que já teve tratamento; uma pobre mulher comida de desgostos. Fora casada com o dono de uma casa de chapéus, que quebrou e suicidou-se, deixando-lhe uma filha muito doentinha e fraca, a quem Isabel sacrificou tudo para educar, dando-lhe mestre até de francês. Tinha uma cara macilenta de velha portuguesa devota, que já foi gorda, bochechas moles de pelancas rechupadas, que lhe pendiam dos cantos da boca como saquinhos vazios; fios negros no queixo, olhos castanhos, sempre chorosos e engolidos pelas pálpebras. Puxava em bandós[10] sobre as fontes o escasso cabelo grisalho untado de óleo de amêndoas doces. Quando saía à rua punha um eterno vestido de seda preta, achamalotada[11], cuja saia não fazia rugas, e um xale encarnado que lhe dava a todo o corpo um feitio piramidal. Da sua passada grandeza só lhe ficara uma caixa de rapé de ouro, na qual a inconsolável senhora pitadeava[12] agora, suspirando a cada pitada.

A filha era a flor do cortiço. Chamavam-lhe Pombinha. Bonita, posto que enfermiça e nervosa ao último ponto; loira, muito pálida, com uns modos de menina de boa família. A mãe não lhe permitia lavar, nem engomar, mesmo porque o médico o proibira expressamente.

Tinha o seu noivo, o João da Costa, moço do comércio, estimado do patrão e dos colegas, com muito futuro, e que a adorava e conhecia desde pequenita; mas Dona Isabel não queria que o casamento se fizesse já. É que Pombinha, orçando aliás pelos dezoito anos, não tinha ainda pago à natureza o cruento tributo da puberdade, apesar do zelo da velha e dos sacrifícios que esta fazia para cumprir à risca as prescrições do médico e não faltar à filha o menor desvelo[13]. No entanto, coitadas! daquele casamento dependia a felicidade de ambas, porque o Costa, bem empregado como se achava em casa de um tio seu, de quem mais tarde havia de ser sócio, tencionava, logo que mudasse de estado, restituí-las ao seu primitivo círculo social. A pobre velha desesperava-se com o fato e pedia a Deus, todas as noites, antes de dormir, que as protegesse e conferisse à filha uma graça tão simples que ele fazia, sem distinção de merecimento, a quantas raparigas havia pelo mundo; mas, a despeito de tamanho empenho, por coisa nenhuma desta vida consentiria que a sua pequena casasse antes de "ser mulher", como dizia ela. E "que deixassem lá falar o doutor, entendia que não era decente, nem tinha jeito, dar homem a uma moça que ainda não fora visitada pelas regras! Não! Antes vê-la solteira toda a vida e ficarem ambas curtindo para sempre aquele inferno da estalagem!"

Lá no cortiço estavam todos a par desta história; não era segredo para ninguém. E não se passava um dia que não interrogassem duas e três vezes a velha com estas frases:

– Então? Já veio?

– Por que não tenta os banhos de mar?

– Por que não chama outro médico?

– Eu, se fosse a senhora, casava-os assim mesmo!

A velha respondia dizendo que a felicidade não se fizera para ela. E suspirava resignada.

Quando o Costa aparecia depois da sua obrigação para visitar a noiva, os moradores da estalagem cumprimentavam-no em silêncio com um respeitoso ar de lástima e piedade, empenhados tacitamente por aquele caiporismo[14], contra o qual não valiam nem mesmo as virtudes da Bruxa.

Pombinha era muito querida por toda aquela gente. Era quem lhe escrevia as cartas; quem em geral fazia o rol para as lavadeiras; quem tirava as contas; quem lia o jornal para os que quisessem ouvir. Prezavam-na com muito respeito e davam-lhe presentes, o que lhe permitia certo luxo relativo. Andava sempre de botinas ou sapatinhos com meias de cor, seu vestido de chita engomado; tinha as suas joiazinhas para sair à rua, e, aos domingos, quem a encontrasse à missa na igreja de São João Batista, não seria capaz de desconfiar que ela morava em cortiço.

Fechava a fila das primeiras lavadeiras, o Albino, um sujeito afeminado, fraco, cor de espargo cozido e com um cabelinho castanho, deslavado e pobre, que lhe caía, numa só linha, até ao pescocinho mole e fino. Era lavadeiro e vivia sempre entre as mulheres, com quem já estava tão familiarizado que elas o tratavam como a uma pessoa do mesmo sexo; em presença dele falavam de coisas que não exporiam em presença de outro homem; faziam-no até confidente dos seus amores e das suas infidelidades, com uma franqueza que o não revoltava, nem comovia. Quando um casal brigava ou duas amigas se disputavam, era sempre Albino quem tratava de reconciliá-los, exortando as mulheres à concórdia. Dantes encarregava-se de cobrar o rol[15] das colegas, por amabilidade; mas uma vez, indo a uma república de estudantes, deram-lhe lá, ninguém sabia por que, uma dúzia de bolos[16], e o pobre-diabo jurou então, entre lágrimas e soluços, que nunca mais se incumbiria de receber os róis.

E daí em diante, com efeito, não arredava os pezinhos do cortiço, a não ser nos dias de carnaval, em que ia, vestido de dançarina, passear à tarde pelas ruas e à noite dançar nos bailes dos teatros. Tinha verdadeira paixão por esse divertimento; ajuntava dinheiro durante o ano para gastar todo com a mascarada. E ninguém o encontrava, domingo ou dia de semana, lavando ou descansando, que não estivesse com a sua calça branca engomada, a sua camisa limpa, um lenço ao pescoço, e, amarrado à cinta, um avental que lhe caía sobre as pernas como uma saia. Não fumava, não bebia espíritos e trazia sempre as mãos geladas e úmidas.

Naquela manhã levantara-se ainda um pouco mais lânguido que de costume, porque passara mal a noite. A velha Isabel, que lhe ficava ao lado esquerdo, ouvindo-o suspirar com insistência, perguntou-lhe o que tinha.

Ah! muita moleza de corpo e uma pontada no vazio que o não deixava!

A velha receitou diversos remédios, e ficaram os dois, no meio de toda aquela vida, a falar tristemente sobre moléstias.

E, enquanto, no resto da fileira, a Machona, a Augusta, a Leocádia, a Bruxa, a Marciana e sua filha, conversavam de tina a tina, berrando e quase sem se ouvirem, a voz um tanto cansada já pelo serviço, defronte delas, separado pelos jiraus, formava-se um novo renque de lavadeiras, que acudiam de fora, carregadas de trouxas, e iam ruidosamente tomando lugar ao lado umas das outras, entre uma agitação sem tréguas, onde se não distinguia o que era galhofa e o que era briga. Uma a uma ocupavam-se todas as tinas. E de todos os casulos do cortiço saíam homens para as suas obrigações. Por uma porta que havia ao fundo da estalagem desapareciam os trabalhadores da pedreira, donde vinha agora o retinir dos alviões[17] e das picaretas. O Miranda, de calças de brim, chapéu alto e sobrecasaca preta, passou lá fora, em caminho para o armazém, acompanhado pelo Henrique que ia para as aulas. O Alexandre, que estivera de serviço essa madrugada, entrou solene, atravessou o pátio, sem falar a ninguém, nem mesmo à mulher, e recolheu-se à casa, para dormir. Um grupo de mascates, o Delporto, o Pompeo, o Francesco e o Andréa, armado cada qual com a sua grande caixa de bugigangas, saiu para a peregrinação de todos os dias, altercando e praguejando em italiano.

Um rapazito de paletó entrou da rua e foi perguntar à Machona pela inhá Rita.

— A Rita Baiana? Sei cá! Faz amanhã oito dias que ela arribou!

A Leocádia explicou logo que a mulata estava com certeza de pândega com o Firmo.

— Que Firmo? interrogou Augusta.

— Aquele cabravasco[18] que se metia às vezes aí com ela. Diz que é torneiro.

— Ela mudou-se? perguntou o pequeno.

— Não, disse a Machona; o quarto está fechado, mas a mulata tem coisas lá. Você o que queria?

— Vinha buscar uma roupa que está com ela.

— Não sei, filho, pergunta na venda ao João Romão, que talvez te possa dizer alguma coisa.

— Ali?

— Sim, pequeno, naquela porta, onde a preta do tabuleiro está vendendo! Ó diabo! olha que pisas a boneca de anil![19] Já se viu que sorte? Parece que não vê onde pisa este raio de criança!

E, notando que o filho, o Agostinho, se aproximava para tomar o lugar do outro que já se ia: — Sai daí, tu também, peste! Já principias na reinação de todos os dias? Vem pra cá, que levas! Mas, é verdade, que fazes tu que não vais regar a horta do Comendador?

— Ele disse ontem que eu agora fosse à tarde, que era melhor.

— Ah! E amanhã, não te esqueças, recebe os dois mil-réis, que é fim do mês. Olha! Vai lá dentro e diz à Neném que te entregue a roupa que veio ontem à noite.

O pequeno afastou-se de carreira, e ela lhe gritou na pista: — E que não ponha o refogado no fogo sem eu ter lá ido!

Uma conversa cerrada travara-se no resto da fila de lavadeiras a respeito da Rita Baiana.

– É doida mesmo!... censurava Augusta. Meter-se na pândega sem dar conta da roupa que lhe entregaram... Assim há de ficar sem um freguês...

– Aquela não endireita mais!... Cada vez fica até mais assanhada!... Parece que tem fogo no rabo! Pode haver o serviço que houver, aparecendo pagode, vai tudo pro lado! Olha o que saiu o ano passado com a festa da Penha!...

– Então agora, com este mulato, o Firmo, é uma pouca-vergonha! Est'ro dia[20], pois você não viu? levaram aí numa bebedeira, a dançar e cantar à viola, que nem sei o que parecia! Deus te livre!

– Para tudo há horas e há dias!...

– Para a Rita todos os dias são dias santos! A questão é aparecer quem puxe por ela!

– Ainda assim não é má criatura... Tirante o defeito da vadiagem...

– Bom coração tem ela, até demais, que não guarda um vintém pro dia d'amanhã. Parece que o dinheiro lhe faz comichão no corpo!

– Depois é que são elas!... O João Romão já lhe não fia!

– Pois olhe que a Rita lhe tem enchido bem as mãos; quando ela tem dinheiro é porque o gasta mesmo!

E as lavadeiras não se calavam, sempre a esfregar, e a bater, e a torcer camisas e ceroulas, esfogueadas já pelo exercício. Ao passo que, em torno da sua tagarelice, o cortiço se embandeirava todo de roupa molhada, donde o sol tirava cintilações de prata.

Estavam em dezembro e o dia era ardente. A grama dos coradouros tinha reflexos esmeraldinos; as paredes que davam frente ao nascente, caiadinhas de novo, reverberavam iluminadas, ofuscando a vista. Em uma das janelas da sala de jantar do Miranda, Dona Estela e Zulmira, ambas vestidas de claro e ambas a limarem as unhas, conversavam em voz surda, indiferentes à agitação que ia lá embaixo, muito esquecidas na sua tranquilidade de entes felizes.

Entretanto, agora o maior movimento era na venda à entrada da estalagem. Davam nove horas e os operários das fábricas chegavam-se para o almoço. Ao balcão o Domingos e o Manuel não tinham mãos a medir com a criadagem da vizinhança; os embrulhos de papel amarelo sucediam-se, e o dinheiro pingava sem intermitência dentro da gaveta.

– Meio quilo de arroz!

– Um tostão de açúcar!

– Uma garrafa de vinagre!

– Dois martelos[21] de vinho!

– Dois vinténs de fumo!

– Quatro de sabão!

E os gritos confundiam-se numa mistura de vozes de todos os tons.

Ouviam-se protestos entre os compradores:

– Me avie, seu Domingos! Eu deixei a comida no fogo!

– Ó peste! dá cá as batatas, que eu tenho mais o que fazer!

– Seu Manuel, não me demore essa manteiga!

Ao lado, na casinha de pasto, a Bertoleza, de saias arrepanhadas no quadril, o cachaço[22] grosso e negro, reluzindo de suor, ia e vinha de uma panela à outra, fazendo pratos, que João Romão levava de carreira aos trabalhadores assentados num compartimento junto. Admitira-se um novo caixeiro, só para o frege[23], e o rapaz, a cada comensal que ia chegando, recitava, em tom cantado e estridente, a sua interminável lista das comidas que havia. Um cheiro forte de azeite frito predominava. O parati[24] circulava por todas as mesas, e cada caneca de café, de louça espessa, erguia um vulcão de fumo tresandando a milho queimado. Uma algazarra medonha, em que ninguém se entendia! Cruzavam-se conversas em todas as direções, discutia-se a berros, com valentes punhadas sobre as mesas. E sempre a sair, e sempre a entrar gente, e os que saíam, depois daquela comezaina grossa, iam radiantes de contentamento, com a barriga bem cheia, a arrotar.

Num banco de pau tosco, que existia do lado de fora, junto à parede e perto da venda, um homem, de calça e camisa de zuarte, chinelos de couro cru, esperava, havia já uma boa hora, para falar com o vendeiro.

Era um português de seus trinta e cinco a quarenta anos, alto, espadaúdo, barbas ásperas, cabelos pretos e maltratados caindo-lhe sobre a testa, por debaixo de um chapéu de feltro ordinário; pescoço de touro e cara de Hércules, na qual os olhos todavia, humildes como os olhos de um boi de canga, exprimiam tranquila bondade.

– Então ainda não se pode falar ao homem? perguntou ele, indo ao balcão entender-se com o Domingos.

– O patrão está agora muito ocupado. Espere!

– Mas são quase dez horas e estou com um gole de café no estômago!

– Volte logo!

– Moro na cidade nova. É um estirão daqui!

O caixeiro gritou então para a cozinha, sem interromper o que fazia:

– O homem que aí está, seu João, diz que se vai embora!

– Ele que espere um pouco, que já lhe falo! respondeu o vendeiro no meio de uma carreira. Diga-lhe que não vá!

– Mas é que ainda não almocei e estou aqui a tinir!… observou o hércules com a sua voz grossa e sonora.

– Ó filho, almoce aí mesmo! Aqui o que não falta é de comer. Já podia estar aviado!

– Pois vá lá! resolveu o homenzarrão, saindo da venda para entrar na casa de pasto, onde os que lá se achavam o receberam com ar curioso, medindo-o da cabeça aos pés, como faziam sempre com todos os que aí se apresentavam pela primeira vez.

E assentou-se a uma das mesinhas, vindo logo o caixeiro cantar-lhe a lista dos pratos.

– Traga lá o pescado com batatas e veja um martelo de vinho.

– Quer verde[25] ou virgem?

– Venha o verde; mas anda com isso, filho, que já não vem sem tempo!

❧ IV ❧

Meia hora depois, quando João Romão se viu menos ocupado, foi ter com o sujeito que o procurava e assentou-se defronte dele, caindo de fadiga, mas sem se queixar, nem se lhe trair na fisionomia o menor sintoma de cansaço.

– Você vem da parte do Machucas? perguntou-lhe. Ele falou-me de um homem que sabe calçar pedra, lascar fogo e fazer lajedo...

– Sou eu.

– Estava empregado em outra pedreira?

– Estava e estou. Na de São Diogo, mas desgostei-me dela e quero passar adiante.

– Quanto lhe dão lá?

– Setenta mil-réis.

– Oh! Isso é um disparate!

– Não trabalho por menos...

– Eu, o maior ordenado que faço é de cinquenta.

– Cinquenta ganha um macaqueiro...[1]

– Ora! tenho aí muitos trabalhadores de lajedo por esse preço!

– Duvido que prestem! Aposto a mão direita em como o senhor não encontra por cinquenta mil-réis quem dirija a broca, pese a pólvora e lasque fogo, sem lhe estragar a pedra e sem fazer desastres!

O CORTIÇO ∽ 109

– Sim, mas setenta mil-réis é um ordenado impossível!

– Nesse caso vou como vim... Fica o dito por não dito!

– Setenta mil-réis é muito dinheiro!...

– Cá por mim, entendo que vale a pena pagar mais um pouco a um trabalhador bom, do que estar a sofrer desastres, como o que sofreu sua pedreira a semana passada! Não falando na vida do pobre de Cristo que ficou debaixo da pedra!

– Ah! O Machucas falou-lhe no desastre?

– Contou-mo, sim senhor, e o desastre não aconteceria se o homem soubesse fazer o serviço!

– Mas setenta mil-réis é impossível. Desça um pouco!

– Por menos não me serve... E escusamos de gastar palavras!

– Você conhece a pedreira?

– Nunca a vi de perto, mas quis me parecer que é boa. De longe cheirou-me a granito.

– Espere um instante.

João Romão deu um pulo à venda, deixou algumas ordens, enterrou um chapéu na cabeça e voltou a ter com o outro.

– Ande a ver! gritou-lhe da porta do frege, que a pouco e pouco se esvaziara de todo.

O cavouqueiro[2] pagou doze vinténs pelo seu almoço e acompanhou-o em silêncio.

Atravessaram o cortiço.

A labutação continuava. As lavadeiras tinham já ido almoçar e tinham voltado de novo para o trabalho. Agora estavam todas de chapéu de palha, apesar das toldas que se armaram. Um calor de cáustico mordia-lhes os toutiços[3] em brasa e cintilantes de suor. Um estado febril apoderava-se delas naquele rescaldo; aquela digestão feita ao sol fermentava-lhes o sangue. A Machona altercava com uma preta que fora reclamar um par de meias e destrocar uma camisa; a Augusta, muito mole sobre a sua tábua de lavar, parecia der-

reter-se como sebo; a Leocádia largava de vez em quando a roupa e o sabão para coçar as comichões do quadril e das virilhas, assanhadas pelo mormaço; a Bruxa monologava, resmungando numa insistência de idiota, ao lado da Marciana que, com o seu tipo de mulata velha, um cachimbo ao canto da boca, cantava toadas monótonas do sertão:

Maricas tá marimbando,
Maricas tá marimbando,
Na passage do riacho
Maricas tá marimbando.

A Florinda, alegre, perfeitamente bem com o rigor do sol, a rebolar sem fadigas, assoviava os chorados[4] e lundus[5] que se tocavam na estalagem, e junto dela, a melancólica senhora Dona Isabel suspirava, esfregando a sua roupa dentro da tina, automaticamente, como um condenado a trabalhar no presídio; ao passo que o Albino, saracoteando os seus quadris pobres de homem linfático[6], batia na tábua um par de calças, no ritmo cadenciado e miúdo de um cozinheiro a bater bifes. O corpo tremia-lhe todo, e ele, de vez em quando, suspendia o lenço do pescoço para enxugar a fronte, e então um gemido suspirado subia-lhe aos lábios.

Da casinha número 8 vinha um falsete agudo, mas afinado. Era a das Dores que principiava o seu serviço; não sabia engomar sem cantar. No número 7 Neném cantarolava em tom muito mais baixo; e de um dos quartos do fundo da estalagem saía de espaço a espaço uma nota áspera de trombone.

O vendeiro, ao passar por detrás de Florinda, que no momento apanhava roupa do chão, ferrou-lhe uma palmada na parte do corpo então mais em evidência.

– Não bula, hein?!... gritou ela, rápido, erguendo-se tesa.

E, dando com João Romão: – Eu logo vi. Leva enticando[7] aqui com a gente e depois, vai-se comprar na venda, o safado rouba no peso! Diabo do galego[8]. Eu não te quero, sabe?

O vendeiro soltou-lhe nova palmada com mais força e fugiu, porque ela se armara com um regador cheio de água.

– Vem pra cá, se és capaz! Diabo da peste!

João Romão já se havia afastado com o cavouqueiro.

– O senhor tem aqui muita gente!... observou-lhe este.

– Oh! fez o outro, sacudindo os ombros, e disse depois com empáfia: – Houvesse mais cem quartos que estariam cheios! Mas é tudo gente séria! Não há chinfrins nesta estalagem; se aparece uma rusga, eu chego, e tudo acaba logo! Nunca nos entrou cá a polícia, nem nunca a deixaremos entrar! E olhe que se divertem bem com as suas violas! Tudo gente muita boa!

Tinham chegado ao fim do pátio do cortiço e, depois de transporem uma porta que se fechava com um peso amarrado a uma corda, acharam-se no capinzal que havia antes da pedreira.

– Vamos por aqui mesmo que é mais perto, aconselhou o vendeiro.

E os dois, em vez de procurarem a estrada, atravessaram o capim quente e trescalante.

Meio-dia em ponto. O sol estava a pino; tudo reverberava à luz irreconciliável de dezembro, num dia sem nuvens. A pedreira, em que ela batia de chapa[9] em cima, cegava olhada de frente. Era preciso martirizar a vista para descobrir as nuanças da pedra; nada mais que uma grande mancha branca e luminosa, terminando pela parte de baixo no chão coberto de cascalho miúdo, que ao longe produzia o efeito de um betume cinzento, e pela parte de cima na espessura compacta do arvoredo, onde se não distinguiam outros tons mais do que nódoas negras, bem negras, sobre o verde-escuro.

À proporção que os dois se aproximavam da imponente pedreira, o terreno ia se tornando mais e mais cascalhudo; os sapatos enfarinhavam-se de uma poeira clara. Mais adiante, por aqui e por ali, havia muitas carroças, algumas em movimento, puxadas a burro e cheias de calhaus partidos; outras já prontas para seguir, à espera do animal, e outras enfim com os braços para o ar, como se acabassem de ser despejadas naquele instante. Homens labutavam.

À esquerda, por cima de um vestígio de rio, que parecia ter sido bebido de um trago por aquele sol sedento, havia uma ponte de tábuas, onde três pequenos, quase nus, conversavam assentados, sem fazer sombra, iluminados a prumo pelo sol do meio-dia. Para adiante, na mesma direção, corria um vasto telheiro, velho e sujo, firmado sobre colunas de pedra tosca; aí muitos portugueses trabalhavam de canteiro[10], ao barulho metálico do picão que feria o granito. Logo em seguida, surgia uma oficina de ferreiro, toda atravancada de destroços e objetos quebrados, entre os quais avultavam rodas de carro; em volta da bigorna dois homens, de corpo nu, banhados de suor e alumiados de vermelho como dois diabos, martelavam cadenciosamente sobre um pedaço de ferro em brasa; e ali mesmo, perto deles, a forja escancarava uma goela infernal, donde saíam pequenas línguas de fogo, irrequietas e gulosas.

João Romão parou à entrada da oficina e gritou para um dos ferreiros:

– O Bruno! Não se esqueça do varal da lanterna do portão!

Os dois homens suspenderam por um instante o trabalho.

– Já lá fui ver, respondeu o Bruno. Não val à pena consertá-lo; está todo comido de ferrugem! Faz-se-lhe um novo, que é melhor!

– Pois veja lá isso, que a lanterna está a cair!

E o vendeiro seguiu adiante com o outro, enquanto atrás recomeçava o martelar sobre a bigorna.

Em seguida via-se uma miserável estrebaria, cheia de capim seco e excremento de bestas, com lugar para meia dúzia de animais. Estava deserta, mas, no vivo fartum exalado de lá, sentia-se que fora habitada ainda aquela noite. Havia depois um depósito de madeiras, servindo ao mesmo tempo de oficina de carpinteiro, tendo à porta troncos de árvore, alguns já serrados, muitas tábuas empilhadas, restos de cavernas e mastros de navio.

Daí à pedreira restavam apenas uns cinquenta passos e o chão era já todo coberto por uma farinha de pedra moída que sujava como a cal.

Aqui, ali, por toda a parte, encontravam-se trabalhadores, uns ao sol, outros debaixo de pequenas barracas feitas de lona ou de folhas de palmeira. De um lado cunhavam pedra cantando; de outro a quebravam a picareta; de outro afeiçoavam lajedos a ponta de picão; mais adiante faziam paralelepípedos a escopro[11] e macete[12]. E todo aquele retintim de ferramentas, e o martelar da forja, e o coro dos que lá em cima brocavam a rocha para lançar-lhe fogo, e a surda zoada ao longe, que vinha do cortiço, como de uma aldeia alarmada; tudo dava a ideia de uma atividade feroz, de uma luta de vingança e de ódio. Aqueles homens gotejantes de suor, bêbedos de calor, desvairados de insolação, a quebrarem, a espicaçarem, a torturarem a pedra, pareciam um punhado de demônios revoltados na sua impotência contra o impassível gigante que os contemplava com desprezo, imperturbável a todos os golpes e a todos os tiros que lhe desfechavam no dorso, deixando sem um gemido que lhe abrissem as entranhas de granito.

O membrudo cavouqueiro havia chegado à fralda[13] do orgulhoso monstro de pedra; tinha-o cara a cara, mediu-o de alto a baixo, arrogante, num desafio surdo.

A pedreira mostrava nesse ponto de vista o seu lado mais imponente. Descomposta, com o escalavrado flanco exposto ao sol, erguia-se altaneira e desassombrada, afrontando o céu, muito íngreme, lisa, escaldante e cheia de cordas que mesquinhamente lhe escorriam pela ciclópica nudez com um efeito de teias de aranha. Em certos lugares, muito alto do chão, lhe haviam espetado alfinetes de ferro, amparando, sobre um precipício, miseráveis tábuas que, vistas cá de baixo, pareciam palitos, mas em cima das quais uns atrevidos pigmeus de forma humana equilibravam-se, desfechando golpes de picareta contra o gigante.

O cavouqueiro meneou a cabeça com ar de lástima. O seu gesto desaprovava todo aquele serviço.

– Veja lá! disse ele, apontando para certo ponto da rocha. Olhe pr'aquilo! Sua gente tem ido às cegas no trabalho desta pedreira. Deviam atacá-la justamente por aquel'outro lado, para não contrariar os veios da pedra. Esta parte aqui é toda granito, é a melhor! Pois olhe só o que eles têm tirado de lá – umas lascas, uns calhaus que não servem pra nada! É uma dor de coração ver estragar assim uma peça tão boa! Agora o que hão de fazer dessa cascalhada que aí está senão macacos?[14] E brada aos céus, creia! ter pedra desta ordem para empregá-la em macacos!

O vendeiro escutava-o em silêncio, apertando os beiços, aborrecido com a ideia daquele prejuízo.

– Uma porcaria de serviço! continuou o outro. Ali onde está aquele homem é que deviam ter feito a broca, porque a explosão punha abaixo toda esta aba que é separada por um veio. Mas quem tem aí o senhor capaz de fazer isso? Ninguém; porque é preciso um empregado que saiba o que faz; que, se a pólvora não for muito bem medida, nem só não se abre o veio, como ainda sucede ao trabalhador o mesmo que sucedeu ao outro! É preciso conhecer muito bem o trabalho para se poder tirar partido vantajoso desta pedreira! Boa é ela, mas não nas mãos em que está! É muito perigosa nas explosões; é muito em pé! Quem lhe lascar fogo não pode fugir senão pra cima pela corda, e se o sujeito não for fino leva-o o demo! Sou eu quem o diz!

E depois de uma pausa, acrescentou, tomando na sua mão, grossa como o próprio cascalho, um paralelepípedo

116 ◁ ALUÍSIO AZEVEDO

que estava no chão: – Que digo eu?! Cá está! Macacos de granito! Isto até é uma coisa que estes burros deviam esconder por vergonha!

Acompanhando a pedreira pelo lado direito e seguindo-a na volta que ela dava depois, formando um ângulo obtuso, é que se via quanto era grande. Suava-se bem antes de chegar ao seu limite com a mata.

– Que mina de dinheiro!... dizia o homenzarrão, parando entusiasmado defronte do novo pano de rocha viva que se desdobrava na presença dele.

– Toda esta parte que se segue agora, declarou João Romão, ainda não é minha.

E continuaram a andar para diante.

Deste lado multiplicavam-se as barraquinhas; os macaqueiros trabalhavam à sombra delas, indiferentes àqueles dois. Viam-se panelas ao fogo, sobre quatro pedras, ao ar livre, e rapazitos tratando do jantar dos pais. De mulher nem sinal. De vez em quando, na penumbra de um ensombro[15] de lona, dava-se com um grupo de homens, comendo de cócoras defronte uns dos outros, uma sardinha na mão esquerda, um pão na direita, ao lado de uma garrafa d'água.

– Sempre o mesmo serviço malfeito e mal dirigido!... resmungou o cavouqueiro.

Entretanto, a mesma atividade parecia reinar por toda a parte. Mas, lá no fim, debaixo dos bambus que marcavam o limite da pedreira, alguns trabalhadores dormiam à sombra, de papo pro ar, a barba espetando para o alto, o pescoço intumescido de cordoveias[16] grossas como enxárcias[17] de navio, a boca aberta, a respiração forte e tranquila de animal sadio, num feliz e pletórico[18] resfolgar de besta cansada.

– Que relaxamento! resmungou de novo o cavouqueiro. Tudo isto está a reclamar um homem teso que olhe a sério pro serviço!

– Eu nada tenho que ver com este lado! observou Romão.

– Mas lá da sua banda hão de fazer o mesmo! Olará!

– Abusam, porque tenho de olhar pelo negócio lá fora...

– Comigo aqui é que eles não fariam cera. Isso juro eu! Entendo que o empregado deve ser bem pago, ter para a sua comida à farta, o seu gole de vinho, mas que deve fazer serviço que se veja, ou, então, rua! Rua, que não falta por aí quem queira ganhar dinheiro! Autorize-me a olhar por eles e verá!

– O diabo é que você quer setenta mil-réis... suspirou João Romão.

– Ah! nem menos um real!... Mas comigo aqui há de ver o que lhe faço entrar pr'algibeira! Temos cá muita gente que não precisa estar. Para que tanto macaqueiro, por exemplo? Aquilo é serviço pra descanso; é serviço de criança! Em vez de todas aquelas lesmas, pagas talvez a trinta mil-réis...

– É justamente quanto lhes dou.

– ... melhor seria tomar dois bons trabalhadores de cinquenta, que fazem o dobro do que fazem aqueles monos e que podem servir pr'outras coisas! Parece que nunca trabalharam! Olhe, é já a terceira vez que aquele que ali está deixa cair o escopro! Com efeito!

João Romão ficou calado, a cismar, enquanto voltavam. Vinham ambos pensativos.

– E você, se eu o tomar, disse depois o vendeiro, muda-se cá para a estalagem?...

– Naturalmente! não hei de ficar lá na cidade nova, tendo o serviço aqui!...

– E a comida, forneço-a eu?...

– Isso é que a mulher é quem a faz; mas as compras saem-lhe da venda...

– Pois está fechado o negócio! deliberou João Romão, convencido de que não podia, por economia, dispensar um homem daqueles. E pensou lá de si para si: "Os meus setenta mil-réis voltar-me-ão à gaveta. Tudo me fica em casa!"

– Então estamos entendidos?…

– Estamos entendidos!

– Posso amanhã fazer a mudança?

– Hoje mesmo, se quiser; tenho um cômodo que lhe há de calhar. É o número 35. Vou mostrar-lho.

E, aligeirando o passo, penetraram na estrada do capinzal com direção ao fundo do cortiço.

– Ah! é verdade! como você se chama?

– Jerônimo, para o servir.

– Servir a Deus. Sua mulher lava?

– É lavadeira, sim senhor.

– Bem, precisamos ver-lhe uma tina.

E o vendeiro empurrou a porta do fundo da estalagem, donde escapou, como de uma panela fervendo que se destapa, uma baforada quente; vozeria tresandante à fermentação de suores e roupa ensaboada secando ao sol.

❧ V ❧

No dia seguinte, com efeito, ali pelas sete da manhã, quando o cortiço fervia já na costumada labutação, Jerônimo apresentou-se junto com a mulher, para tomarem conta da casinha alugada na véspera.

A mulher chamava-se Piedade de Jesus; teria trinta anos, boa estatura, carne ampla e rija, cabelos fortes de um castanho fulvo, dentes pouco alvos, mas sólidos e perfeitos, cara cheia, fisionomia aberta; um todo de bonomia toleirona, desabotoando-lhe pelos olhos e pela boca numa simpática expressão de honestidade simples e natural.

Vieram ambos à boleia da andorinha[1] que lhes carregou os trens. Ela trazia uma saia de sarja roxa, cabeção[2] branco de paninho de algodão e na cabeça um lenço vermelho de alcobaça; o marido a mesma roupa do dia anterior.

E os dois apearam-se muito atrapalhados com os objetos que não confiaram dos homens da carroça; Jerônimo abraçado a duas formidáveis mangas[3] de vidro, das primitivas, dessas em que se podia à vontade enfiar uma perna; e a Piedade atracada com um velho relógio de parede e com uma grande trouxa de santos e palmas bentas. E assim atravessaram o pátio da estalagem, entre os comentários e os olhares curiosos dos antigos moradores, que nunca viam sem uma pontinha de desconfiança os inquilinos novos que surgiam.

– O que será este pedaço d'homem? indagou a Machona da sua vizinha de tina, a Augusta Carne Mole.

– A modos, respondeu esta, que vem pra trabalhar na pedreira. Ele ontem andou por lá um ror[4] de tempo com o João Romão.

– Aquela mulher que entrou junto será casada com ele?

– É de crer.

– Ela me parece gente das ilhas.

– Eles o que têm é muito bons trastes de seu! interveio a Leocádia. Uma cama que deve ser um regalo e um toucador com um espelho maior do que aquela peneira!

– E a cômoda, você viu, nhá Leocádia? perguntou Florinda, gritando para ser ouvida, porque entre ela e a outra estavam a Bruxa e a velha Marciana.

– Vi. Rico traste!

– E o oratório, então? Muito bonito!…

– Vi também. É obra de capricho. Não! eles, sejam lá quem for, são gente arranjada… Isso não se lhes pode negar!

– Se são bons ou maus só com o tempo se saberá!… arriscou Dona Isabel.

– Quem vê cara não vê corações… sentenciou o triste Albino, suspirando.

– Mas o número 35 não estava ocupado por aquele homem muito amarelo que fazia charutos?… inquiriu Augusta.

– Estava, confirmou a mulher do ferreiro, a Leocádia, porém creio que arribou, devendo não sei quanto, e o João Romão então esvaziou-lhe ontem a casa e tomou conta do que era dele.

– É! acudiu a Machona; ontem, pelo cair das duas da tarde, o Romão andava aí às voltas com os cacarecos do charuteiro. Quem sabe, se o pobre homem não levou a breca[5], como sucedeu àquele outro que trabalhava de ourives?

– Não! Este creio que está vivo...

– O que lhe digo é que aquele número 35 tem mau agouro! Eu cá por mim não o queria nem de graça! Foi lá que morreu a Maricas do Farjão!

Três horas depois, Jerônimo e Piedade achavam-se instalados e dispunham-se a comer o almoço, que a mulher preparara o melhor e o mais depressa que pôde. Ele contava aviar até à noite uma infinidade de coisas, para poder começar a trabalhar logo no dia seguinte.

Era tão metódico e tão bom como trabalhador quanto o era como homem.

Jerônimo viera da terra, com a mulher e uma filhinha ainda pequena, tentar a vida no Brasil, na qualidade de colono de um fazendeiro, em cuja fazenda mourejou durante dois anos, sem nunca levantar a cabeça, e donde afinal se retirou de mãos vazias e uma grande birra pela lavoura brasileira. Para continuar a servir na roça tinha que sujeitar-se a emparelhar com os negros escravos e viver com eles no mesmo meio degradante, encurralado como uma besta, sem aspirações, nem futuro, trabalhando eternamente para outro.

Não quis. Resolveu abandonar de vez semelhante estupor de vida e atirar-se para a corte, onde, diziam-lhe patrícios, todo o homem bem disposto encontrava furo[6]. E, com efeito, mal chegou, devorado de necessidades e privações, meteu-se a quebrar pedra numa pedreira, mediante um miserável salário. A sua existência continuava dura e precária; a mu-

O CORTIÇO ~ 121

lher já então lavava e engomava, mas com pequena freguesia e mal paga. O que os dois faziam chegava-lhes apenas para não morrer de fome e pagar o quarto da estalagem.

Jerônimo, porém, era perseverante, observador e dotado de certa habilidade. Em poucos meses se apoderava do seu novo ofício e, de quebrador de pedra, passou logo a fazer paralelepípedos; e depois foi-se ajeitando com o prumo e com a esquadria e meteu-se a fazer lajedos; e finalmente, à força de dedicação pelo serviço, tornou-se tão bom como os melhores trabalhadores de pedreira e a ter salário igual ao deles. Dentro de dois anos, distinguia-se tanto entre os companheiros, que o patrão o converteu numa espécie de contramestre e elevou-lhe o ordenado a setenta mil-réis.

Mas não foram só o seu zelo e a sua habilidade o que o pôs assim para a frente; duas outras coisas contribuíram muito para isso: a força de touro que o tornava respeitado e temido por todo o pessoal dos trabalhadores, como ainda, e talvez principalmente, a grande seriedade do seu caráter e a pureza austera dos seus costumes. Era homem de uma honestidade a toda prova e de uma primitiva simplicidade no seu modo de viver. Saía de casa para o serviço e do serviço para a casa, onde nunca ninguém o vira com a mulher senão em boa paz; traziam a filhinha sempre limpa e bem alimentada, e, tanto um como o outro, eram sempre os primeiros à hora do trabalho. Aos domingos iam às vezes à missa ou, à tarde, ao Passeio Público; nessas ocasiões, ele punha uma camisa engomada, calçava sapatos e enfiava um paletó; ela o seu vestido de ver a Deus, os seus ouros trazidos da terra, que nunca tinham ido ao monte de socorro[7], malgrado as dificuldades com que os dois lutaram a princípio no Brasil.

Piedade merecia bem o seu homem, muito diligente, sadia, honesta, forte, bem acomodada com tudo e com todos, trabalhando de sol a sol e dando sempre tão boas contas da obrigação, que os seus fregueses de roupa, apesar daquela mudança para Botafogo, não a deixaram quase todos.

Jerônimo, ainda na cidade nova, logo que principiara a ganhar melhor, fizera-se irmão de uma Ordem Terceira[8] e tratara de ir pondo alguma coisinha de parte. Meteu a filha num colégio, "que a queria com outro saber que não ele, a quem os pais não mandaram ensinar nada". Por último, no cortiço em que então moravam, a sua casinha era a mais decente, a mais respeitada e a mais confortável; porém, com a morte do seu patrão e com uma reforma estúpida que os sucessores deste realizaram em todo o serviço da pedreira, o colono desgostou-se dela e resolveu passar para outra.

Foi então que lhe indicaram a do João Romão, que, depois do desastre do seu melhor empregado, andava justamente à procura de um homem nas condições de Jerônimo.

Tomou conta da direção de todo o serviço, e em boa hora o fez, porque dia a dia a sua influência se foi sentindo no progresso do trabalho. Com o seu exemplo os companheiros tornavam-se igualmente sérios e zelosos. Ele não admitia relaxamentos, nem podia consentir que um preguiçoso se demorasse ali tomando o lugar de quem precisava ganhar o pão. E alterou o pessoal da pedreira, despediu alguns trabalhadores, admitiu novos, aumentou o ordenado dos que ficaram, estabelecendo-lhes novas obrigações e reformando tudo para melhor. No fim de dois meses já o vendeiro esfregava as mãos de contente e via, radiante, quanto lucrara com a aquisição de Jerônimo; tanto assim que estava disposto a aumentar-lhe o ordenado para conservá-lo em sua companhia. "Valia a pena! Aquele homem era um achado precioso! Abençoado fosse o Machucas que lho enviara!" E começou a distingui-lo e respeitá-lo como não fazia a ninguém.

O prestígio e a consideração que Jerônimo gozava entre os moradores da outra estalagem donde vinha, foi a pouco e pouco se reproduzindo entre os seus novos companheiros de cortiço. Ao cabo de algum tempo era consultado e ouvido, quando qualquer questão difícil os preocupava. Descobriam-se defronte dele, como defronte de um superior: até o próprio Alexandre abrira uma exceção nos seus hábitos e fazia-lhe uma ligeira continência com a mão no boné, ao atravessar o pátio, todo fardado, por ocasião de vir ou de ir para o serviço. Os dois caixeiros da venda, o Domingos e o Manuel, tinham entusiasmo por ele. "Aquele é que devia ser o patrão, diziam. É um homem sério e destemido! Com aquele ninguém brinca!" E, sempre que a Piedade de Jesus ia lá à taverna fazer as suas compras, a fazenda que lhe davam era bem escolhida, bem medida ou bem pesada. Muitas lavadeiras tomavam inveja dela, mas Piedade era de natural tão bom e benfazejo que não dava por isso e a maledicência murchava antes de amadurecer.

Jerônimo acordava todos os dias às quatro horas da manhã, fazia antes dos outros a sua lavagem à bica do pátio, socava-se depois com uma boa palangana[9] de caldo de unto[10], acompanhada de um pão de quatro[11]; e, em mangas de camisa de riscado, a cabeça ao vento, os grossos pés sem meias metidos em um formidável par de chinelos de couro cru, seguia para a pedreira.

A sua picareta era para os companheiros o toque de reunir. Aquela ferramenta movida por um pulso de Hércules valia bem os clarins de um regimento tocando alvorada. Ao seu retinir vibrante surgiam do caos opalino das neblinas vultos cor de cinza, que lá iam, como sombras, galgando a montanha, para cavar na pedra o pão nosso de cada dia. E, quando o sol desfechava sobre o píncaro da rocha os seus primeiros raios, já encontrava de pé, a bater-se contra o gigante de granito, aquele mísero grupo de obscuros batalhadores.

Jerônimo só voltava à casa ao descair da tarde, morto de fome e de fadiga. A mulher preparava-lhe sempre para o jantar alguma das comidas da terra deles. E ali, naquela estreita

124 ⊰ ALUÍSIO AZEVEDO

salinha, sossegada e humilde, gozavam os dois, ao lado um do outro, a paz feliz dos simples, o voluptuoso prazer do descanso após um dia inteiro de canseiras ao sol. E, defronte do candeeiro de querosene, conversavam sobre a sua vida e sobre a sua Marianita, a filhinha que estava no colégio e que só os visitava aos domingos e dias santos.

Depois, até às horas de dormir, que nunca passavam das nove, ele tomava a sua guitarra e ia para defronte da porta, junto com a mulher, dedilhar os fados da sua terra. Era nesses momentos que dava plena expansão às saudades da pátria, com aquelas cantigas melancólicas em que a sua alma de desterrado voava das zonas abrasadas da América para as aldeias tristes da sua infância.

E o canto daquela guitarra estrangeira era um lamento choroso e dolorido, eram vozes magoadas, mais tristes do que uma oração em alto-mar, quando a tempestade agita as negras asas homicidas, e as gaivotas doidejam assanhadas, cortando a treva com os seus gemidos pressagos, tontas como se estivessem fechadas dentro de uma abóbada de chumbo.

❧ VI ❧

Amanhecera um domingo alegre no cortiço, um bom dia de abril. Muita luz e pouco calor.

As tinas estavam abandonadas; os coradouros despidos. Tabuleiros e tabuleiros de roupa engomada saíam das casinhas, carregados na maior parte pelos filhos das próprias lavadeiras que se mostravam agora quase todas de fato[1] limpo; os casaquinhos brancos avultavam por cima das saias de chita de cor. Desprezaram-se os grandes chapéus de palha e os aventais de aniagem; agora as portuguesas tinham na cabeça um lenço novo de ramagens vistosas e as brasileiras haviam penteado o cabelo e pregado nos cachos negros um ramalhete de dois vinténs; aquelas traçavam no ombro xales de lã vermelha, e estas de crochê, de um amarelo desbotado. Viam-se homens de corpo nu, jogando a placa[2], com grande algazarra. Um grupo de italianos, assentado debaixo de uma árvore, conversava ruidosamente, fumando cachimbo. Mulheres ensaboavam os filhos pequenos debaixo da bica, muito zangadas, a darem-lhes murros, a praguejar, e as crianças berravam, de olhos fechados, esperneando. A casa da Machona estava num rebuliço, porque a família ia sair a passeio; a velha gritava, gritava Neném, gritava o Agostinho. De muitas outras saíam cantos ou sons de instrumentos; ouviam-se harmônicas e ouviam-se guitarras, cuja discreta melodia era de vez em quando interrompida por um ronco forte de trombone.

Os papagaios pareciam também mais alegres com o domingo e lançavam das gaiolas frases inteiras, entre gargalhadas e assobios. À porta de diversos cômodos, trabalhadores descansavam, de calça limpa e camisa de meia lavada, assentados em cadeira, lendo e soletrando jornais ou livros; um declamava em voz alta versos d'*Os Lusíadas*, com um empenho feroz, que o punha rouco. Transparecia neles o prazer da roupa mudada depois de uma semana no corpo. As casinhas fumegavam um cheiro bom de refogados de carne fresca, fervendo ao fogo. Do sobrado do Miranda só as duas últimas janelas já estavam abertas e, pela escada que descia para o quintal, passava uma criada carregando baldes de águas servidas. Sentia-se naquela quietação de dia inútil a falta do resfolegar aflito das máquinas da vizinhança, com que todos estavam habituados. Para além do solitário capinzal do fundo a pedreira parecia dormir em paz o seu sono de pedra; mas, em compensação, o movimento era agora extraordinário à frente da estalagem e à entrada da venda. Muitas lavadeiras tinham ido para o portão, olhar quem passava; ao lado delas o Albino, vestido de branco, com o seu lenço engomado ao pescoço, entretinha-se a chupar balas de açúcar, que comprara ali mesmo ao tabuleiro de um baleiro freguês do cortiço.

Dentro da taverna, os martelos de vinho branco, os copos de cerveja nacional e os dois vinténs de parati ou laranjinha[3] sucediam-se por cima do balcão, passando das mãos do Domingos e do Manuel para as mãos ávidas dos operários e dos trabalhadores, que os recebiam com estrondosas exclamações de pândega. A Isaura, que fora num pulo tomar o seu primeiro capilé, via-se tonta com os apalpões que lhe davam. Leonor não tinha um instante de sossego, saltando de um lado para outro, com uma agilidade de mono, a fugir dos punhos calosos dos cavouqueiros que, entre risadas, tentavam agarrá-la; e insistia na sua ameaça do costume: "que se queixava ao juiz de orfe!" mas não se ia embora, porque defronte da venda viera estacionar um homem que tocava cinco instrumentos ao mesmo tempo, com um acompanhamento desafinado de bombo, pratos e guizos.

Eram apenas oito horas e já muita gente comia e palavreava na casa de pasto ao lado da venda. João Romão, de roupa mudada como os outros, mas sempre em mangas de camisa, aparecia de espaço a espaço, servindo os comensais; e a Bertoleza, sempre suja e tisnada[4], sempre sem domingo nem dia santo, lá estava ao fogão, mexendo as panelas e enchendo os pratos.

Um acontecimento, porém, veio revolucionar alegremente toda aquela confederação da estalagem. Foi a chegada da Rita Baiana, que voltava depois de uma ausência de meses, durante a qual só dera notícias suas nas ocasiões de pagar o aluguel do cômodo.

Vinha acompanhada por um moleque, que trazia na cabeça um enorme samburá[5] carregado de compras feitas no mercado; um grande peixe espiava por entre folhas de alface com o seu olhar embaciado e triste, contrastando com as risonhas cores dos rabanetes, das cenouras e das talhadas de abóbora vermelha.

– Põe isso tudo aí nessa porta. Aí no número 9, pequeno! gritou ela ao moleque, indicando-lhe a sua casa, e depois pagou-lhe o carreto. – Podes ir embora, carapeta![6]

Desde que do portão a bisparam na rua, levantou-se logo um coro de saudações.

– Olha! quem aí vem!

– Olé! Bravo! É a Rita Baiana!

– Já te fazíamos morta e enterrada!

– E não é que o demo da mulata está cada vez mais sacudida?...

– Então, coisa-ruim! por onde andaste atirando esses quartos?[7]

– Desta vez a coisa foi de esticar, hein?!

Rita havia parado em meio do pátio.

Cercavam-na homens, mulheres e crianças; todos queriam novas dela. Não vinha em traje de domingo; trazia casaquinho branco, uma saia que lhe deixava ver o pé sem meia num chinelo de polimento com enfeites de marroquim de diversas cores. No seu farto cabelo, crespo e reluzente, puxado sobre a nuca, havia um molho de manjericão e um pedaço de baunilha espetado por um gancho. E toda ela respirava o asseio das brasileiras e um odor sensual de trevos e plantas aromáticas. Irrequieta, saracoteando o atrevido e rijo quadril baiano, respondia para a direita e para a esquerda, pondo à mostra um fio de dentes claros e brilhantes que enriqueciam a sua fisionomia com um realce fascinador.

Acudiu quase todo o cortiço para recebê-la. Choveram abraços e as chufas[8] do bom acolhimento.

Por onde andara aquele diabo, que não aparecia pra mais de três meses?

– Ora, nem me fales, coração! Sabe? pagode de roça! Que hei de fazer? é a minha cachaça velha!...

– Mas onde estiveste tu enterrada tanto tempo, criatura?

– Em Jacarepaguá.

– Com quem?

– Com o Firmo...

– Oh! Ainda dura isso?

– Cala a boca! A coisa agora é séria!

– Qual! Quem mesmo? tu? Passa fora!

– Paixões da Rita! exclamou o Bruno com uma risada. Uma por ano! Não contando as miúdas!

– Não! isso é que não! Quando estou com um homem não olho pra outro!

Leocádia, que era perdida pela mulata, saltara-lhe ao pescoço ao primeiro encontro, e agora, defronte dela, com as mãos nas cadeiras, os olhos úmidos de comoção, rindo, sem se fartar de vê-la, fazia-lhe perguntas sobre perguntas:

– Mas por que não te metes tu logo por uma vez com o Firmo? por que não te casas com ele?

– Casar? protestou a Rita. Nessa não cai a filha de meu pai! Casar? livra! Para quê? para arranjar cativeiro? Um marido é pior que o diabo; pensa logo que a gente é escrava! Nada! qual! Deus te livre! Não há como viver cada um senhor e dono do que é seu!

E sacudiu todo o corpo num movimento de desdém que lhe era peculiar.

– Olha só que peste! considerou Augusta, rindo, muito mole, na sua honestidade preguiçosa.

Esta também achava infinita graça na Rita Baiana e seria capaz de levar um dia inteiro a vê-la dançar o chorado.

Florinda ajudava a mãe a preparar o almoço, quando lhe cheirou que chegara a mulata, e veio logo correndo, a rir-se desde longe, cair-lhe nos braços. A própria Marciana, de seu natural sempre triste e metida consigo, apareceu à janela, para saudá-la. A das Dores, com as saias arrepanhadas no quadril e uma toalha por cima amarrada pela parte de trás e servindo de avental, o cabelo ainda por pentear, mas entrouxado no alto da cabeça, abandonou a limpeza que fazia em casa e veio ter com a Rita, para dar-lhe uma palmada e gritar-lhe no nariz:

– Desta vez tomaste um fartão, hein, mulata assanhada?...

E, ambas a caírem de riso, abraçaram-se em intimidade de amigas, que não têm segredos de amor uma para a outra.

A Bruxa veio em silêncio apertar a mão de Rita e retirou-se logo.

– Olha a feiticeira! bradou esta última, batendo no ombro da idiota. Que diabo você tanto reza, tia Paula? Eu quero que você me dê um feitiço para prender meu homem!

E tinha uma frase para cada um que se aproximasse. Ao ver Dona Isabel, que apareceu toda cerimoniosa na sua saia da missa e com o seu velho xale de Macau, abraçou-a e pediu-lhe uma pitada, que a senhora recusou, resmungando:

– Sai daí, diabo!

– Cadê Pombinha? perguntou a mulata.

Mas, nessa ocasião, Pombinha acabava justamente de sair de casa, muito bonita e asseada com um vestido novo de cetineta. As mãos ocupadas com o livro de rezas, o lenço e a sombrinha.

– Ah! Como está chique! exclamou a Rita, meneando a cabeça. É mesmo uma flor! – E logo que Pombinha se pôs ao seu alcance, abraçou-lhe a cintura e deu-lhe um beijo. – O João da Costa se não te fizer feliz como os anjos sou capaz de abrir-lhe o casco com o salto do chinelo! Juro pelos cabelos do meu homem! – E depois, tornando-se séria, perguntou muito em voz baixa à Dona Isabel: – Já veio?... – ao que a velha respondeu negativamente com um desconsolado e mudo abanar de orelhas.

O circunspecto Alexandre, sem querer declinar da sua gravidade, pois que estava fardado e pronto para sair, contentou-se em fazer com a mão um cumprimento à mulata, ao qual retrucou esta com uma continência militar e uma gargalhada que o desconcertaram.

Iam fazer comentários sobre o caso, mas a Rita, voltando-se para o outro lado, gritou:

– Olha o velho Libório! Como está cada vez mais duro!... Não se entrega por nada o demônio do judeu!

E correu para o lugar, onde estava, aquecendo-se ao belo sol de abril, um octogenário, seco, que parecia mumificado pela idade, a fumar num resto de cachimbo, cujo pipo desaparecia na sua boca já sem lábios.

– Ê! ê! fez ele, quando a mulata se aproximou.

– Então? perguntou Rita, abaixando-se para tocar-lhe no ombro. Quando é o nosso negócio?... Mas você há de deixar-me primeiro abrir o bauzinho de folha!...

Libório riu-se com as gengivas, tentando apalpar as coxas da Baiana, por caçoada, afetando luxúria.

Todos acharam graça nesta pantominice do velhinho, e então, a mulata, para completar a brincadeira, deu uma volta entufando as saias e sacudiu-as depois sobre a cabeça dele, que se fingiu indignado, a fungar exageradamente.

E entre a alegria levantada pela sua reaparição no cortiço, a Rita deu conta do que pintara na sua ausência; disse o muito que festou em Jacarepaguá; o entrudo[9] que fizera pelo carnaval. Três meses de folia! E, afinal abaixando a voz, segredou às companheiras que à noite teriam um pagodinho de violão. Podiam contar como certo!

Esta última notícia causou verdadeiro júbilo no auditório. As patuscadas da Rita Baiana eram sempre as melhores da estalagem. Ninguém como o diabo da mulata para armar uma função que ia pelas tantas da madrugada, sem saber a gente como foi que a noite se passou tão depressa.

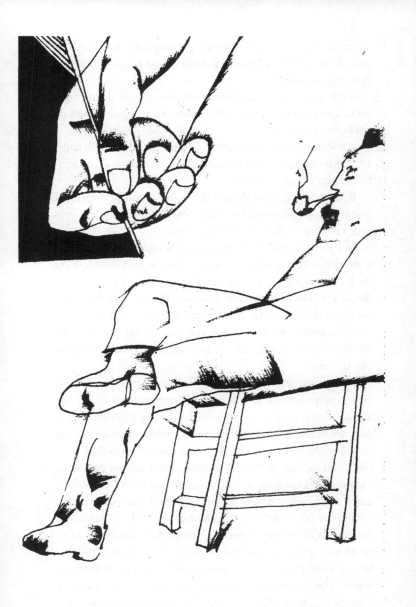

Além de que "era aquela franqueza! enquanto houvesse dinheiro ou crédito, ninguém morria com a tripa murcha ou com a goela seca!"

– Diz-me cá, ó Leocadinha! quem são aqueles jururus que estão agora no 35? indagou ela, vendo o Jerônimo à porta de casa com a mulher.

– Ah! explicou a interrogada, é o Jeromo e mais a Piedade, um casal que inda não conheces. Entrou ao depois que arribaste. Boa gente, coitados!

Rita carregou para dentro de seu cômodo as provisões que trouxera; abriu logo a janela e pôs-se a cantar. Sua presença enchia de alegria a estalagem toda.

O Firmo, o mulato com quem ela agora vivia metida, o demônio que a desencabeçara para aquela maluqueira de Jacarepaguá, ia lá jantar esse dia com um amigo. Rita declarava isto às companheiras, amolando uma faquinha no tijolo da sua porta, para escamar o peixe; enquanto os gatos, aqueles mesmos que perseguiam o sardinheiro, vinham, um a um, chegando-se todos só com o ruído da afiação do ferro.

Ao lado direito da casinha da mulata, no número 8, a das Dores preparava-se também para receber nesse dia o seu amigo e dispunha-se a fazer uma limpeza geral nas paredes, nos tetos, no chão e nos móveis, antes de meter-se na cozinha. Descalça, com a saia levantada até ao joelho, uma toalha na cabeça, os braços arregaçados, viam-na passar de carreira, de casa para a bica e da bica outra vez para casa, carregando pesados baldes cheios d'água. E daí a pouco apareciam ajudantes gratuitos para os arranjos do jantar, tanto do lado da das Dores, como do lado da Rita Baiana. O Albino encarregou-se de varrer e arrumar a casa desta, entretanto que a mulata ia para o fogão preparar os seus quitutes do norte. E veio a Florinda, e veio a Leocádia, e veio a Augusta, impacientes todas elas pelo pagode que havia de sair à noite, depois do jantar. Pombinha não apareceu durante o dia, porque estava muito ocupada, aviando a correspondência dos trabalhadores e das lavadeiras; serviço este que ela deixava para os domingos.

Numa pequena mesa, coberta por um pedaço de chita, com o tinteiro ao lado da caixinha de papel, a menina escrevia, enquanto o dono ou a dona da carta ditava em voz alta o que queria mandar dizer à família ou a algum mau devedor de roupa lavada. E ia lançando tudo no papel, apenas com algumas ligeiras modificações, para melhor, no modo de exprimir a ideia. Pronta uma carta, subscritava-a, entregava-a ao dono e chamava por outro, ficando a sós com um de cada vez, pois que nenhum deles queria dar o seu recado em presença de mais ninguém senão de Pombinha. De sorte que a pobre rapariga ia acumulando no seu coração de donzela toda a súmula daquelas paixões e daqueles ressentimentos, às vezes mais fétidos do que a evaporação de um lameiro em dias de grande calor.

– Escreva lá, Nhã Pombinha! disse junto dela um cavouqueiro, coçando a cabeça; mas faça letra grande, que é pra mulher entender! Diga-lhe que não lhe mando desta feita o dinheiro que me pediu, porque agora não no tenho e estou muito acossado de apertos; mas que lho prometo pro mês. Ela que se vá arranjando por lá, que eu cá sabe Deus como me coço; e que, se o Luís, o irmão, resolver de vir, que mo mande dizer com tempo, para ver se se lhe dá furo à vida por aqui; que isto de vir sem inda ter p'ronde, é fraco negócio, porque as coisas por cá não correm lá para que digamos!

E depois que a Pombinha escreveu, acrescentou:

– Que eu tenho sentido muito a sua falta dela; mas também sou o mesmo e não me meto em porcarias e relaxamentos; e que tenciono mandar buscá-la, logo que Deus me ajude, e a Virgem! Que ela não tem de que se arreliar por mor do[10] dinheiro não ir desta; que, como lá diz o outro:

quando não há el-rei o perde! Ah! (ia esquecendo!) quanto à Libânia, é tirar daí o juízo! que a Libânia se atirou aos cães e faz hoje má vida na rua de São Jorge; que se esqueça dela por vez e perca o amor às duas coroas que lhe emprestou!

E a menina escrevia tudo, tudo, apenas interrompendo o seu trabalho para fitar, com a mão no queixo, o cavouqueiro, à espera de nova frase.

⚡ VII ⚡

Eassim ia correndo o domingo no cortiço até às três da tarde, horas em que chegou mestre Firmo, acompanhado pelo seu amigo Porfiro, trazendo aquele o violão e o outro o cavaquinho.

Firmo, o atual amante de Rita Baiana, era um mulato pachola, delgado de corpo e ágil como um cabrito; capadócio[1] de marca, pernóstico, só de maçadas, e todo ele se quebrando nos seus movimentos de capoeira. Teria seus trinta e tantos anos, mas não parecia ter mais de vinte e poucos. Pernas e braços finos, pescoço estreito, porém forte; não tinha músculos, tinha nervos. A respeito de barba, nada mais que um bigodinho crespo, petulante, onde reluzia cheirosa a brilhantina do barbeiro; grande cabeleira encaracolada, negra e bem negra, dividida ao meio da cabeça, escondendo parte da testa e estufando em grande gaforina[2] por debaixo da aba do chapéu de palha, que ele punha de banda, derreado sobre a orelha esquerda.

Vestia, como de costume, um paletó de lustrina preta já bastante usado, calças apertadas nos joelhos, mas tão largas na bainha que lhe engoliam os pezinhos secos e ligeiros. Não trazia gravata, nem colete, sim uma camisa de chita nova e ao pescoço, resguardando o colarinho, um lenço alvo e perfumado; à boca um enorme charuto de dois vinténs e

na mão um grosso porrete de Petrópolis[3], que nunca sossegava, tantas voltas lhe dava ele a um tempo por entre os dedos magros e nervosos.

Era oficial de torneiro, oficial perito e vadio; ganhava uma semana para gastar num dia; às vezes, porém, os dados ou a roleta multiplicavam-lhe o dinheiro, e então ele fazia como naqueles últimos três meses; afogava-se numa boa pândega com a Rita Baiana. A Rita ou outra. "O que não faltava por aí eram saias para ajudar um homem a cuspir o cobre na boca do diabo!" Nascera no Rio de Janeiro, na Corte; militara dos doze aos vinte anos em diversas maltas[4] de capoeiras; chegara a decidir eleições nos tempos do voto indireto. Deixou nome em várias freguesias e mereceu abraços, presentes e palavras de gratidão de alguns importantes chefes de partido. Chamava a isso a sua época de paixão política; mas depois desgostou-se com o sistema de governo e renunciou às lutas eleitorais, pois não conseguira nunca o lugar de contínuo numa repartição pública – o seu ideal! – Setenta mil-réis mensais: trabalho das nove às três.

Aquela amigação com a Rita Baiana era uma coisa muito complicada e vinha de longe; vinha do tempo em que ela ainda estava chegadinha de fresco da Bahia, em companhia da mãe, uma cafuza dura, capaz de arrancar as tripas ao Manduca da Praia[5]. A cafuza morreu e o Firmo tomou conta da mulata; mas pouco depois se separaram por ciúmes, o que aliás não impediu que se tornassem a unir mais tarde, e que de novo brigassem e de novo se procurassem. Ele tinha "paixa" pela Rita, e ela, apesar de volúvel como toda a mestiça, não podia esquecê-lo por uma vez; metia-se com outros, é certo, de quando em quando, e o Firmo então pintava o caneco, dava por paus e por pedras, enchia-a de bofetadas, mas, afinal, ia procurá-la, ou ela a ele, e ferravam-se de novo, cada vez mais ardentes, como se aquelas turras constantes reforçassem o combustível dos seus amores.

O amigo que Firmo trazia aquele domingo em sua companhia, o Porfiro, era mais velho do que ele e mais escuro. Tinha o cabelo encarapinhado. Tipógrafo. Afinavam-se muito os dois tipos com as suas calças de boca larga e com os seus chapéus ao lado; mas o Porfiro tinha outra linha: não dispensava a sua gravata de cor saltando em laço frouxo sobre o peito da camisa; fazia questão da sua bengalinha com cabeça de prata e da sua piteira de âmbar e espuma, em que ele equilibrava um cigarro de palha.

Desde a entrada dos dois, a casa de Rita esquentou. Ambos tiraram os paletós e mandaram vir parati, "a abrideira pra muqueca baiana". E não tardou que se ouvissem gemer o cavaquinho e o violão.

Ao lado chegava também o homem da das Dores, com um companheiro do comércio; vinham vestidos de fraque e chapéu alto. A Machona, Neném e o Agostinho, já de volta do seu passeio à cidade, lá estavam ajudando. Ficariam para o rega-bofe.

Um rumor quente, de dia de festa, ia-se formando naquele ponto da estalagem.

Tanto numa casa, como na outra, o jantar seria às cinco horas. Rita "botou" vestido branco, de cambraia, encanudado[6] a ferro. Leocádia, Augusta, o Bruno, o Alexandre e o Albino jantariam com ela no número 9; e no número 8, com a das Dores, ficariam, além dos parentes desta, Dona Isabel, Pombinha, Marciana e Florinda.

Jerônimo e sua mulher foram convidados para ambas as mesas, mas não aceitaram o convite para nenhuma, dispostos a passar a tarde ao lado um do outro, tranquilamente, como sempre, comendo em boa paz o seu cozido à moda da terra e bebendo o seu quartilho[7] de verde pela mesma infusa[8].

Entretanto, os dois jantares vizinhos principiaram ruidosos logo desde a sopa e assanharam-se progressivamente.

Meia hora depois vinha das duas casas uma algazarra infernal. Falavam e riam todos ao mesmo tempo; tilintavam os talheres e os copos. Cá de fora sentia-se perfeitamente o prazer que aquela gente punha em comer e beber à farta, com a boca cheia, os beiços envernizados de molho gordo. Alguns cães rosnavam à porta, roendo os ossos que traziam lá de dentro. De vez em quando, da janela de uma das casas aparecia uma das moradoras, chamando a vizinha, para entregar um prato cheio, permutando as duas entre si os quitutes e as petisqueiras em que eram mais peritas.

– Olha! gritava a das Dores para o número 9, diz à Rita que prove deste zorô[9], pra ver que tal o acha, e que o vatapá estava muito gostoso! Se ela tem pimentas, que me mande algumas!

Do meio para o fim do jantar o barulho em ambas as casas era medonho. No número 8 berravam-se brindes e cantos desafinados. O português amigo da das Dores, já desengravatado e com os braços à mostra, vermelho, lustroso de suor, intumescido de vinho virgem e leitão de forno, repotreava-se na sua cadeira, a rir forte, sem calar a boca, com a camisa a espipar-lhe pela braguilha aberta. O sujeito que a acompanhara fazia fosquinhas a Neném, protegido no seu namoro por toda a roda, desde a respeitável Machona até ao endemoninhado Agostinho, que não ficava quieto um instante, nem deixava sossegar a mãe, gritando um contra o outro como dois possessos. Florinda, sempre muito risonha e esperta, divertia-se a valer e, de vez em quando, levantava-se da mesa, para ir de carreira levar lá fora ao número 12 um prato de comida à sua velha que, à última hora, vindo-lhe o aborrecimento, resolvera não ir ao jantar. À sobremesa o esfogueado amigo da dona da casa exigiu que a amante se lhe assentasse nas coxas e dava-lhe beijos em presença de toda a companhia, o que fez com que Dona Isabel, impaciente por afastar a filha daquele inferno, declarasse que sentia muito calor e que ia lá para a porta esperar mais à fresca o café.

Em casa de Rita Baiana a animação era inda maior. Firmo e Porfiro faziam o diabo, cantando, trocando bestialógicos, arremedando a fala dos pretos cassanges[10]. Aquele não largava a cintura da mulata e só bebia no mesmo copo com ela; o outro divertia-se a perseguir o Albino, galanteando-o afetadamente, para fazer rir à sociedade. O lavadeiro indignava-se, dava o cavaco[11]. Leocádia, a quem o vinho produzia delírios de hilaridade, torcia-se em gargalhadas, tão fortes e sacudidas que desconjuntavam a cadeira em que ela estava; e, muito lubrificada pela bebedeira, punha os pesados pés sobre os de Porfiro, roçando as pernas contra as dele e deixando-se apalpar pelo capadócio. O Bruno, defronte dela, rubro e suado como se estivesse a trabalhar na forja, falava e gesticulava sem se levantar, praguejando ninguém sabia contra quem. O Alexandre, à paisana, assentado ao lado da mulher, conservava quase toda a sua seriedade e pedia que não fizessem tanto barulho porque podiam ouvir da rua. E notou, em voz misteriosa, que o Miranda tinha vindo já espiar por várias vezes da janela do sobrado.

– Que espie as vezes que quiser! bradou a Rita. Pois então a gente não é senhora de estar um domingo em casa a seu gosto e com os amigos que entender?!... Que vá pro diabo que o lixe! Eu não como nem bebo do que é dele!

Os dois mulatos e o Bruno também eram da mesma opinião. "Pois então! Desde que se não ofendia, nem prejudicava a safardana nenhum com aquele divertimento, não havia de que falar!"

– E que não entiquem muito, ameaçou o Firmo, que comigo é nove! E o trunfo é paus!

O Porfiro exclamou:

– Se se incomodam com a gente... os incomodados são os que se mudam! Ora pistolas!

– O domingo fez-se pra gozar!... resmungou o Bruno, deixando cair a cabeça nos braços cruzados sobre a mesa.

Mas ergueu-se logo, cambaleando, e acrescentou, despindo o braço direito até ao ombro: – Eles que se façam finos[12], que os racho!

O Alexandre procurou acalmá-lo, dando-lhe um charuto.

Em uma outra casinha do cortiço acabava de estalar uma nova sobremesa, engrossando o barulho geral; era o jantar de um grupo de italianos mascates, onde o Delporto, o Pompeo, o Francesco e o Andréa representavam as principais figuras. Todos eles cantavam em coro, mais afinados que nas outras duas casas; quase, porém, que se lhes não podiam ouvir as vozes, tantas e tão estrondosas eram as pragas que soltavam ao mesmo tempo. De quando em quando, de entre o grosso e macho vozear dos homens, esguichava um falsete feminino, tão estridente que provocava réplica aos papagaios e aos perus da vizinhança. E, daqui e dali, iam rebentando novas algazarras em grupos formados cá e lá pela estalagem. Havia nos operários e nos trabalhadores decidida disposição para pandegar, para aproveitar bem, até ao fim, aquele dia de folga. A casa de pasto fermentava revolucionada, como um estômago de bêbedo depois de grande bródio[13], e arrotava sobre o pátio uma baforada quente e ruidosa que entontecia.

O Miranda apareceu furioso à janela, com o seu tipo de comendador, a barriga empinada pra frente, de paletó branco, um guardanapo ao pescoço e um trinchante empunhado na destra, como uma espada.

– Vão gritar pra o inferno, com um milhão de raios! berrou ele, ameaçando para baixo. Isto também já é demais! Se não se calam, vou daqui direito chamar a polícia! Súcia de brutos!

Com os berros do Miranda muita gente chegou à porta de casa, e o coro de gargalhadas, que ninguém podia conter naquele momento de alegria, ainda mais o pôs fora de si.

– Ah, canalhas! O que eu devia fazer era atirar-lhes daqui, como a cães danados!

Uma vaia uníssona ecoou em todo o pátio da estalagem, enquanto em volta do negociante surgiam várias pessoas, puxando-o para dentro de casa.

– Que é isso, Miranda! Então! Estás agora a dar palha?...

– O que eles querem é que encordoes!...[14]

– Saia daí, papai!

– Olhe alguma pedrada, esta gente é capaz de tudo!

E via-se de relance Dona Estela, com a sua palidez de flor meio fanada, e Zulmira, lívida, um ar de fastio a fazê-la feia, e o Henriquinho, cada vez mais bonito, e o velho Botelho, indiferente, a olhar para toda esta porcaria do mundo com o profundo desprezo dos que já não esperam nada dos outros, nem de si próprio.

– Canalhas! repisava o Miranda.

O Alexandre, que fora de carreira enfiar a sua farda, apresentou-se então e disse ao negociante que não era prudente atirar insultos cá pra baixo. Ninguém o tinha provocado! Se os moradores da estalagem jantavam em companhia de amigos, lá em cima o Miranda também estava comendo com os seus convidados! Era mau insultar, porque palavra puxa palavra, e, em caso de ter de depor na polícia, ele, Alexandre, deporia a favor de quem tivesse razão!...

– Fomente-se![15] respondeu o negociante, voltando-lhe as costas.

– Já se viu xubregas[16] mais atrevido?! exclamou Firmo, que até aí estivera calado, à porta da Rita, com as mãos nas cadeiras, a fitar provocadoramente o Miranda.

E gritando mais alto, para ser bem ouvido:

– Facilita muito, meu boi manso, que te escorvo os galhos[17] na primeira ocasião!

O Miranda foi arrancado com violência da janela, e esta fechada logo em seguida com estrondo.

O CORTIÇO ∾ 143

– Deixa lá esse labrego! resmungou Porfiro, tomando o amigo pelo braço e fazendo-o recolher-se à casa da mulata. Vamos ao café, é o que é, antes que esfrie!

Defronte da porta de Rita tinham vindo postar-se diversos moradores do cortiço, jornaleiros de baixo salário, pobre gente miserável, que mal podia matar a fome com o que ganhava. Ainda assim não havia entre eles um só triste. A mulata convidou-os logo a comer um bocado e beber um trago. A proposta foi aceita alegremente.

E a casa dela nunca se esvaziava.

Anoitecia já.

O velho Libório, que jamais ninguém sabia ao certo onde almoçava ou jantava, surgiu do seu buraco, que nem jabuti quando vê chuva.

Um tipão, o velho Libório! Ocupava o pior canto do cortiço e andava sempre a fariscar os sobejos alheios, filando aqui, filando ali, pedindo a um e a outro, como um mendigo, chorando misérias eternamente, apanhando pontas de cigarro para fumar no cachimbo, cachimbo que o sumítico[18] roubara de um pobre cego decrépito. Na estalagem diziam todavia que Libório tinha dinheiro aferrolhado, contra o que ele protestava ressentido, jurando a sua extrema penúria. E era tão feroz o demônio naquela fome de cão sem dono, que as mães recomendavam às suas crianças todo o cuidado com ele, porque o diabo do velho, quando via algum pequeno desacompanhado, punha-se logo a rondá-lo, a cercá-lo de festas e a fazer-lhe ratices para o engabelar, até conseguir furtar-lhe o doce ou o vintenzinho que o pobrezito trazia fechado na mão.

Rita fê-lo entrar e deu-lhe de comer e de beber; mas sob condição de que o esfomeado não se socasse demais, para não rebentar ali mesmo.

Se queria estourar, fosse estourar pra longe!

Ele pôs-se logo a devorar, sofregamente, olhando inquieto para os lados, como se temesse que alguém lhe roubasse a comida da boca. Engolia sem mastigar, empurrando os bocados com os dedos, agarrando-se ao prato e escondendo nas algibeiras[19] o que não podia de uma só vez meter para dentro do corpo.

Causava terror aquela sua implacável mandíbula, assanhada e devoradora; aquele enorme queixo, ávido, ossudo e sem um dente, que parecia ir engolir tudo, tudo, principiando pela própria cara, desde a imensa batata vermelha e grelada, que ameaçava já entrar-lhe na boca, até às duas bochechinhas engelhadas, os olhos, as orelhas, a cabeça inteira, inclusive a sua grande calva, lisa como um queijo e guarnecida em redor por uns pelos puídos e ralos como farripas[20] de coco.

Firmo propôs embebedá-lo, só para ver a sorte que ele daria. O Alexandre e a mulher opuseram-se, mas rindo muito; nem se podia deixar de rir, apesar do espanto, vendo aquele resto de gente, aquele esqueleto velho, coberto por uma pele seca, a devorar, a devorar sem tréguas, como se quisesse fazer provisão para uma outra vida.

De repente, um pedaço de carne, grande demais para ser ingerido de uma vez, engasgou-o seriamente. Libório começou a tossir, aflito, com os olhos sumidos, a cara tingida de uma vermelhidão apoplética. A Leocádia, que era quem lhe ficava mais perto, soltou-lhe um murro nas costas.

O glutão arremessou sobre a toalha da mesa o bocado de carne já meio triturado.

Foi um nojo geral.

– Porco! gritou Rita, arredando-se.

– Pois se o bruto quer socar tudo ao mesmo tempo! disse Porfiro. Parece que nunca viu comida, este animal!

E notando que ele continuava ainda mais sôfrego por ter perdido um instante:

– Espere um pouco, lobo! Que diabo! A comida não foge! Há muito aí com que te fartares por uma vez! Com efeito!

– Beba água, tio Libório! aconselhou Augusta.

E, boa, foi buscar um copo d'água e levou-lho à boca.

O velho bebeu, sem despregar os olhos do prato.

– Arre diabo! resmungou Porfiro, cuspindo para o lado. Este é mesmo capaz de comer-nos a todos nós, sem achar espinhas!

Albino, esse, coitado! é que não comia quase nada e o pouco que conseguia meter no estômago fazia-lhe mal. Rita, para bolir com ele, disse que semelhante fastio era gravidez com certeza.

– Você já começa, hein?… balbuciou o pobre moço, esgueirando-se com a sua xícara de café.

– Olha, cuidado! gritou-lhe a mulata. Pouco café, que faz mal ao leite, e a criança pode sair trigueira!

O Albino voltou para dizer muito sério à Rita que não gostava dessas brincadeiras.

Alexandre, que havia acendido um charuto, depois de oferecer outros, galantemente, aos companheiros, arriscou, para também fazer a sua pilhéria, que o sonso do Albino fora pilhado às voltas com a Bruxa no capinzal dos fundos da estalagem, debaixo das mangueiras.

Só a Leocádia achou graça nisto e riu a bandeiras despregadas[21]. Albino declarou, quase chorando, que ele não mexia com pessoa alguma, e que ninguém, por conseguinte, devia mexer com ele.

– Mas afinal, perguntou Porfiro, é mesmo exato que este pamonha não conhece mulher?…

– Ele é quem pode responder! acudiu a mulata. E esta história vai ficar hoje liquidada! Vamos lá, ó Albino! confessa-nos tudo, ou mal te terás de haver com a gente!

– Se eu soubesse que era para isto que me chamaram, não tinha vindo cá, sabe? gaguejou o lavadeiro, amuado. Eu não sirvo de palito![22]

E ter-se-ia retirado chorando, se a Rita não lhe cortasse a saída, dizendo, como se falasse a uma criatura do seu sexo, mais fraca do que ela:

– Ora não sejas tolo! Deixa-te ficar aí! Se deres o cavaco é pior!

Albino limpou as lágrimas e foi assentar-se de novo.

Entretanto, a noite fechava-se, refrescando a tarde com o sudoeste. Bruno roncava no lugar em que tinha jantado. A Leocádia passara livremente a perna para cima da de Porfiro, que a abraçava, bebendo parati aos cálices.

Mas o Firmo lembrou que seria melhor irem lá para fora; e todos, menos o Bruno, dispuseram-se a deixar a sala, enquanto o velho Libório pedia a Alexandre um cigarro para despejar no cachimbo. Servido, o filante desapareceu logo, correndo ao faro de outros jantares. Rita, Augusta e Albino ficaram lavando a louça e arrumando a casa.

Lá fora o coro dos italianos se prolongava numa cadência monótona e arrastada, em que havia muito peso de embriaguez. Junto à porta de várias casas faziam-se grupos de pessoas assentadas em cadeiras ou no chão; mas a roda da Rita Baiana era a maior, porque fora engrossada pelos convivas da das Dores. O fumo dos cachimbos e dos charutos elevava-se de toda a parte. Decrescera o ruído geral; fazia-se a digestão; já ninguém discutia e todos conversavam.

Acendeu-se o lampião do pátio. Iluminaram-se diversas janelas das casinhas.

Agora, no sobrado do Miranda é que era o maior barulho. Saía de lá uma terrível gritaria de hipes e hurras, virgulada pelo desarrolhar de garrafas de champanha.

– Como eles atacam!… observou Alexandre, já de novo sem farda.

– E, no entanto, reprovam que a gente coma o que é seu com um pouco mais de alegria! comentou a Rita. Uma súcia!

Falou-se então largamente a respeito da família do Miranda, principalmente de Dona Estela e do Henrique. A Leocádia afiançou que, uma ocasião, espiando por cima do muro, trepada num montão de garrafas vazias que havia no pátio do cortiço, vira a sirigaita com a cara agarrada à do estudante, aos beijos e aos abraços, que era obra; e assim que os dois deram fé que ela os espreitava, deitaram a fugir que nem cães apedrejados.

A Augusta Carne Mole benzeu-se, com uma invocação à Virgem Santíssima, e o companheiro do amigo da das Dores, que insistia no seu namoro com a Neném, mostrou-se muito admirado com a notícia, "supunha Dona Estela um modelo de seriedade".

– Qual! negou Alexandre. Isso por aí é tudo uma pouca-vergonha, que faz descrer um homem de si mesmo! Eu também já vi de uma feita bem boas coisas pela sombra dela na parede; mas não era com o estudante, era com um sujeito que lá ia às vezes, um barbado, careca e comido de bexigas. E a pequena vai pelo mesmo conseguinte...[23]

Esta novidade produziu grande surpresa no grupo inteiro. Quiseram os pormenores e o Alexandre não se fez de rogado: o namoro da Zulmira era com um rapazola magro, de lunetas[24], bigode louro, bem vestido, que lhe rondava a casa à noite e às vezes de madrugada. Parecia estudante!

– O que eles têm feito? inquiriu a das Dores.

– Por enquanto a coisa não passa de namorico da janela pra rua. Conversam sempre naquela última do lado de lá de fora. Já os tenho apreciado quando estou de serviço. Ele fala muito em casamento e a pequena o quer; mas, pelo jeito, o velho é que lhe corta as asas.

– Ele não tem entrada na casa?

– Não! Pois isso é que eu acho feio...! Se ele quer casar com a menina, devia entender-se com a família e não estar agora daqui debaixo a fazer-lhe fosquinhas!

– Sim, intrometeu-se o Firmo; mas não vê que aquele mesmo, o Miranda, vai dar a filha a um estudante! Guarda-a para um dos seus... Quem sabe até se o bruto não tem já de olho por aí algum cafezista pé de boi!... Eu sei o que é essa gente!

148 ALUÍSIO AZEVEDO

– Por isso é que se vê tanta porcaria por esse mundo de Cristo! disse a Augusta. Filha minha só se casará com quem ela bem quiser; que isto de casamentos empurrados à força acabam sempre desgraçando tanto a mulher como o homem! Meu marido é pobre e é de cor, mas eu sou feliz, porque casei por meu gosto!

– Ora! Mais vale um gosto que quatro vinténs!

Nisto começou a gemer à porta do 35 uma guitarra; era de Jerônimo. Depois da ruidosa alegria e do bom humor, em que palpitara àquela tarde toda a república do cortiço, ela parecia ainda mais triste e mais saudosa do que nunca:

> Minha vida tem desgostos,
> Que só eu sei compreender...
> Quando me lembro da terra
> Parece que vou morrer...

E, com o exemplo da primeira, novas guitarras foram acordando. E, por fim, a monótona cantiga dos portugueses enchia de uma alma desconsolada o vasto arraial da estalagem, contrastando com a barulhenta alacridade[25] que vinha lá de cima, do sobrado do Miranda.

> Terra minha, que te adoro,
> Quando é que eu te torno a ver?
> Leva-me deste desterro;
> Basta já de padecer.

Abatidos pelo fadinho harmonioso e nostálgico dos desterrados, iam todos, até mesmo os brasileiros, se concentrando e caindo em tristeza; mas, de repente, o cavaquinho do Porfiro, acompanhado pelo violão do Firmo, romperam vibrantemente com um chorado baiano. Nada mais que os primeiros acordes da música crioula para que o sangue de toda aquela gente despertasse logo, como se alguém lhe fustigasse o corpo com urtigas bravas. E seguiram-se outras notas, e outras, cada vez mais ardentes e mais delirantes. Já não eram dois instrumentos que soavam, eram lúbricos gemidos e suspiros soltos em torrente, a correrem serpenteando, como cobras numa floresta incendiada; eram ais convulsos, chorados em frenesi de amor; música feita de beijos e soluços gostosos; carícia de fera, carícia de doer, fazendo estalar de gozo.

E aquela música de fogo doidejava no ar como um aroma quente de plantas brasileiras, em torno das quais se nutrem, girando, moscardos sensuais e besouros venenosos, freneticamente, bêbedos do delicioso perfume que os mata de volúpia.

E à viva crepitação da música baiana calaram-se as melancólicas toadas dos de além-mar. Assim à refulgente luz dos trópicos amortece a fresca e doce claridade dos céus da Europa, como se o próprio sol americano, vermelho e esbraseado, viesse, na sua luxúria de sultão, beber a lágrima medrosa da decaída rainha dos mares velhos.

Jerônimo alheou-se da sua guitarra e ficou com as mãos esquecidas sobre as cordas, todo atento para aquela música estranha, que vinha dentro dele continuar uma revolução começada desde a primeira vez em que lhe bateu em cheio no rosto, como uma bofetada de desafio, a luz deste sol orgulhoso e selvagem, e lhe cantou no ouvido o estribilho da primeira cigarra, e lhe acidulou a garganta o suco da primeira fruta provada nestas terras de brasa, e lhe entonteceu a alma o aroma do primeiro bogari[26], e lhe transtornou o sangue o cheiro animal da primeira mulher, da primeira mestiça, que junto dele sacudiu as saias e os cabelos.

– Que tens tu, Jeromo?... perguntou-lhe a companheira, estranhando-o.

– Espera, respondeu ele, em voz baixa: deixa ouvir!

Firmo principiava a cantar o chorado, seguido por um acompanhamento de palmas.

Jerônimo levantou-se, quase que maquinalmente, e, seguido por Piedade, aproximou-se da grande roda que se formara em torno dos dois mulatos. Aí, de queixo grudado às costas das mãos contra uma cerca de jardim, permaneceu, sem tugir nem mugir[27], entregue de corpo e alma àquela cantiga sedutora e voluptuosa que o enleava e tolhia, como à robusta gameleira[28] brava o cipó flexível, carinhoso e traiçoeiro.

E viu a Rita Baiana, que fora trocar o vestido por uma saia, surgir de ombros e braços nus, para dançar. A lua destoldara-se nesse momento, envolvendo-a na sua coma[29] de prata, a cujo refulgir os meneios da mestiça melhor se acentuavam, cheios de uma graça irresistível, simples, primitiva, feita toda de pecado, toda de paraíso, com muito de serpente e muito de mulher.

Ela saltou em meio da roda, com os braços na cintura, rebolando as ilhargas[30] e bamboleando a cabeça, ora para a esquerda, ora para a direita, como numa sofreguidão de gozo carnal, num requebrado luxurioso que a punha ofegante; já correndo de barriga empinada; já recuando de braços estendidos, a tremer toda, como se se fosse afundando num prazer grosso que nem azeite, em que se não toma pé e nunca se encontra fundo. Depois, como se voltasse à vida, soltava um gemido prolongado, estalando os dedos no ar e vergando as pernas, descendo, subindo, sem nunca parar com os quadris, e em seguida sapateava, miúdo e cerrado, freneticamente, erguendo e abaixando os braços, que dobrava, ora um, ora outro, sobre a nuca, enquanto a carne lhe fervia toda, fibra por fibra, tirilando.

Em torno o entusiasmo tocava ao delírio; um grito de aplausos explodia de vez em quando, rubro e quente como deve ser um grito saído do sangue. E as palmas insistiam, cadentes, certas, num ritmo nervoso, numa persistência de loucura. E, arrastado por ela, pulou à arena o Firmo, ágil, de borracha, a fazer coisas fantásticas com as pernas, a derreter-se todo, a sumir-se no chão, a ressurgir inteiro com um pulo, os pés no espaço, batendo os calcanhares; os braços a querer fugirem-lhe dos ombros, a cabeça a querer saltar-lhe. E depois, surgiu também a Florinda, e logo o Albino e até, quem diria! o grave e circunspecto Alexandre.

O chorado arrastava-os a todos, despoticamente, desesperando aos que não sabiam dançar. Mas, ninguém como a Rita; só ela, só aquele demônio, tinha o mágico segredo daqueles movimentos de cobra amaldiçoada; aqueles requebros que não podiam ser sem o cheiro que a mulata soltava de si e sem aquela voz doce, quebrada, harmoniosa, arrogante, meiga e suplicante.

E Jerônimo via e escutava, sentindo ir-se-lhe toda a alma pelos olhos enamorados.

Naquela mulata estava o grande mistério, a síntese das impressões que ele recebeu chegando aqui: ela era a luz ardente do meio-dia; ela era o calor vermelho das sestas da fazenda; era o aroma quente dos trevos e das baunilhas, que o atordoara nas matas brasileiras; era a palmeira virginal e esquiva que se não torce a nenhuma outra planta; era o veneno e era o açúcar gostoso; era o sapoti mais doce que o mel e era a castanha do caju, que abre feridas com o seu azeite de fogo; ela era a cobra verde e traiçoeira, a lagarta viscosa, a muriçoca doida, que esvoaçava havia muito tempo em torno do corpo dele, assanhando-lhe os desejos, acordando-lhe as fibras embambecidas pela saudade da terra, picando-lhe as artérias, para lhe cuspir dentro do sangue uma centelha daquele amor setentrional, uma nota daquela música feita de gemidos de prazer, uma larva daquela nuvem de cantáridas que zumbiam em torno da Rita Baiana e espalhavam-se pelo ar numa fosforescência afrodisíaca.

Isto era o que Jerônimo sentia, mas o que o tonto não podia conceber. De todas as impressões daquele resto de domingo só lhe ficou no espírito o entorpecimento de uma desconhecida embriaguez, não de vinho, mas de mel chuchurreado[31] no cálice de flores americanas, dessas muito alvas, cheirosas e úmidas, que ele na fazenda via debruçadas confidencialmente sobre os limosos pântanos sombrios, onde as oiticicas trescalam um aroma que entristece de saudade.

E deixava-se ficar, olhando. Outras raparigas dançaram, mas o português só via a mulata, mesmo quando, prostrada, fora cair nos braços do amigo. Piedade, a cabecear de sono, chamara-o várias vezes para se recolherem; ele respondeu com um resmungo e não deu pela retirada da mulher.

Passaram-se horas, e ele também não deu pelas horas que fugiram.

O círculo do pagode aumentou: vieram de lá defronte a Isaura e a Leonor, o João Romão e a Bertoleza, desembaraçados da sua faina, quiseram dar fé da patuscada um instante antes de caírem na cama; a família do Miranda pusera-se à janela, divertindo-se com a gentalha da estalagem; reunira povo lá fora na rua; mas Jerônimo nada vira de tudo isso; nada vira senão uma coisa, que lhe persistia no espírito: a mulata ofegante a resvalar voluptuosamente nos braços do Firmo.

Só deu por si, quando, já pela madrugada, se calaram de todo os instrumentos e cada um dos folgadores se recolheu à casa.

E viu a Rita levada para o quarto pelo seu homem, que a arrastava pela cintura.

Jerônimo ficou sozinho no meio da estalagem. A lua, agora inteiramente livre das nuvens que a perseguiam, lá ia caminhando em silêncio na sua viagem misteriosa. As janelas do Miranda fecharam-se. A pedreira, ao longe, por detrás da última parede do cortiço, erguia-se como um monstro iluminado na sua paz. Uma quietação densa pairava já sobre

O CORTIÇO ~ 153

tudo; só se distinguiam o bruxulear dos pirilampos na sombra das hortas e dos jardins, e os murmúrios das árvores que sonhavam.

Mas Jerônimo nada mais sentia, nem ouvia, do que aquela música embalsamada de baunilha, que lhe entontecera a alma; e compreendeu perfeitamente que dentro dele aqueles cabelos crespos, brilhantes e cheirosos, da mulata, principiavam a formar um ninho de cobras negras e venenosas, que lhe iam devorar o coração.

E, erguendo a cabeça, notou no mesmo céu, que ele nunca vira senão depois de sete horas de sono, que era já quase ocasião de entrar para o seu serviço, e resolveu não dormir, porque valia a pena esperar de pé.

❧ VIII ❧

No dia seguinte, Jerônimo largou o trabalho à hora de almoçar e, em vez de comer lá mesmo na pedreira com os companheiros, foi para casa. Mal tocou no que a mulher lhe apresentou à mesa e meteu-se logo depois na cama, ordenando-lhe que fosse ter com João Romão e lhe dissesse que ele estava incomodado e ficava de descanso aquele dia.

– Que tens tu, Jeromo?…

– Morrinhento, filha… Vai, anda!

– Mas sentes-te mal?…

– Ó mulher! vai fazer o que te disse e ao depois então darás à língua![1]

– Valha-me a Virgem! Não sei se haverá chá preto na venda!

E ela saiu, aflita. Qualquer novidade no marido, por menor que fosse, punha-a doida. "Pois um homem rijo, que nunca caía doente! Seria a febre amarela?…[2] Jesus, Santo Filho de Maria, que nem pensar nisso era bom! Credo!"

A notícia espalhou-se logo ali entre as lavadeiras.

– Foi da friagem da noite, afirmou a Bruxa; e deu um pulo à casa do trabalhador para receitar.

O doente repeliu-a, pedindo-lhe que o deixasse em paz; que ele do que precisava era de dormir. Mas não o conseguiu: atrás da Bruxa correu a segunda mulher, e a terceira, e a quarta; e, afinal, fez-se durante muito tempo em sua casa um entrar e sair de saias. Jerônimo perdeu a paciência e ia protestar brutalmente contra semelhante invasão, quando, pelo cheiro, sentiu que a Rita se aproximava também.

– Ah!

E desfranziu-se-lhe o rosto.

– Bons dias! Então que é isso, vizinho? Você caiu doente com a minha chegada? Se tal soubera não vinha!

Ele riu-se. E era a primeira vez que ria desde a véspera.

A mulata aproximou-se da cama.

Como principiara a trabalhar esse dia, tinha as saias apanhadas na cintura e os braços completamente nus e frios da lavagem. O seu casaquinho branco abria-lhe no pescoço, mostrando parte do peito cor de canela.

Jerônimo apertou-lhe a mão.

– Gostei de vê-la ontem dançar, disse, muito mais animado.

– Já tomou algum remédio?…

– A mulher falou aí em chá preto…

– Chá! Que asneira! Chá é água morna! Isso que você tem é uma resfriagem. Vou-lhe fazer uma xícara de café bem forte para você beber com um gole de parati, e me dirá se sua ou não, e fica depois fino e pronto para outra! Espere aí!

E saiu logo, deixando todo o quarto impregnado dela.

Jerônimo, só com respirar aquele almíscar[3], parecia melhor. Quando Piedade tornou, pesada, triste, resmungando consigo mesma, ele sentiu que principiava a enfará-la; e, quando a infeliz se aproximou do marido, este, fora do costume, notou-lhe o cheiro azedo do corpo. Voltou-lhe então o mal-estar e desapareceu o último vestígio do sorriso que ele tivera havia pouco.

– Mas que sentes tu, Jeromo?... Fala, homem! Não me dizes nada! Assim m'assustas... Que tens, diz'lo!

– Não cozas o chá. Vou tomar outra coisa...

– Não queres o chá? Mas é o remédio, filhinho de Deus!

– Já te disse que tomo outra mezinha[4]. Oh!

Piedade não insistiu.

– Queres tu um escalda-pés?...

– Toma-lo tu!

Ela calou-se. Ia a dizer que nunca o vira assim tão áspero e seco, mas receou importuná-lo. "Era naturalmente a moléstia que o punha rezinguento."[5]

Jerônimo fechara os olhos, para a não ver, e ter-se-ia, se pudesse, fechado por dentro, para a não sentir. Ela, porém, coitada! fora assentar-se à beira da cama, humilde e solícita, a suspirar, vivendo naquele instante, pura e exclusivamente, para o seu homem, fazendo-se muito escrava dele, sem vontade própria, acompanhando-lhe os menores gestos com o olhar, inquieta, que nem um cão que, ao lado do dono, procura adivinhar-lhe as intenções.

– 'Stá bem, filha, não vais tratar do teu serviço?...

– Não te dê isso cuidado! Não parou o trabalho! Pedi à Leocádia que me esfregasse a roupa. Ela hoje tinha pouco quefazer e...

– Andaste mal...

– Ora! Não há três dias que fiz outro tanto por ela... E demais, não foi que tivesse o homem doente, era a calaçaria[6] do capinzal!

– Bom, bom, filha! não digas mal da vida alheia!... Melhor seria que estivesses à tua tina em vez de ficar aí a murmurar do próximo... Anda! vai tomar conta das tuas obrigações.

– Mas estou-te a dizer que não há transtorno!...

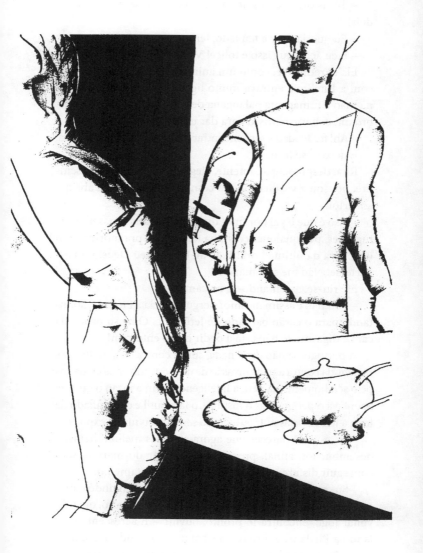

– Transtorno já é estar eu parado; e pior será pararem os dois!

– Eu queria ficar a teu lado, Jeromo!...

– E eu acho que isso é tolice! Vai! anda!

Ela ia retirar-se, como um animal enxotado, quando deu com a Rita, que entrava muito ligeira e sacudida, trazendo na mão a fumegante palangana de café com parati e no ombro um cobertor grosso para dar um suadouro ao doente.

– Ah! fez Piedade, sem encontrar uma palavra para a mulata.

E deixou-se ficar.

Rita, despreocupadamente, alegre e benfazeja como sempre, pousou a vasilha sobre a cômoda do oratório e abriu o cobertor.

– Isso é que o vai pôr fino! disse. Vocês também, seus portugueses, por qualquer coisinha ficam logo pra morrer, com uma cara da última hora! E ai, ai, Jesus, meu Deus! Ora esperte-se! Não me seja maricas!

Ele riu-se, assentando-se na cama.

– Pois não é assim mesmo? perguntou ela a Piedade, apontando para o carão barbado de Jerônimo. Olhe só pr'aquela cara e diga-me se não está a pedir que o enterrem!

A portuguesa não dizia nada, sorria contrafeita, no íntimo, ressentida contra aquela invasão de uma estranha nos cuidados pelo seu homem. Não era a inteligência nem a razão o que lhe apontava o perigo, mas o instinto, o faro sutil e desconfiado de toda a fêmea pelas outras, quando sente o seu ninho exposto.

– Está-me a parecer que agora te achas melhor, hein?... desembuchou afinal, procurando o olhar do marido, sem conseguir disfarçar de todo o seu descontentamento.

– Só com o cheiro! reforçou a mulata, apresentando o café ao doente. Beba, ande! beba tudo e abafe-se! Quero, quando voltar logo, encontrá-lo pronto, ouviu? – E acrescentou falando à Piedade, em tom mais baixo e pousando-lhe a mão no ombro carnudo: – Ele daqui a nada deve estar ensopado de suor; mude-lhe toda a roupa e dê-lhe dois dedos de para-ti, logo que peça água. Cuidado com o vento!

E saiu expedida, agitando as saias, donde se evolavam eflú-vios de manjerona.

Piedade chegou-se então para o cavouqueiro, que já tinha sobre as pernas o cobertor oferecido pela Rita, e, ajudando-o a levar a tigela à boca, resmungou:

— Deus queira que isto não te vá fazer mal em vez de bem!... Nunca tomas café, nem gostas!...

— Isto não é por gosto, filha, é remédio!

Ele com efeito nunca entrara com o café e ainda menos com a cachaça; mas engoliu de uma assentada o conteúdo da tigela, puxando em seguida o cobertor até às ventas.

A mulher tratou de abafar-lhe bem os pés e foi buscar um xale para lhe cobrir a cabeça.

— Trata de sossegar! Não te mexas!

E dispôs-se a ficar junto da cama, a vigiá-lo, só andando na ponta dos pés, abafando a respiração, correndo a cada instante à porta de casa para pedir que não fizessem tanta bulha lá fora; toda ela desassossegada, numa aflição quase supersticiosa por aquele incômodo de seu homem. Mas Je-rônimo não levou muito que a não chamasse para lhe mudar a roupa. O suor inundava-o.

— Ainda bem! exclamou ela, radiante.

E, depois de fechar hermeticamente a porta do quarto e meter um punhado de roupa suja numa fresta que havia numa das paredes, sacou-lhe fora a camisa molhada, en-fiando-lhe logo outra pela cabeça; em seguida tirou-lhe as ceroulas e começou, munida de uma toalha, a enxugar-lhe todo o corpo, principiando pelas costas, passando depois ao peito e aos sovacos, descendo logo às nádegas, ao ventre e às pernas, e esfregando sempre com tamanho vigor de pulso, que era antes uma massagem que lhe dava; e tanto assim que o sangue do cavouqueiro se revolucionou.

E a mulher a rir-se, lisonjeada, ralhava:

– Tem juízo! Acomoda-te! Não vês que estás doente?...

Ele não insistiu. Agasalhou-se de novo e pediu água.

Piedade foi buscar o parati.

– Bebe isto, não bebas a água agora.

– Isto é cachaça!

– Foi a Rita que disse para te dar...

Jerônimo não precisou de mais nada para beber de um trago os dois dedos de restilo[7] que havia no copo.

Sóbrio como era, e depois daquele dispêndio de suor, o álcool produziu-lhe logo de pronto o efeito voluptuoso e agradável da embriaguez nos que não são bêbedos: um delicioso desfalecer de todo o corpo; alguma coisa do longo espreguiçamento que antecede à satisfação dos sexos, quando a mulher, tendo feito esperar por ela algum tempo, aproxima-se afinal de nós, numa avidez gulosa de beijos. Agora, no conforto da sua cama, na doce penumbra do quarto, com a roupa fresca sobre a pele, Jerônimo sentia-se bem, feliz por ver-se longe da pedreira ardente e do sol cáustico; ouvindo, de olhos fechados, o ronrom monótono da máquina de massas, arfando ao longe, e o zunzum das lavadeiras a trabalharem, e, mais distante, um interminável cantar de galos à porfia[8], enquanto um dobre de sinos rolava no ar, tristemente, anunciando um defunto da paróquia.

Quando Piedade chegou lá fora, dando parte do bom resultado do remédio, a Rita correu de novo ao quarto do doente.

– Então, que me diz agora? Sente-se ou não melhorzinho?

Ele voltou para a rapariga o seu olhar de animal prostrado e, por única resposta, passou-lhe o braço esquerdo na cintura e procurou com a mão direita segurar a dela. Queria com isto traduzir o seu reconhecimento, e a mulata assim o entendeu, tanto que consentiu; mal, porém, a sua carne lhe tocou na carne, um desejo ardente apossou-se dele; uma vontade desensofrida de senhorear-se no mesmo instante daquela mulher e possuí-la inteira, devorá-la num só hausto de luxúria, trincá-la como um caju.

Rita, ao sentir-se empolgar pelo cavouqueiro, escapou-lhe das garras com um pulo.

– Olhe que peste! Faça-se de tolo, que digo à sua mulher, hein? Ora vamos lá!

Mas, como a Piedade entrava na salinha ao lado, disfarçou logo, acrescentando noutro tom: – Agora é tratar de dormir e mudar de roupa, se suar outra vez. Até logo!

E saiu.

Jerônimo ouviu as suas últimas palavras já de olhos fechados e, quando Piedade entrou no quarto, parecia sucumbido de fraqueza. A lavadeira aproximou-se da cama do marido em ponta de pés, puxou-lhe o lençol mais para cima do peito e afastou-se de novo, abafando os passos. À porta de entrada a Augusta, que fora fazer uma visita ao enfermo, perguntou-lhe por este com um gesto interrogativo; Piedade respondeu sem falar, pondo a mão no rosto e vergando desse lado a cabeça, para exprimir que ele agora estava dormindo.

As duas saíram para falar à vontade; mas, nessa ocasião, lá fora no pátio da estalagem, acabava de armar-se um escândalo medonho. Era o caso que o Henriquinho da casa do Miranda ficava às vezes à janela do sobrado, nas horas de preguiça, entre o almoço e o jantar, entretido a ver a Leocádia lavar, seguindo-lhe os movimentos uniformes do grosso quadril e o tremular das redondas tetas à larga dentro do cabeção de chita. E, quando a pilhava sozinha, fazia-lhe sinais brejeiros, piscava-lhe o olho, batendo com a mão direita aberta sobre a mão esquerda fechada. Ela respondia, indicando com o polegar o interior do sobrado, como se dissesse que fosse procurar a mulher do dono da casa.

Naquele dia, porém, o estudante apareceu à janela, trazendo nos braços um coelhinho todo branco, que ele na véspera arrematara num leilão de festa. Leocádia cobiçou o bichinho

O CORTIÇO ~ 161

e, correndo para o depósito de garrafas vazias, que ficava por debaixo do sobrado, pediu com muito empenho ao Henrique que lho desse. Este, sempre com seu sistema de conversar por mímica, declarou com um gesto qual era a condição da dádiva.

Ela meneou a cabeça afirmativamente, e ele fez-lhe sinal de que o esperasse por detrás do cortiço, no capinzal dos fundos.

A família do Miranda havia saído. Henrique, mesmo com a roupa de andar em casa e sem chapéu, desceu à rua, ganhou um terreno que existia à esquerda do sobrado e, com o seu coelho debaixo do braço, atirou-se para o capinzal. Leocádia esperava por ele debaixo das mangueiras.

– Aqui não! disse ela, logo que o viu chegar. Aqui agora podem dar com a gente!...

– Então onde?

– Vem cá!

E tomou à sua direita, andando ligeira e meio vergada por entre as plantas. Henrique seguiu-a no mesmo passo, sempre com o coelho sobraçado. O calor fazia-o suar e esfogueava-lhe as faces. Ouvia-se o martelar dos ferreiros e dos trabalhadores da pedreira.

Depois de alguns minutos, ela parou num lugar plantado de bambus e bananeiras, onde havia o resto de um telheiro em ruínas.

– Aqui!

E Leocádia olhou para os lados, assegurando-se de que estavam a sós. Henrique, sem largar o coelho, atirou-se sobre ela, que o conteve:

– Espera! preciso tirar a saia; está encharcada!

– Não faz mal! segredou ele, impaciente no seu desejo.

– Pode-me vir um corrimento!

E sacou fora a saia de lã grossa, deixando ver duas pernas, que a camisa a custo só cobria até ao joelho, grossas, maciças, de uma brancura levemente rósea e toda marcada de mordeduras de pulgas e mosquitos.

– Avia-te! Anda! apressou ela, lançando-se de costas ao chão e arregaçando a fralda[9] até a cintura; as coxas abertas.

O estudante atirou-se, sôfrego, sentindo-lhe a frescura da sua carne de lavadeira, mas sem largar as pernas do coelho.

Passou-se um instante de silêncio entre os dois, em que as folhas secas do chão rangeram e farfalharam.

– Olha! pediu ela, faze-me um filho, que eu preciso alugar-me de ama de leite... Agora estão pagando muito bem as amas! A Augusta Carne Mole, nesta última barriga, tomou conta de um pequeno aí na casa de uma família de tratamento, que lhe dava setenta mil-réis por mês!... E muito bom passadio!...[10] Sua garrafa de vinho todos os dias!... Se me arranjares um filho dou-te outra vez o coelho!

E o pobre brutinho, cujas pernas o estudante não largava, começou a queixar-se dos repelões que recebia cada vez mais acelerados.

– Olha que matas o bichinho! reclamou a lavadeira. Não batas assim com ele! mas não o soltes, hein!

Ia dizer ainda alguma coisa, mas acudiu-lhe o espasmo e ela fechou os olhos e pôs-se a dar com a cabeça de um lado para o outro, rilhando os dentes.

Nisto, passos rápidos fizeram-se sentir galgando as plantas, na direção em que os dois estavam; e Henrique, antes de ser visto, lobrigou a certa distância a insociável figura do Bruno.

Não lhe deu tempo a que se aproximasse; de um salto galgou por detrás das bananeiras e desapareceu por entre o matagal de bambus, tão rápido como o coelho que, vendo-se livre, ganhara pela outra banda o caminho do capinzal.

Quando o ferreiro, logo em seguida, chegou perto da mulher, esta ainda não tinha acabado de vestir a saia molhada.

– Com quem te esfregavas tu, sua vaca?! bradou ele, a botar os bofes pela boca.

E, antes que ela respondesse, já uma formidável punhada a fazia rolar por terra.

Leocádia abriu num berreiro. E foi debaixo de uma chuva de bofetadas e pontapés que acabou de amarrar a roupa.

– Agora eu vi! sabes! Nega se fores capaz!

– Vá à pata que o pôs! exclamou ela, com a cara que era um tomate. Já lhe disse que não quero saber de você pra nada, seu bêbado!

E, vendo que ele ia recomeçar a dança, abaixou-se depressa, segurou com ambas as mãos um matacão de granito que encontrou a seus pés, e gritou, erguendo-o sobre a cabeça:

– Chega-te pra cá e verás se te abro aqui mesmo ou não o casco!

O ferreiro compreendeu que ela era capaz de fazer o que dizia e estacou lívido e ofegante.

– Arme a trouxa e rua! sabe?

– Olha a desgraça! Tinha de muito assentado de ir! Queria era uma ocasião! Nem preciso de você pra nada, fique sabendo!

E, para meter-lhe mais raiva, acrescentou, empinando a barriga: – Já cá está dentro com que hei de ganhar a vida! Alugo-me de ama! Ou pensará que todos são como você, que nem para fazer um filho serve, diabo do sem-préstimo?

– Mas não me hás de levar nada de casa! Isso te juro eu, biraia![11]

– Ah, descanse! que não levarei nada do que é seu, nem preciso!

– Põe essa pedra no chão!

– Um corno! Eu arrumo-ta na cabeça se te chegas pra cá!

– Sim, sim, sim, contanto que te musques[12] por uma vez!

– Pois então despache o beco![13]

Ele virou-lhe as costas e tornou lentamente por onde viera, de cabeça pendida, as mãos nas algibeiras das calças, aparentando agora um soberano desprezo pelo que se passava.

Só então foi que ela se lembrou do coelho.

– Ora gaitas! disse, endireitando-se e tomando direção contrária à do marido.

Este fora aí direito ao cortiço narrar, a quem quisesse ouvir, o que se acabava de dar. O escândalo assanhou a estalagem inteira, como um jato de água quente sobre um formigueiro. "Ora, aquilo tinha de acontecer mais hoje mais amanhã! – Um belo dia a casa vinha abaixo! – A Leocádia parecia não desejar senão isso mesmo!" Mas ninguém atinava com quem diabo pilhara o Bruno a mulher no capinzal. Fizeram-se mil hipóteses; lembraram-se nomes e nomes, sem se chegar a nenhum resultado satisfatório. O Albino tentou logo arranjar a reconciliação do casal, jurando que o Bruno estava enganado com certeza e que vira mal. "Leocádia era uma excelente rapariga, incapaz de tamanha safadagem!" O ferreiro tapou-lhe a boca com uma bolacha, e ninguém mais se meteu a congraçá-los.

Entretanto, o Bruno entrara em casa e lançava pela janela cá para fora tudo o que ia encontrando pertencente à mulher. Uma cadeira fez-se pedaços contra as pedras, depois veio um candeeiro de querosene, uma trouxa de roupas, saias e casaquinhos de chita, caixas de chapéus cheias de trapos, uma gaiola de pássaros, uma chaleira; e tudo era arremessado com fúria ao meio da área, entre o silêncio comovido dos que assistiam ao despejo. Um chim[14], que entrara para vender camarões e parara distraído perto da janela do ferreiro, levou na cabeça com uma bilha da Bahia e berrava como criança que acaba de ser esbordoada. A Machona, que não podia ouvir ninguém gritar mais alto do que ela, caiu-lhe em cima aos murros e o pôs fora do portão com tremenda descompostura. "Era o que faltava que viesse também aquele salamaleque do inferno para azoinar[15] uma criatura mais do que já estava!" Dona Isabel, com as mãos cruzadas sobre o ventre, tinha para aquela destruição um profundo olhar de lástima. Augusta meneava a cabeça tristemente sem conceber como havia mulheres que procuravam homem, tendo um que lhes pertencia. A Bruxa, indiferente, não interrompera sequer o seu trabalho; ao passo que a das Dores, de mãos nas cadeiras, a saia pelo meio das canelas, um cigarro no canto da boca, encarava desdenhosa a sanha daquele marido, tão brutal como o dela o fora.

– Sempre os mesmos pedaços de asno!... comentava franzindo o nariz. Se a tola da mulher só lhes procura agradar e fazer-lhes o gosto, ficam enjoados, e, se ela não toma a sério a borracheira do casamento, dão por paus e por pedras, como esta besta! Uma súcia, todos eles!

Florinda ria, como de tudo, e a velha Marciana queixava-se de que lhe respingaram querosene na roupa estendida ao sol. Nessa ocasião justamente, um saco de café, cheio de borra, deu duas voltas no ar e espalhou o seu conteúdo, pintalgando de pontos negros os coradouros. Fez-se logo um alarido entre as lavadeiras. "Aquilo não tinha jeito, que diabo! Armavam lá as suas turras e os outros é que haviam de aturar?!... Sebo![16] que os mais não estavam dispostos a suportar as fúrias de cada um! Quem parira Mateus que o embalasse! Se agora, todas as vezes que a Leocádia se fosse espojar no capinzal, o bruto do marido tinha de sujar daquele modo o trabalho da gente, ninguém mais poderia ganhar ali a sua vida! Que espiga!" Pombinha chegara à porta do número 15, dando fé do barulho, com uma costura na mão, e Neném, toda fogueada do ferro de engomar, perguntava, com um frouxo de riso, se o Bruno ia reformar a mobília da casa. A Rita fingia não ligar importância ao fato e continuava a lavar à sua tina. "Não faziam tanta festa ao tal casamento? Pois que aguentassem! Ela estava bem livre de sofrer uma daquelas!" O velho Libório chegara-se para ver se, no meio da confusão, apanhava alguma coisa do despejo, e a Machona, notando que o Agostinho fazia o mesmo, berrou-lhe do lugar em que se achava:

– Sai daí, safado! Toca lá no quer que seja, que te arranco a pele do rabo!

Um irmão do santíssimo[17] entrara na estalagem, com a sua capa encarnada, a sua vara de prata em uma das mãos, na outra a salva[18] do dinheiro, e parara em meio do pátio, suplicando muito fanhoso: "Uma esmola para a cera do Sacramento!" As mulheres abandonaram por um instante as tinas e foram beijar devotamente a colombina[19] imagem do Espírito Santo. Pingaram na salva moedinhas de vintém.

Todavia, o Bruno acabava afinal de despejar o que era da mulher e saía de novo de casa, dando uma volta feroz à fechadura. Atravessou por entre o murmurante grupo dos curiosos que permaneciam defronte da sua porta, mudo, com a cara fechada, jogando os braços, como quem, apesar de ter feito muito, não satisfizera ainda completamente a sua cólera.

Leocádia apareceu pouco depois e, vendo por terra tudo que era seu, partido e inutilizado, apoderou-se de fúria e avançou sobre a porta, que o marido acabava de fechar, arremetendo com as nádegas contra as duas folhas, que cederam logo, indo ela cair lá dentro de barriga para cima.

Mas ergueu-se, sem fazer caso das risadas que rebentaram cá fora e, escancarando a janela com arremesso, começou por sua vez a arrasar e a destruir tudo que ainda encontrara em casa.

Então principiou a verdadeira devastação. E a cada objeto que ela varria para o pátio, gritava sempre: "Upa! Toma, diabo!"

– Aí vai o relógio! Upa! Toma, diabo!

E o relógio espatifou-se na calçada.

– Aí vai o alguidar![20]

– Aí vai o jarro!

– Aí vão os copos!

– O cabide!

– O garrafão!

– O bacio![21]

Um riso geral, comunicativo, absoluto, abafava o baralho da louça quebrando-se contra as pedras. E Leocádia já não precisava acompanhar os objetos com a sua frase de imprecação, porque cada um deles era recebido cá fora com um coro que berrava:

– Upa! Toma, diabo!

E a limpeza prosseguia. João Romão acudiu de carreira, mas ninguém se incomodou com a presença dele. Já defronte da porta do Bruno havia uma montanha de cacos acumulados; e o destroço continuava ainda, quando o ferreiro reapareceu, vermelho como malagueta, e foi galgando a casa, com um raio de roda de carro na mão direita.

Os circunstantes o seguiram, atropeladamente, num clamor.

– Não dá!

– Não pode!

– Prende!

– Não deixa bater!

– Larga o pau!

– Segura!

– Aguenta!

– Cerca!

– Toma o porrete!

E Leocádia escapou afinal das pauladas do marido, a quem o povaréu desarmara num fecha-fecha.

– Ordem! Ordem! Vá de rumor![22] exclamava o vendeiro, a quem, aproveitando a confusão, haviam já ferrado um pontapé por detrás.

O Alexandre, que vinha chegando do serviço nesse momento, apressou-se a correr para o lugar do conflito e cheio de autoridade intimou o Bruno a que se contivesse e deixasse a mulher em paz, sob pena de seguir para a estação no mesmo instante.

– Pois você não vê esta galinha, que apanhei hoje com a boca na botija, não me vem ainda por cima dar cabo de tudo?!... interrogou o Bruno, espumando de raiva e quase sem fôlego para falar.

– Porque você pôs em cacos o que é meu! gritou Leocádia.

– Está bom! está bom! disse o polícia, procurando dar à voz inflexões autoritárias e reconciliadoras. Fale cada um por sua vez! Seu marido... acrescentou ele, voltando-se para a acusada, diz que a senhora...

– É mentira! interrompeu ela.

– Mentira?! É boa! Tinhas a saia despida e um homem por cima!

– Quem era? – Quem foi? – Quem era o homem? interrogaram todos a um só tempo.

– Quem era ele, no fim de contas? inquiriu também Alexandre.

– Não lhe pude ver as fuças!... respondeu o ferreiro; mas, se o apanho, arrancava-lhe o sangue pelas costas!

Houve um coro de gargalhadas.

– É mentira! repetiu Leocádia, agora sucumbida por uma reação de lágrimas. Há muito tempo que este malvado anda caçando pretexto para romper comigo e, como eu não lho dou...

Uma explosão de soluços a interrompeu.

Desta vez não riram, mas um bichanar[23] de cochichos formou-se em torno do seu pranto.

– Agora... continuou ela, enxugando os olhos na costa da mão; não sei o que será de mim, porque este homem, além de tudo, escangalhou-me até o que eu trouxe quando me casei com ele!...

– Não disseste que já tinhas aí dentro com que ganhar a vida?... É andar!

– É falso! soluçou Leocádia.

– Bem, interveio Alexandre, embainhando o seu refle[24]; está tudo terminado! Seu marido vai recebê-la em boa paz...

– Eu?! esfuziou o ferreiro. Você não me conhece!

– Nem eu queria! retorquiu a mulher. Prefiro meter-me com um cavalo de tílburi[25] a ter de aturar este bruto!

E, catando em casa alguma coisa sua que ainda havia, e recolhendo do montão dos cacos o que lhe pareceu aproveitável, fez de tudo uma grande trouxa e foi chamar um carregador.

A Rita saiu-lhe ao encontro.

– Para onde vais tu?… perguntou-lhe em voz baixa.

– Não sei, filha, por aí!… Hei de encontrar um furo!… Os cães não vivem?…

– Espera um instante… disse a mulata. Olha, empurra a trouxa aí para dentro do meu cômodo. – E correndo ao Albino, que lavava: – Passa-me no sabão aquela roupa, ouviste? E, quando Firmo acordar, diz-lhe que precisei ir à rua.

Depois, deu um pulo ao quarto, mudou a saia molhada, atirou nos ombros o seu xale de crochê e, batendo nas costas da companheira, segredou-lhe:

– Anda cá comigo! não ficarás à toa!

E as duas saíram, ambas sacudidas, deixando atrás de si suspensa a curiosidade do cortiço inteiro.

❧ IX ❧

Passaram-se semanas. Jerônimo tomava agora, todas as manhãs, uma xícara de café bem grosso, à moda da Ritinha, e tragava dois dedos de parati "pra cortar a friagem".

Uma transformação, lenta e profunda, operava-se nele, dia a dia, hora a hora, reviscerando-lhe o corpo e alando-lhe os sentidos, num trabalho misterioso e surdo de crisálida[1]. A sua energia afrouxava lentamente: fazia-se contemplativo e amoroso. A vida americana e a natureza do Brasil patenteavam-lhe agora aspectos imprevistos e sedutores que o comoviam; esquecia-se dos seus primitivos sonhos de ambição,

170 ◂ ALUÍSIO AZEVEDO

para idealizar felicidades novas, picantes e violentas; tornava-se liberal, imprevidente e franco, mais amigo de gastar que de guardar; adquiria desejos, tomava gosto aos prazeres, e volvia-se preguiçoso, resignando-se, vencido, às imposições do sol e do calor, muralha de fogo com que o espírito eternamente revoltado do último tamoio entrincheirou a pátria contra os conquistadores aventureiros.

E assim, pouco a pouco, se foram reformando todos os seus hábitos singelos de aldeão português: e Jerônimo abrasileirou-se. A sua casa perdeu aquele ar sombrio e concentrado que a entristecia; já apareciam por lá alguns companheiros de estalagem, para dar dois dedos de palestra nas horas de descanso, e aos domingos reunia-se gente para o jantar. A revolução afinal foi completa: a aguardente de cana substituiu o vinho; a farinha de mandioca sucedeu à broa; a carne-seca e o feijão-preto ao bacalhau com batatas e cebolas cozidas; a pimenta-malagueta e a pimenta-de-cheiro invadiram vitoriosamente a sua mesa; o caldo verde, a açorda[2] e o caldo de unto foram repelidos pelos ruivos e gostosos quitutes baianos, pela muqueca, pelo vatapá e pelo caruru; a couve à mineira destronou a couve à portuguesa; o pirão de fubá ao pão de rala[3], e, desde que o café encheu a casa com o seu aroma quente, Jerônimo principiou a achar graça no cheiro do fumo e não tardou a fumar também com os amigos.

E o curioso é que, quanto mais ia ele caindo nos usos e costumes brasileiros, tanto mais os seus sentidos se apuravam, posto que em detrimento das suas forças físicas. Tinha agora o ouvido menos grosseiro para a música, compreendia até as intenções poéticas dos sertanejos, quando cantam à viola os seus amores infelizes; seus olhos, dantes só voltados para a esperança de tornar à terra, agora, como os olhos de um marujo, que se habituaram aos largos horizontes de céu e mar, já se não revoltavam com a turbulenta luz, selvagem e

O CORTIÇO ∾ 171

alegre, do Brasil, e abriam-se amplamente defronte dos maravilhosos despenhadeiros ilimitados e das cordilheiras sem fim, donde, de espaço a espaço, surge um monarca gigante, que o sol veste de ouro e ricas pedrarias refulgentes e as nuvens toucam de alvos turbantes de cambraia, num luxo oriental de arábicos príncipes voluptuosos.

Ao passo que com a mulher, a S'ora Piedade de Jesus, o caso mudava muito de figura. Essa, feita de um só bloco, compacta, inteiriça e tapada, recebia a influência do meio só por fora, na maneira de viver, conservando-se inalterável quanto ao moral, sem conseguir, à semelhança do esposo, afinar a sua alma pela alma da nova pátria que adotaram. Cedia passivamente nos hábitos de existência, mas no íntimo continuava a ser a mesma colona saudosa e desconsolada, tão fiel às suas tradições como a seu marido. Agora estava até mais triste; triste porque Jerônimo fazia-se outro; triste porque não se passava um dia que lhe não notasse uma nova transformação; triste, porque chegava a estranhá-lo, a desconhecê-lo, afigurando-se-lhe até que cometia um adultério, quando à noite acordava assustada ao lado daquele homem que não parecia o dela, aquele homem que se lavava todos os dias, aquele homem que aos domingos punha perfumes na barba e nos cabelos e tinha a boca cheirando a fumo. Que pesado desgosto não lhe apertou o coração a primeira vez em que o cavouqueiro, repelindo o caldo que ela lhe apresentava ao jantar, disse-lhe:

– Ó filha! por que não experimentas tu fazer uns pitéus à moda de cá?…

– Mas é que não sei… balbuciou a pobre mulher.

– Pede então à Rita que to ensine… Aquilo não terá muito q'aprender! Vê se me fazes por arranjar uns camarões, como ela preparou aqueles doutro dia. Souberam-me[4] tão bem!

Este resvalamento do Jerônimo para as coisas do Brasil, penalizava profundamente a infeliz criatura. Era ainda o ins-

tinto feminil que lhe fazia prever que o marido, quando estivesse de todo brasileiro, não a queria para mais nada e havia de reformar a cama, assim como reformou a mesa.

Jerônimo, com efeito, pertencia-lhe muito menos agora do que dantes. Mal se chegava para ela; os seus carinhos eram frios e distraídos, dados como por condescendência; já lhe não afagava os rins, quando os dois ficavam a sós, malucando na sua vida comum; agora nunca era ele que a procurava para o matrimônio, nunca; se ela sentia necessidade do marido, tinha de provocá-lo. E, uma noite, Piedade ficou com o coração ainda mais apertado, porque ele, a pretexto de que no quarto fazia muito calor, abandonou a cama e foi deitar-se no sofá da salinha. Desde esse dia não dormiram mais ao lado um do outro. O cavouqueiro arranjou uma rede e armou-a defronte da porta de entrada, tal qual como havia em casa da Rita.

Uma outra noite a coisa ainda foi pior. Piedade, certa de que o marido não se chegava, foi ter com ele; Jerônimo fingiu-se indisposto, negou-se, e terminou por dizer-lhe, repelindo-a brandamente:

– Não te queria falar, mas... sabes? deves tomar banho todos os dias e... mudar de roupa... Isto aqui não é como lá! Isto aqui sua-se muito! É preciso trazer o corpo sempre lavado, que, ao senão, cheira-se mal!... Tem paciência!

Ela desatou a soluçar. Foi uma explosão de ressentimentos e desgostos que se tinham acumulado no seu coração. Todas as suas mágoas rebentaram naquele momento.

– Agora estás tu a chorar! Ora, filha, deixa-te disso!

Ela continuou a soluçar, sem fôlego, dando arfadas com todo o corpo.

O cavouqueiro, acrescentou no fim de um intervalo:

– Então que é isto, mulher? Põe-te agora a fazer tamanho escarcéu, nem que se cuidasse de coisa séria!

Piedade desabafou:

– É que já não me queres! Já não és o mesmo homem para mim! Dantes não me achavas que pôr, e agora até já te cheiro mal!

E os soluços recrudesciam.

– Não digas asnices, filha!

– Ah! eu bem sei o que isto é!...

– É bobagem tua, é o que é!

– Maldita hora em que viemos dar ao raio desta estalagem! Antes me tivera caído um calhau[5] na cabeça!

– Estás a queixar-te da sorte sem razão! Que Deus te não castigue.

Esta rezinga chamou outras que, com o correr do tempo, se foram amiudando. Ah! já não havia dúvida que mestre Jerônimo andava meio caído para o lado da Rita Baiana; não passava pelo número 9, sempre que vinha à estalagem durante o dia, que não parasse à porta um instante, para perguntar-lhe pela "saudinha". O fato de haver a mulata lhe oferecido o remédio, quando ele esteve incomodado, foi pretexto para lhe fazer presentes amáveis; pôr os seus préstimos à disposição dela e obsequiá-la em extremo todas as vezes que a visitava. Tinha sempre qualquer coisa para saber da sua boca, a respeito da Leocádia, por exemplo; pois, desde que a Rita se arvorara em protetora da mulher do ferreiro, Jerônimo afetava grande interesse pela "pobrezinha de Cristo".

– Fez bem, 'nhá Rita, fez bem!... A se'ora mostrou com isso que tem bom coração...

– Ah, meu amigo, neste mundo hoje por mim, amanhã por ti!...

Rita havia aboletado a amiga, a princípio em casa de umas engomadeiras do Catete, muito suas camaradas, depois passou-a para uma família, a quem Leocádia se alugou como ama-seca; e agora sabia que ela acabava de descobrir um bom arranjo num colégio de meninas.

O CORTIÇO ∻ 175

– Muito bem! muito bem! aplaudia Jerônimo.

– Ora, o quê! O mundo é largo! sentenciou a baiana. Há lugar pro gordo e há lugar pro magro! Bem tolo é quem se mata!

Em uma das vezes em que o cavouqueiro perguntou-lhe, como de costume, pela pobrezinha de Cristo, a mulata disse que Leocádia estava grávida.

– Grávida? mas então não é do marido!...

– Pode bem ser que sim. Barriga de quatro meses...

– Ah! mas ela não foi há mais tempo do que isso?...

– Não. Vai fazer agora pelo São João quatro meses justamente.

Jerônimo já nunca pegava na guitarra senão para procurar acertar com as modinhas que a Rita cantava. Em noites de samba era o primeiro a chegar-se e o último a ir embora; e durante o pagode ficava de queixo bambo, a ver dançar a mulata, abstrato, pateta, esquecido de tudo; babão. E ela, consciente do feitiço que lhe punha, ainda mais se requebrava e remexia, dando-lhe embigadas ou fingindo que lhe limpava a baba no queixo com a barra da saia.

E riam-se.

Não! definitivamente estava caído!

Piedade agarrou-se com a Bruxa para lhe arranjar um remédio que lhe restituísse o seu homem. A cabocla velha fechou-se com ela no quarto, acendeu velas de cera, queimou ervas aromáticas e tirou a sorte nas cartas.

E depois de um jogo complicado de reis, valetes e damas, que ela dispunha sobre a mesa caprichosamente, a resmungar a cada figura que saía do baralho uma frase cabalística, declarou convicta, muito calma, sem tirar os olhos das suas cartas:

– Ele tem a cabeça virada por uma mulher trigueira.

– É o diacho da Rita Baiana! exclamou a outra. Bem cá me palpitava por dentro! Ai, o meu rico homem!

E a chorar, limpando, aflita, as lágrimas no avental de cânhamo, suplicou à Bruxa, pelas alminhas do purgatório, que lhe remediasse tamanha desgraça.

– Ai, se perco aquela criatura, S'ora Paula, lamuriou a infeliz entre soluços; nem sei que virá a ser de mim neste mundo de Cristo!... Ensine-me alguma coisa que me puxe o Jeromo!

A cabocla disse-lhe que se banhasse todos os dias e desse a beber ao seu homem, no café pela manhã, algumas gotas das águas da lavagem; e, se no fim de algum tempo, este regímen não produzisse o desejado efeito, então cortasse um pouco dos cabelos do corpo, torrasse-os até os reduzir a pó e lhos ministrasse depois na comida.

Piedade ouviu a receita com um silêncio respeitoso e atento, o ar compungido de quem recebe do médico uma sentença dolorosa para um doente que estimamos. Em seguida, meteu na mão da feiticeira uma moeda de prata, prometendo dar-lhe coisa melhor se o remédio tivesse bons resultados.

Mas não era só a portuguesa quem se mordia com o descaimento do Jerônimo para a mulata, era também o Firmo. Havia muito já que este andava com a pulga atrás da orelha e, quando passava perto do cavouqueiro, olhava-o atravessado.

O capadócio ia dormir todas as noites com a Rita, mas não morava na estalagem; tinha o seu cômodo na oficina em que trabalhava. Só pelos domingos é que ficavam juntos durante o dia e então não relaxavam o seu jantar de pândega. Uma vez em que ele gazeara[6] o serviço, o que não era raro, foi vê-la fora das horas do costume e encontrou-a a conversar junto à tina com o português. Passou sem dizer palavra e recolheu-se ao número 9, onde ela foi logo ter de carreira. Firmo não lhe disse nada a respeito das suas apreensões, mas também não escondeu o seu mau-humor; esteve impertinente e rezingueiro toda a tarde. Jantou de cara amarrada e durante o parati, depois do café, só falou em rolos, em dar cabeçadas e navalhadas, pintando-se terrível, recordando façanhas de capoeiragem, nas quais sangrara tais e tais tipos de fama; "não contando dois galegos que mandara pras minhocas, porque isso para ele não era gente! – Com um par de cocadas boas ficavam de pés unidos para sempre!" Rita percebeu os ciúmes do amigo e fez que não dera por coisa alguma.

No dia seguinte, às seis horas da manhã, quando ele saía da casa dela, encontrou-se com o português, que ia para o trabalho, e o olhar que os dois trocaram entre si era já um cartel[7] de desafio. Entretanto, cada qual seguiu em silêncio para o seu lado.

Rita deliberou prevenir Jerônimo de que se acautelasse. Conhecia bem o amante e sabia de quanto era ele capaz sob a influência dos ciúmes; mas, na ocasião em que o cavouqueiro desceu para almoçar, um novo escândalo acabava de explodir, agora no número 12, entre a velha Marciana e sua filha Florinda.

Marciana andava já desconfiada com a pequena, porque o fluxo mensal desta se desregrara havia três meses, quando, nesse dia, não tendo as duas acabado ainda o almoço, Florinda se levantou da mesa e foi de carreira para o quarto. A velha seguiu-a. A rapariga fora vomitar ao bacio.

– Que é isto?… perguntou-lhe a mãe, apalpando-a toda com um olhar inquiridor.

– Não sei, mamãe…

– Que sentes tu?…

– Nada…

– Nada, e estás lançando?…[8] Hein?!

– Não sinto nada, não senhora!…

A mulata velha aproximou-se, desatou-lhe violentamente o vestido, levantou-lhe as saias e examinou-lhe todo o corpo, tateando-lhe o ventre, já zangada. Sem obter nenhum resultado das suas diligências, correu a chamar a Bruxa, que era mais que entendida no assunto. A cabocla, sem se alterar, largou o serviço, enxugou os braços no avental, e foi ao número 12; tenteou de novo a mulatinha, fez-lhe várias perguntas e mais à mãe, e depois disse friamente:

– Está de barriga.

E afastou-se, sem um gesto de surpresa, nem de censura.

Marciana, trêmula de raiva, fechou a porta da casa, guardou a chave no seio e, furiosa, caiu aos murros em cima da filha. Esta, embalde tentando escapar-lhe, berrava como uma louca.

Abandonaram-se logo todas as tinas do pátio e algumas das mesas do frege, e o populacho, curioso e alvoroçado, precipitou-se para o número 12, batendo na porta e ameaçando entrar pela janela.

Lá dentro, a velha escarranchada sobre a rapariga que se debatia no chão, perguntava-lhe gritando e repetindo:

– Quem foi?! Quem foi?!

E de cada vez desfechava-lhe um sopapo pelas ventas.

– Quem foi?!

A pequena berrava, mas não respondia.

– Ah! não queres dizer por bem? Ora espera!

E a velha ergueu-se para apanhar a vassoura no canto da sala.

Florinda, vendo iminente o cacete, levantou-se de um pulo, ganhou a janela e caiu de um salto lá fora, entre o povo amotinado. Coisa de uns nove palmos de altura.

As lavadeiras a apanharam, cuidando em defendê-la da mãe, que surgiu logo à porta, ameaçando para o grupo, terrível e armada de pau.

Todos procuraram chamá-la à razão:

– Então que é isso, tia Marciana?! Então que é isso?!

– Que é isto?! É que esta assanhada está de barriga! Está aí o que é! Para tanto não lhe faltou jeito, nem foi preciso que a gente andasse atrás dela se matando, como sucede sempre

O CORTIÇO ~ 179

que há um pouco mais de serviço e é necessário puxar pelo corpo! Ora está aí o que é!

– Bem, disse a Augusta, mas não lhe bata agora, coitada! Assim você lhe dá cabo da pele!

– Não! Eu quero saber quem lhe encheu o pandulho! E ela há de dizer quem foi ou quebro-lhe os ossos!

– Então, Florinda, diz' logo quem foi... É melhor! aconselhou a das Dores.

Fez-se em torno da rapariga um silêncio ávido, cheio de curiosidade.

– Estão vendo?... exclamou a mãe. Não responde, este diabo! Mas esperem, que eu lhes mostro se ela fala, ou não!

E as lavadeiras tiveram de agarrar-lhe os braços e tirar-lhe o cacete, porque a velha queria crescer de novo para a filha.

Ao redor desta a curiosidade assanhava-se cada vez mais. Estalavam todos por saber quem a tinha emprenhado. "Quem foi?! Quem foi?!" esta frase apertava-a num torniquete. Afinal, não houve outro remédio:

– Foi seu Domingos... disse ela, chorando e cobrindo o rosto com a fralda do vestido, rasgado na luta.

– O Domingos!...

– O caixeiro da venda!...

– Ah! foi aquele cara de nabo? gritou Marciana. Vem cá!

E, agarrando a filha pela mão, arrastou-a até à venda.

Os circunstantes acompanharam-na ruidosamente e de carreira.

A taverna, como a casa de pasto, ferviam de concorrência.

Ao balcão daquela, o Domingos e o Manuel aviavam os fregueses, numa roda-viva. Havia muitos negros e negras. O barulho era enorme. A Leonor lá estava, sempre aos pulos, mexendo com um, mexendo com outro, mostrando a dupla fila de dentes brancos e grandes, e levando apalpões rudes de mãos de couro nas suas magras e escorridas nádegas de negrinha virgem. Três marujos ingleses bebiam gengibirra[9], cantando, ébrios, na sua língua e mascando tabaco.

Marciana na frente do grande grupo e sem largar o braço da filha, que a seguia como um animal puxado pela coleira, ao chegar à porta lateral da venda, berrou:

– Ó seu João Romão!

– Que temos lá? perguntou de dentro o vendeiro, atrapalhado de serviço.

Bertoleza, com uma grande colher de zinco gotejante de gordura, apareceu à porta, muito ensebada e suja de tisna; e, ao ver tanta gente reunida, gritou para seu homem:

– Corre aqui, seu João, que não sei o que houve!

Ele veio afinal.

Que diabo era aquilo?

– Venho entregar-lhe esta perdida! Seu caixeiro a cobriu[10], deve tomar conta dela!

João Romão ficou perplexo.

– Hein! Que é lá isso?!

– Foi o Domingos! disseram muitas vozes.

– Ó seu Domingos!

O caixeiro respondeu: "Senhor..." com uma voz de delinquente.

– Chegue cá!

E o criminoso apresentou-se, lívido de morte.

– Que fez você com esta pequena?

– Não fiz nada, não senhor!...

– Foi ele, sim! desmentiu-o a Florinda. – O caixeiro desviou os olhos, para a não encarar. – Um dia de manhãzinha, às quatro horas, no capinzal, debaixo das mangueiras...

O mulherio em massa recebeu estas palavras com um coro de gargalhadas.

– Então o senhor anda-me aqui a fazer conquistas, hein?!... disse o patrão, meneando a cabeça. Muito bem! Pois agora é tomar conta da fazenda e, como não gosto de caixeiros amigados, pode procurar arranjo noutra parte!...

Domingos não respondeu patavina; abaixou o rosto e retirou-se lentamente.

O grupo das lavadeiras e dos curiosos derramou-se então pela venda, pelo portão da estalagem, pelo frege, por todos os lados, repartindo-se em pequenos magotes[11] que discutiam o fato. Principiaram os comentários, os juízos pró e contra o caixeiro; fizeram-se profecias.

Entretanto, Marciana, sem largar a filha, invadira a casa de João Romão e perseguia o Domingos que preparava já a sua trouxa.

– Então? perguntou-lhe. Que tenciona fazer?

Ele não deu resposta.

– Vamos! vamos! fale! desembuche!

– Ora lixe-se! resmungou o caixeiro, agora muito vermelho de cólera.

– Lixe-se, não!... Mais devagar com o andor! Você há de casar: ela é menor!

Domingos soltou uma palavrada[12], que enfureceu a velha.

– Ah, sim?! bradou esta. Pois veremos!

E despejou da venda, gritando para todos:

– Sabe? O cara de nabo diz que não casa!

Esta frase produziu o efeito de um grito de guerra entre as lavadeiras, que se reuniram de novo, agitadas por uma grande indignação.

– Como não casa?!...

– Era só o que faltava!

– Tinha graça!

– Então mais ninguém pode contar com a honra de sua filha?

– Se não queria casar pra que fez mal?

– Quem não pode com o tempo não inventa modas!

– Ou ele casa ou sai daqui com os ossos em sopa!

– Quem não quer ser lobo não lhe vista a pele!

A mais empenhada naquela reparação era a Machona, e a mais indignada com o fato era Dona Isabel. A primeira correra à frente da venda, disposta a segurar o culpado, se este tentasse fugir. Com o seu exemplo não tardou que em cada porta, onde era possível uma escapula, se postassem as outras de sentinela, formando grupos de três e quatro. E, no meio de crescente algazarra, ouviam-se pragas ferozes e ameaças:

– Das Dores! toma cuidado, que o patife não espirre por aí!

– Ó seu João Romão, se o homem não casa, mande-no-lo pra cá! Temos ainda algumas pequenas que lhe convêm!

– Mas onde está esse ordinário?!

– Saia o canalha!

– Está fazendo a trouxa!

– Quer escapar!

– Não deixa sair!

– Chama a polícia!

– Onde está o Alexandre?

E ninguém mais se entendia. À vista daquela agitação, o vendeiro foi ter com o Domingos.

– Não saia agora, ordenou-lhe. Deixe-se ficar por enquanto. Logo mais lhe direi o que deve fazer.

E, chegando a uma das portas que davam para a estalagem, gritou:

– Vá de rumor! Não quero isto aqui! É safar!

– Pois então o homem que case! responderam.

– Ou dê-nos pra cá o patife!

– Fugir é que não!

– Não foge! não deixa fugir!

– Ninguém se arrede!

E, como a Marciana lhe lançasse uma injúria mais forte, ameaçando-o com o punho fechado, o taverneiro jurou que,

O CORTIÇO ~ 183

se ela insistisse com desaforos, a mandaria jogar lá fora, junto com a filha, por um urbano[13].

– Vamos! Vamos! Volte cada uma para a sua obrigação, que eu não posso perder tempo!

– Ponha-nos então pra cá o homem! exigiu a mulata velha.

– Venha o homem! acompanhou o coro.

– É preciso dar-lhe uma lição!

– O rapaz casa! disse o vendeiro com ar sisudo. Já lhe falei... Está perfeitamente disposto! E, se não casar, a pequena terá o seu dote! Vão descansados; respondo por ele ou pelo dinheiro!

Estas palavras apaziguaram os ânimos; o grupo das lavadeiras afrouxou; João Romão recolheu-se: chamou de parte o Domingos e disse-lhe que não arredasse pé de casa antes de noite fechada.

– No mais... acrescentou; pode tratar de vida nova! Nada o prende aqui. Estamos quites.

– Como? se o senhor ainda não me fez as contas?!...

– Contas? Que contas? O seu saldo não chega para pagar o dote da rapariga!...

– Então eu tenho de pagar um dote?!...

– Ou casar... Ah, meu amigo, este negócio de três vinténs é assim! Custa dinheiro! Agora, se você quiser, vá queixar-se à polícia... Está no seu direito! Eu me explicarei em juízo!...

– Com que, não recebo nada?...

– E não principie com muita coisa, que lhe fecho a porta e deixo-o ficar às turras lá fora com esses danados! Você bem viu como estão todos a seu respeito! E, se há pouco não lhe arrancaram os fígados, agradeça-o a mim! Foi preciso prometer dinheiro e tenho de cair com ele, decerto! mas não é justo, nem eu admito, que saia da minha algibeira, porque não estou disposto a pagar os caprichos de ninguém, e muito menos dos meus caixeiros!

– Mas...

– Basta! Se quiser, por muito favor, ficar aqui até à noite, há de ficar calado; ao contrário – rua!

E afastou-se.

Marciana resolveu não ir ao subdelegado, sem saber que providências tomaria o vendeiro. Esperaria até ao dia seguinte "para ver só!" O que nesse ela fez foi dar uma boa lavagem na casa e arrumá-la muitas vezes, como costumava, sempre que tinha lá as suas zangas.

O escândalo não deixou de ser, durante o dia, discutido um só instante. Não se falava noutra coisa; tanto que, quando, já à noite, Augusta e Alexandre receberam uma visita da comadre, a Léonie, era ainda esse o principal assunto das conversas.

Léonie, com as suas roupas exageradas e barulhentas de cocote à francesa, levantava rumor quando lá ia e punha expressões de assombro em todas as caras. O seu vestido de seda cor de aço, enfeitado de encarnado sangue de boi, curto, petulante, mostrando uns sapatinhos à moda com um salto de quatro dedos de altura; as suas luvas de vinte botões que lhe chegavam até aos sovacos; a sua sombrinha vermelha, sumida numa nuvem de rendas cor-de-rosa e com grande cabo cheio de arabescos extravagantes; o seu pantafaçudo[14] chapéu de imensas abas forradas de veludo escarlate, com um pássaro inteiro grudado à copa; as suas joias caprichosas, cintilantes de pedras finas; os seus lábios pintados de carmim; suas pálpebras tingidas de violeta; o seu cabelo artificialmente loiro; tudo isto contrastava tanto com as vestimentas, os costumes e as maneiras daquela pobre gente, que de todos os lados surgiam olhos curiosos a espreitá-la pela porta da casinha de Alexandre; Augusta, ao ver a sua pequena, a Juju, como vinha tão embonecada e catita[15], ficou com os dela arrasados d'água.

Léonie trazia sempre muito bem calçada e vestida a afilhada, levando o capricho ao ponto de lhe mandar talhar a roupa da mesma fazenda com que fazia as suas e pela mesma costureira; arranjava-lhe chapéus escandalosos como os dela e dava-lhe joias. Mas, naquele dia, a grande novidade que Juju apresentava era estar de cabelos louros, quando os tinha castanhos por natureza. Foi caso para uma revolução na estalagem; a notícia correu logo de número a número, e muitos moradores se abalaram do cômodo para ver a filhita da Augusta "com cabelos de francesa".

Tal sucesso pôs Léonie radiante de alegria. Aquela afilhada era o seu luxo, a sua originalidade, a coisa boa da sua vida de cansaços depravados; era o que aos seus próprios olhos a resgatava das abjeções do ofício. Prostituta de casa aberta, prezava todavia com admiração e respeito a honestidade vulgar da comadre; sentia-se honrada com a sua estima; cobria-a de obséquios de toda a espécie. Nos instantes que estava ali, entre aqueles seus amigos simplórios, que a matariam de ridículo em qualquer outro lugar, nem ela parecia a mesma, pois até os olhos lhe mudavam de expressão. E não queria preferências: assentava-se no primeiro banco, bebia água pela caneca de folha, tomava ao colo o pequenito da comadre e, às vezes, descalçava os sapatos para enfiar os chinelos velhos que encontrasse debaixo da cama.

Não obstante, o acatamento que lhe votavam Alexandre e a mulher não tinha limites; pareciam capazes dos maiores sacrifícios por ela. Adoravam-na. Achavam-na boa de coração como um anjo, e muito linda nas suas roupas de espavento[16], com o seu rostinho redondo, malicioso e petulante, onde reluziam dentes mais alvos que um marfim.

Juju, com um embrulho de balas em cada mão, era carregada de casa em casa, passando de braço a braço e levada de boca em boca, como um ídolo milagroso, que todos queriam beijar.

E os elogios não cessavam:

– Rica pequena!…

– É um enlevo olhar a gente pro demoninho!

– É mesmo uma lindeza de criança!

186 ⊰ ALUÍSIO AZEVEDO

– Uma criaturinha dos anjos!

– Uma boneca francesa!

– Uma menina Jesus!

O pai acompanhava-a comovido, mas solene sempre, parando a todo momento, como em procissão, à espera que cada qual desafogasse por sua vez o entusiasmo pela criança. Silenciosamente risonho, com os olhos úmidos, patenteada em todo o seu carão mulato, de bigode que parecia postiço, um ar condolente e estúpido de um profundo reconhecimento por aquela fortuna, que Deus lhe dera à filha, enviando-lhe dos céus o ideal das madrinhas.

E, enquanto Juju percorria a estalagem, conduzida em triunfo, Léonie na casa da comadre, cercada por uma roda de lavadeiras e crianças, discreteava sobre assuntos sérios, falando compassadamente, cheia de inflexões de pessoa prática e ajuizada, condenando maus atos e desvarios, aplaudindo a moral e a virtude. E aquelas mulheres, aliás tão alegres e vivazes, não se animavam, defronte dela, a rir nem levantar a voz, e conversavam a medo, cochichando, a tapar a boca com a mão, tolhidas de respeito pela cocote, que as dominava na sua sobranceria[17] de mulher loira vestida de seda e coberta de brilhantes. A das Dores sentiu-se orgulhosa, quando Léonie lhe pousou no ombro a mãozinha enluvada e recendente, para lhe perguntar pelo seu homem. E não se fartavam de olhar para ela, de admirá-la; chegavam a examinar-lhe a roupa, revistar-lhe as saias, apalpar-lhe as meias, levantando-lhe o vestido, com exclamações de assombro à vista de tanto luxo de rendas e bordados. A visita sorria, por sua vez comovida. Piedade declarou que a roupa branca da madama era rica nem como a da Nossa Senhora da Penha. E Neném, no seu entusiasmo, disse que a invejava do fundo do coração, ao que a mãe lhe observou que não fosse besta. O Albino contemplava-a em êxtase, de mão no queixo, o cotovelo no ar. A Rita Baiana levara-lhe um ramalhete de rosas. Esta

O CORTIÇO ∾ 187

não se iludia com a posição da loureira[18], mas dava-lhe apreço talvez por isso mesmo e, em parte, porque a achava deveras bonita. "Ora! era preciso ser bem esperta e valer muito para arrancar assim da pele dos homens ricos aquela porção de joias e todo aquele luxo de roupa por dentro e por fora!"

– Não sei, filha! pregava depois a mulata, no pátio, a uma companheira; seja assim ou assado, a verdade é que ela passa muito bem de boca e nada lhe falta: sua boa casa; seu bom carro para passear à tarde; teatro toda a noite; bailes quando quer e, aos domingos, corridas, regatas, pagodes fora da cidade e dinheirama grossa para gastar à farta! Enfim, só o que afianço é que esta não está sujeita, como a Leocádia e outras, a pontapés e cachações de um bruto de marido! É dona das suas ações! livre como o lindo amor! Senhora do seu corpinho, que ela só entrega a quem muito bem lhe der na veneta!

– E Pombinha?… perguntou a visita. Não me apareceu ainda!…

– Ah! esclareceu Augusta. Não está aí, foi à sociedade de dança com a mãe.

E, como a outra mostrasse na cara não ter compreendido, explicou que a filha de Dona Isabel ia todas as terças, quintas e sábados, mediante dois mil-réis por cada noite, servir de dama numa sociedade em que os caixeiros do comércio aprendiam a dançar.

– Foi lá que ela conheceu o Costa… acrescentou.

– Que Costa?

– O noivo! Então a Pombinha já não foi pedida?

– Ah! sei…

E a cocote perguntou depois, abafando a voz:

– E aquilo?… Já veio afinal?…

– Qual! Não é por falta de boa vontade da parte delas, coitadas! Agora mesmo a velha fez uma nova promessa à Nossa Senhora da Anunciação… mas não há meio!

Daí a pouco, Augusta apresentou-lhe uma xícara de café, que Léonie recusou por não poder beber. "Estava em uso de remédios…" Não disse porém quais eram estes, nem para que moléstia os tomava.

– Prefiro um copo de cerveja, declarou ela.

E, sem dar tempo a que se opusessem, tirou da carteira uma nota de dez mil-réis, que deu a Agostinho para ir buscar três garrafas de Carls Berg.

À vista dos copos, liberalmente cheios, formou-se um silêncio enternecido. A cocote distribuiu-os por sua própria mão aos circunstantes, reservando um para si. Não chegavam. Quis mandar buscar mais; não lho permitiram, objetando que duas e três pessoas podiam beber juntas.

– Para que gastar tanto?… Que alma grande!

O troco ficou esquecido, de propósito, sobre a cômoda, entre uma infinita quinquilharia de coisas velhas e bem tratadas.

– Quando você, comadre, agora me aparece por lá?… quis saber Léonie.

– Pra semana, sem falta; levo-lhe toda a roupa. Agora, se a comadre tem precisão de alguma… pode-se aprontar com mais pressa…

– Então é bom mandar-me toalhas e lençóis… Camisas de dormir, é verdade! também tenho poucas.

– Depois d'amanhã está tudo lá.

E a noite ia-se passando. Deram dez horas. Léonie, impaciente já pelo rapaz que ficara de ir buscá-la, mandou ver se ele por acaso estaria no portão, à espera.

– É aquele mesmo que veio da outra vez com a comadre?…

– Não. É um mais alto. De cartola branca.

Correu muita gente até à rua. O rapaz não tinha chegado ainda. Léonie ficou contrariada.

– Imprestável!… resmungou. Faz-me ir sozinha por aí ou incomodar alguém que me acompanhe!

– Por que a comadre não dorme aqui?... lembrou Augusta. Se quiser, arranja-se tudo! Não passará bem como em sua casa, mas uma noite corre depressa!...

Não! não era possível! Precisava estar em casa essa noite: no dia seguinte pela manhã iriam procurá-la muito cedo.

Nisto chegou Pombinha com Dona Isabel. Disseram-lhes logo à entrada que Léonie estava em casa do Alexandre, e a menina deixou a mãe um instante no número 15 e seguiu sozinha para ali, radiante de alegria. Gostavam-se muito uma da outra. A cocote recebeu-a com exclamações de agrado e beijou-a nos dentes e nos olhos repetidas vezes.

– Então, minha flor, como está essa lindeza! perguntou-lhe, mirando-a toda.

– Saudades suas... respondeu a moça, rindo bonito na sua boca ainda pura.

E uma conversa amiga, cheia de interesse para ambas, estabeleceu-se, isolando-as de todas as outras. Léonie entregou à Pombinha uma medalha de prata que lhe trouxera; uma teteia[19] que valia só pela esquisitice, representando uma fatia de queijo com um camundongo em cima. Correu logo de mão em mão, levantando espantos e gargalhadas.

– Por um pouco que não me apanhas... continuou a cocote na sua conversa com a menina. Se a pessoa que me vem buscar tivesse chegado já, eu estaria longe. – E mudando de tom, a acarinhar-lhe os cabelos: – Por que não me apareces!... Não tens que recear: minha casa é muito sossegada... Já lá têm ido famílias!...

– Nunca vou à cidade... É raro! suspirou Pombinha.

– Vai amanhã com tua mãe; jantam as duas comigo...

– Se mamãe deixar... Olha! ela aí vem. Peça.

Dona Isabel prometeu ir, não no dia seguinte, mas no outro imediato, que era domingo. E a palestra durou animada até que chegou, daí a um quarto de hora, o rapaz por quem esperava Léonie. Era um moço de vinte e poucos anos, sem

190 ✲ ALUÍSIO AZEVEDO

emprego e sem fortuna, mas vestido com esmero e muito bem apessoado. A cocote, logo que o viu aproximar-se, disse baixinho à menina:

– Não é preciso que ele saiba que vais lá domingo, ouviste? Juju dormia. Resolveram não acordá-la; iria no dia seguinte.

Na ocasião em que Léonie partia pelo braço do amante, acompanhada até ao portão por um séquito de lavadeiras, a Rita, no pátio, beliscou a coxa de Jerônimo e soprou-lhe a meia-voz:

– Não lhe caia o queixo!...

O cavouqueiro teve um desdenhoso sacudir de ombros.

– Aquela pra cá, nem pintada!

E, para deixar bem patentes as suas preferências, virou o pé do lado e bateu com o tamanco na canela da mulata.

– Olha o bruto!... queixou-se esta, levando a mão ao lugar da pancada. Sempre há de mostrar que é galego!

❦ X ❦

No outro dia a casa do Miranda estava em preparos de festa. Lia-se no *Jornal do Comércio*[1] que Sua Excelência fora agraciado pelo governo português com o título de Barão do Freixal; e como os seus amigos se achassem prevenidos para ir cumprimentá-lo no domingo, o negociante dispunha-se a recebê-los condignamente.

Do cortiço, onde esta novidade causou sensação, viam-se nas janelas do sobrado, abertas de par em par, surgir de vez em quando Leonor ou Isaura, a sacudirem tapetes e capachos, batendo-lhes em cima com um pau, os olhos fechados, a cabeça torcida para dentro por causa da poeira que a cada pancada se levantava, como fumaça de um tiro de peça. Chamaram-se novos criados para aqueles dias. No salão da frente pretos lavavam o soalho e na cozinha havia rebuliço.

Dona Estela, de penteador[2] de cambraia enfeitado de laços cor-de-rosa, era lobrigada de relance, ora de um lado, ora de outro, a dar as suas ordens, abanando-se com um grande leque; ou aparecia no patamar da escada do fundo, preocupada em soerguer as saias contra as águas sujas da lavagem, que escorriam para o quintal. Zulmira também ia e vinha, com a sua palidez fria e úmida de menina sem sangue. Henrique, de paletó branco, ajudava o Botelho nos arranjos da casa e, de instante a instante, chegava à janela, para namoriscar Pombinha, que fingia não dar por isso, toda embebida na sua costura, à porta do número 15, numa cadeira de vime, uma perna dobrada sobre a outra, mostrando a meia de seda azul e um sapatinho preto de entrada baixa; só de longe em longo espaço, ela desviava os olhos do serviço e erguia-os para o sobrado. Entretanto, a figura gorda e encanecida do novo Barão, sobrecasacado, com o chapéu alto derreado para trás na cabeça e sem largar o guarda-chuva, entrava da rua e atravessava a sala de jantar, seguia até a despensa, diligente e esbaforido, indagando se já tinha vindo isto e mais aquilo, provando dos vinhos que chegavam em garrafões, examinando tudo, voltando-se para a direita e para a esquerda, dando ordens, ralhando, exigindo atividade, e depois tornava a sair, sempre apressado, e metia-se no carro que o esperava à porta da rua.

– Toca! toca! Vamos ver se o fogueteiro aprontou os fogos!

E viam-se chegar, quase sem intermitência, homens carregados de gigos[3] de champanha, caixas de Porto e Bordéus, barricas de cerveja, cestos e cestos de mantimentos, latas e latas de conserva; e outros traziam perus e leitões, canastras[4] de ovos, quartos de carneiro e de porco. E as janelas do sobrado iam-se enchendo de compoteiras de doce ainda quente, saído do fogo, e travessões, de barro e de ferro, com grandes peças de carne em vinha-d'alhos[5], prontos para entrar no forno. À porta da cozinha penduraram pelo pescoço

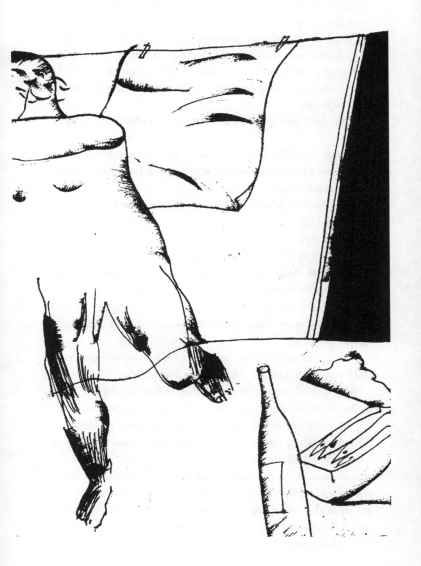

um cabrito esfolado, que tinha as pernas abertas, lembrando sinistramente uma criança a quem enforcassem depois de tirar-lhe a pele.

Todavia, cá embaixo, um caso palpitante agitava a estalagem: Domingos, o sedutor da Florinda, desaparecera durante a noite e um novo caixeiro o substituía ao balcão.

O vendeiro retorquia atravessado a quem lhe perguntava pelo evadido:

— Sei cá! Creio que não podia trazê-lo pendurado ao pescoço!...

— Mas você disse que respondia por ele! repontou Marciana, que parecia ter envelhecido dez anos naquelas últimas vinte e quatro horas.

— De acordo, mas o tratante cegou-me! Que havemos de fazer?... É ter paciência!

— Pois então ande com o dote!

— Que dote? Você está bêbada?

— Bêbada, hein? Ah, corja! tão bom é um como o outro! Mas eu hei de mostrar!

— Ora, não me amole!

E João Romão virou-lhe as costas, para falar à Bertoleza que se chegara.

— Deixa estar, malvado, que Deus é quem há de punir por mim e por minha filha! exclamou a desgraçada.

Mas o vendeiro afastou-se, indiferente às frases que uma ou outra lavadeira imprecava contra ele. Elas, porém, já se não mostravam tão indignadas como na véspera; uma só noite rolada por cima do escândalo bastara para tirar-lhe o mérito de novidade.

Marciana foi com a pequena à procura do subdelegado e voltou aborrecida, porque lhe disseram que nada se poderia fazer enquanto não aparecesse o delinquente. Mãe e filha passaram todo esse sábado na rua, numa roda-viva, da secretaria e das estações de polícia para o escritório de advogados que, um por um, lhes perguntavam de quanto dispunham para gastar com o processo, despachando-as, sem mais considerações, logo que se inteiravam da escassez de recursos de ambas as partes.

Quando as duas, prostradas de cansaço, esbraseadas de calor, tornaram à tarde para a estalagem, na hora em que os homens do mercado, que ali moravam, recolhiam-se já com os balaios vazios ou com o resto da fruta que não conseguiram vender na cidade, Marciana vinha tão furiosa que, sem dar palavra à filha e com os braços moídos de esbordoá-la, abriu toda a casa e correu a buscar água para baldear o chão. Estava possessa.

– Vê a vassoura! Anda! Lava! lava, que está isto uma porcaria! Parece que nunca se limpa o diabo desta casa! É deixá-la fechada um'hora e morre-se de fedor! Apre! isto faz peste!

E notando que a pequena chorava: – Agora deste para chorar, hein? mas na ocasião do relaxamento havias de estar bem disposta!

A filha soluçou.

– Cala-te, coisa-ruim! Não ouviste?

Florinda soluçou mais forte.

– Ah! choras sem motivo?... Espera, que te faço chorar com razão.

E precipitou-se sobre uma acha de lenha.

Mas a mulatinha, de um salto, pinchou pela porta e atravessou de uma só carreira o pátio da estalagem, fugindo em desfilada pela rua.

Ninguém teve tempo de apanhá-la, e um clamor de galinheiro assustado levantou-se entre as lavadeiras.

Marciana foi até ao portão, como uma doida e, compreendendo que a filha a abandonava, desatou por sua vez a soluçar, de braços abertos, olhando para o espaço. As lágrimas saltavam-lhe pelas rugas da cara. E logo, sem transição, disparou da cólera, que a convulsionava desde a manhã da véspera, para cair numa dor humilde e enternecida de mãe que perdeu o filho.

– Para onde iria ela, meu pai do céu?...

– Pois você desd'ontem que bate na rapariga!... disse-lhe a Rita. Fugiu-lhe, é benfeito! Que diabo! ela é de carne, não é de ferro!

– Minha filha!

– É benfeito! Agora chore na cama que é lugar quente!

– Minha filha! Minha filha! Minha filha!

Ninguém quis tomar o partido da infeliz, à exceção da cabocla velha, que foi colocar-se perto dela, fitando-a, imóvel, com o seu desvairado olhar de bruxa feiticeira.

Marciana arrancou-se da abstração plangente em que caíra, para arvorar-se terrível defronte da venda, apostrofando com a mão no ar e a carapinha[6] desgrenhada:

– Este galego é que teve a culpa de tudo! Maldito sejas tu, ladrão! Se não me deres conta de minha filha, malvado, pego-te fogo na casa.

A bruxa sorriu sinistramente ao ouvir estas últimas palavras.

O vendeiro chegou à porta e ordenou em tom seco à Marciana que despejasse o número 12.

– É andar! É andar! Não quero esta berraria aqui! Bico, ou chamo um urbano! Dou-lhe uma noite! amanhã pela manhã – rua!

Ah! ele esse dia estava intolerante com tudo e com todos; por mais de uma vez mandara Bertoleza à coisa mais imunda, apenas porque esta lhe fizera algumas perguntas concernentes ao serviço. Nunca o tinham visto assim, tão fora de si, tão cheio de repelões; nem parecia aquele mesmo homem inalterável, sempre calmo e metódico.

E ninguém seria capaz de acreditar que a causa de tudo isso era o fato de ter sido o Miranda agraciado com o título de Barão.

Sim senhor! aquele taverneiro, na aparência tão humilde e tão miserável; aquele sovina que nunca saíra dos seus tamancos e da sua camisa de riscadinho de Angola; aquele animal que se alimentava pior que os cães, para pôr de parte tudo, tudo, que ganhava ou extorquia; aquele ente atrofiado pela cobiça e que parecia ter abdicado dos seus privilégios e sentimentos de homem; aquele desgraçado, que nunca jamais amara senão ao dinheiro, invejava agora o Miranda, invejava-o deveras, com dobrada amargura do que sofrera o marido de Dona Estela, quando, por sua vez, o invejara a ele. Acompanhara-o desde que o Miranda viera habitar o sobrado com a família; vira-o nas felizes ocasiões da vida, cheio de importância, cercado de amigos e rodeado de aduladores; vira-o dar festas e receber em sua casa as figuras mais salientes da praça e da política; vira-o luzir, como um grosso pião de ouro, girando por entre damas da melhor e mais fina sociedade fluminense; vira-o meter-se em altas especulações comerciais e sair-se bem; vira seu nome figurar em várias corporações de gente escolhida e em subscrições, assinando belas quantias; vira-o fazer parte de festas de caridade e festas de regozijo nacional; vira-o elogiado pela imprensa e aclamado como homem de vistas largas e grande talento financeiro; vira-o enfim em todas as suas prosperidades, e nunca lhe tivera inveja. Mas agora, estranho deslumbramento! quando o vendeiro leu no *Jornal do Comércio* que o vizinho estava barão – Barão! – sentiu tamanho calafrio em todo o corpo, que a vista por um instante se lhe apagou dos olhos.

– Barão!

E durante todo o santo dia não pensou noutra coisa. "Barão!... Com esta é que ele não contava!..." E, defronte da sua preocupação, tudo se convertia em comendas[7] e crachás[8]; até os modestos dois vinténs de manteiga, que media sobre um pedaço de papel de embrulho para dar ao freguês, transformava-se, de simples mancha amarela, em opulenta insígnia de ouro cravejada de brilhantes.

À noite, quando se estirou na cama, ao lado da Bertoleza, para dormir, não pôde conciliar o sono. Por toda a miséria daquele quarto sórdido; pelas paredes imundas, pelo chão enlameado de poeira e sebo, nos tetos funebremente velados pelas teias de aranha, estrelavam pontos luminosos que se iam transformando em grã-cruzes[9], em hábitos e veneras[10] de toda a ordem e espécie. E em volta do seu espírito, pela primeira vez alucinado, um turbilhão de grandezas, que ele mal conhecia e mal podia imaginar, perpassou vertiginosamente, em ondas de seda e rendas, veludo e pérolas, colos e braços de mulheres seminuas, num fremir de risos e espumar aljofrado[11] de vinhos cor de ouro. E nuvens de caudas de vestidos e abas de casaca lá iam, rodando deliciosamente, ao som de langorosas valsas e à luz de candelabros de mil velas de todas as cores. E carruagens desfilavam reluzentes, com uma coroa à portinhola, o cocheiro teso, de libré, sopeando parelhas de cavalos grandes. E intermináveis mesas estendiam-se, serpenteando a perder de vista, acumuladas de iguarias, numa encantadora confusão de flores, luzes, baixelas e cristais, cercadas de um e de outro lado por luxuoso renque[12] de convivas, de taça em punho, brindando o anfitrião.

E, porque nada disso o vendeiro conhecia de perto, mas apenas pelo ruído namorador e fátuo[13], ficava deslumbrado com o seu próprio sonho. Tudo aquilo, que agora lhe deparava o delírio, até aí só lhe passara pelos olhos ou lhe chegara aos ouvidos como o eco e reflexo de um mundo inatingível e longínquo; um mundo habitado por seres superiores; um paraíso de gozos excelentes e delicados, que os seus grosseiros sentidos repeliam; um conjunto harmonioso e discreto de sons e cores mal definidas e vaporosas; um quadro de manchas pálidas, sussurrantes, sem firmezas de tintas, nem contornos, em que se não determinava o que era pétala de rosa ou asa de borboleta, murmúrio de brisa ou ciciar de beijos.

Não obstante, ao lado dele a crioula roncava, de papo para o ar, gorda, estrompada de serviço, tresandando a uma mistura de suor com cebola crua e gordura podre.

Mas João Romão nem dava por ela; só o que ele via e sentia era todo aquele voluptuoso mundo inacessível vir descendo para a terra, chegando-se para o seu alcance, lentamente, acentuando-se. E as dúbias sombras tomavam forma, e as vozes duvidosas e confusas transformavam-se em falas distintas, e as linhas desenhavam-se nítidas, e tudo se ia esclarecendo e tudo se aclarava, num reviver de natureza ao raiar do sol. Os tênues murmúrios suspirosos desdobravam-se em orquestras de baile, onde se distinguiam instrumentos, e os surdos rumores indefinidos eram já animadas conversas, em que damas e cavalheiros discutiam política, artes, literatura e ciência. E uma vida inteira, completa, real, descortinou-se amplamente defronte dos seus olhos fascinados; uma vida fidalga, de muito luxo, de muito dinheiro; uma vida de palácio, entre mobílias preciosas e objetos esplêndidos, onde ele se via cercado de titulares milionários, e homens de farda bordada, a quem tratava por tu, de igual para igual, pondo-lhes a mão no ombro. E ali ele não era, nunca fora, o dono de um cortiço, de tamancos e em mangas de camisa; ali era o Sr. Barão! O Barão do ouro! o Barão das grandezas! o Barão dos milhões! Vendeiro? Qual! era o famoso, o enorme capitalista! o proprietário sem igual! o incomparável banqueiro, em cujos capitais se equilibrava a terra, como imenso globo em cima de colunas feitas de moedas de ouro. E viu-se logo montado a cavaleiras[14] sobre o mundo, pretendendo abarcá-lo com as suas pernas curtas; na cabeça uma coroa de rei e na mão um cetro. E logo, de todos os cantos do quarto, começaram a jorrar cascatas de libras esterlinas; e a seus pés principiou a formar-se um formigueiro de pigmeus em grande movimento comercial; e navios descarregavam pilhas e pilhas de fardos e caixões marcados com as iniciais do seu nome; e telegramas faiscavam eletricamente em volta da sua cabeça; e paquetes de todas as nacionalidades giravam vertiginosamente em torno do seu corpo de colosso, arfando e apitando sem trégua; e rápidos comboios a vapor atravessavam-no todo, de um lado a outro, como se o cosessem com uma cadeia de vagões.

Mas, de repente, tudo desapareceu com a seguinte frase:

– Acorda, seu João, para ir à praia. São horas!

Bertoleza chamava-o aquele domingo, como todas as manhãs, para ir buscar o peixe, que ela tinha de preparar para os seus fregueses. João Romão, com medo de ser iludido, não confiava nunca aos empregados a menor compra a dinheiro; nesse dia, porém, não se achou com ânimo de deixar a cama e disse à amiga que mandasse o Manuel.

Seriam quatro da madrugada. Ele conseguiu então passar pelo sono.

Às seis estava de pé. Defronte, a casa do Miranda resplandecia já. Içaram-se bandeiras nas janelas da frente; mudaram-se as cortinas, armaram-se florões de murta à entrada e recamaram-se de folhas de mangueira o corredor e a calçada. Dona Estela mandou soltar foguetes e queimar bombas ao romper da alvorada. Uma banda de música, em frente à porta do sobrado, tocava desde essa hora. O Barão madrugara com a família; todo de branco, com uma gravata de rendas, brilhantes no peito da camisa, chegava de vez em quando a uma das janelas, ao lado da mulher ou da filha, agradecendo para a rua; e limpava a testa com o lenço; acendia charutos, risonho, feliz, resplandecente.

João Romão via tudo isto com o coração moído. Certas dúvidas aborrecidas entravam-lhe agora a roer por dentro: qual seria o melhor e o mais acertado: – ter vivido como ele vivera até ali, curtindo privações, em tamancos e mangas de camisa; ou ter feito como o Miranda, comendo boas coisas e gozando à farta?... Estaria ele, João Romão, habilitado a possuir e desfrutar tratamento igual ao do vizinho?... Dinheiro não lhe faltava para isso... Sim, de acordo! mas teria ânimo de gastá-lo assim, sem mais nem menos?... sacrificar uma boa porção de contos de réis, tão penosamente acumulados, em troca de uma teteia para o peito?... Teria ânimo de dividir o que era seu, tomando esposa, fazendo família e cercando-se de amigos?... Teria ânimo de encher de finas iguarias e vinhos preciosos a barriga dos outros, quando até ali fora tão pouco condescendente para com a própria?... E, caso resolvesse mudar de vida radicalmente, unir-se a uma senhora bem-educada e distinta de maneiras, montar um sobrado como o do Miranda e volver-se titular, estaria apto para o fazer?... poderia dar conta do recado?... Dependeria tudo isso somente da sua vontade?... "Sem nunca ter vestido um paletó, como vestiria uma casaca?... com aqueles pés, deformados pelo diabo dos tamancos, criados à solta, sem meias, como calçaria sapatos de baile?... E suas mãos, calosas e maltratadas, duras como as de um cavouqueiro, como se ajeitariam com a luva?... E isso ainda não era tudo! o mais difícil seria o que tivesse de dizer aos seus convidados!... Como deveria tratar as damas e cavalheiros, em meio de um grande salão cheio de espelhos e cadeiras douradas?... Como se arranjaria para conversar, sem dizer barbaridades?..."

E um desgosto negro e profundo assoberbou-lhe o coração, um desejo forte de querer saltar e um medo invencível de cair e quebrar as pernas. Afinal, a dolorosa desconfiança de si mesmo e a terrível convicção da sua impotência para pretender outra coisa que não fosse ajuntar dinheiro, e mais dinheiro, e mais ainda, sem saber para que e com que fim, acabaram azedando-lhe de todo a alma e tingindo de fel a sua ambição e despolindo o seu ouro. "Fora uma besta!...

pensou de si próprio, amargurado. Uma grande besta!...
Pois não! por que em tempo não tratara de habituar-se logo
a certo modo de viver, como faziam tantos outros seus patrícios e colegas de profissão?... Por que, como eles, não
aprendera a dançar? e não frequentara sociedades carnava-
lescas? e não fora de vez em quando à rua do Ouvidor e aos
teatros, e a bailes, e a corridas e a passeios?... Por que se
não habituara com as roupas finas, e com o calçado justo,
e com a bengala, e com o lenço, e com o charuto, e com o
chapéu, e com a cerveja, e com tudo que os outros usavam
naturalmente, sem precisar de privilégio para isso?... Maldita economia!"

– Teria gasto mais, é verdade!... Não estaria tão bem!...
mas, ora adeus! estaria habilitado a fazer do meu dinheiro o
que bem quisesse!... Seria um homem civilizado!...

– Você deu hoje pra conversar com as almas, seu João?...
perguntou-lhe Bertoleza, notando que ele falava sozinho,
distraído do serviço.

– Deixe! Não me amole você também. Não estou bom
hoje!

– Ó gentes! não falei por mal!... Credo!

– 'Stá bem! Basta!

E o seu mau-humor agravou-se pelo correr do dia. Começou a implicar com tudo. Arranjou logo uma pega, à entrada
da venda, com o fiscal da rua: "Pois ele era lá algum parvo,
que tivesse medo de ameaças de multas?... Se o bolas[15] do
fiscal esperava comê-lo por uma perna, como costumava fazer com os outros, que experimentasse, para ver só quanto
lhe custaria a festa!... E que lhe não rosnasse muito, que ele
não gostava de cães à porta!... Era andar!" Pegou-se depois
com a Machona, por causa de um gato desta, que, a semana
passada, lhe fora ao tabuleiro do peixe frito. Parava defronte
das tinas vazias, encolerizado, procurando pretextos para ralhar. Mandava, com um berro, saírem as crianças do seu ca-

minho: "Que praga de piolhos! Arre, demônio! Nunca vira gente tão danada para parir! Pareciam ratas!" Deu um encontrão no velho Libório.

– Sai tu também do caminho, fona[16] de uma figa! Não sei que diabo fica fazendo cá no mundo um caco velho como este, que já não presta pra nada!

Protestou contra os galos de um alfaiate, que se divertia a fazê-los brigar, no meio de grande roda entusiasmada e barulhenta. Vituperou os italianos, porque estes, na alegre independência do domingo, tinham à porta da casa uma esterqueira de cascas de melancia e laranja, que eles comiam tagarelando, assentados sobre a janela e à calçada.

– Quero isto limpo! bramava furioso. Está pior que um chiqueiro de porcos! Apre! Tomara que a febre amarela os lamba a todos! maldita raça de carcamanos![17] Hão de trazer-me isto asseado ou vai tudo para o olho da rua! Aqui mando eu!

Com a pobre velha Marciana, que não tratara de despejar o número 12, conforme a intimação da véspera, a sua fúria tocou ao delírio. A infeliz, desde que Florinda lhe fugira, levava a choramingar e maldizer-se, monologando com persistência maníaca. Não pregou olho durante toda a noite; saíra e entrara na estalagem mais de vinte vezes, irrequieta, ululando, como uma cadela a quem roubaram o cachorrinho.

Estava apatetada; não respondia às perguntas que lhe dirigiam. João Romão falou-lhe; ela nem sequer se voltou para ouvir. E o vendeiro, cada vez mais excitado, foi buscar dois homens e ordenou que esvaziassem o número 12.

– Os tarecos fora! e já! Aqui mando eu! Aqui sou eu o monarca!

E tinha gestos inflexíveis de déspota.

Principiou o despejo.

– Não! aqui dentro não! Tudo lá fora! na rua! gritou ele, quando os carregadores quiseram depor no pátio os trens de Marciana. Lá fora do portão! Lá fora do portão!

E a mísera, sem opor uma palavra, assistia ao despejo, acocorada na rua, com os joelhos juntos, as mãos cruzadas sobre as canelas, resmungando. Transeuntes paravam, a olhá-la. Formava-se já um grupo de curiosos. Mas ninguém entendia o que ela rosnava; era um rabujar confuso, interminável, acompanhado de um único gesto de cabeça, triste e automático. Ali perto, o colchão velho, já roto e destripado, os móveis desconjuntados e sem verniz, as trouxas de molambos úteis, as louças ordinárias e sujas do uso, tinham, tudo amontoado e sem ordem, um ar indecoroso de interior de quarto de dormir, devassado em flagrante intimidade. E veio o homem dos cinco instrumentos, que aos domingos aparecia sempre; e fez-se o entra e sai dos mercadores; e lavadeiras ganharam a rua em trajos de passeio, e os tabuleiros de roupa engomada, que saíam, cruzaram-se com os sacos de roupa suja, que entravam; e Marciana não se movia do seu lugar, monologando. João Romão percorreu o número 12, escancarando as portas, a dar arres e empurrando para fora, com o pé, algum trapo ou algum frasco vazio que lá ficara abandonado; e a enxotada, indiferente a tudo, continuava a sussurrar funebremente. Já não chorava, mas os olhos tinha-os ainda relentados na sua muda fixidez. Algumas mulheres da estalagem iam ter com ela de vez em quando, agora de novo compungidas, e faziam-lhe oferecimentos; Marciana não respondia. Quiseram obrigá-la a comer; não houve meio. A desgraçada não prestava atenção a coisa alguma; parecia não dar pela presença de ninguém. Chamaram-na pelo nome repetidas vezes; ela persistia no seu ininteligível monólogo, sem tirar a vista de um ponto.

– Cruzes! parece que lhe deu alguma!

A Augusta chegara-se também.

– Teria ensandecido?… perguntou à Rita, que, a seu lado, olhava para a infeliz, com um prato de comida na mão. Coitada!

– Tia Marciana! dizia a mulata. Não fique assim! Levante-se! Meta os seus trens pra dentro! Vá lá pra casa até encontrar arrumação!...

Nada! O monólogo continuava.

– Olhe que vai chover! Não tarda a cair água! Já senti dois pingos na cara.

Qual!

A Bruxa, a certa distância, fitava-a com estranheza, igualmente imóvel, como por um efeito de sugestão.

Rita afastou-se, porque acabava de chegar o Firmo, acompanhado pelo Porfiro, trazendo ambos embrulhos para o jantar. O amigo da das Dores também veio. Deram três horas da tarde. A casa do Miranda continuava em festa animada cada vez mais cheia de visitas; lá dentro a música quase que não tomava fôlego, enfiando quadrilhas e valsas; moças e meninas dançavam na sala da frente, com muito riso; desarrolhavam-se garrafas a todo o instante; os criados iam e vinham, de carreira, da sala de jantar à despensa e à cozinha, carregados de copos em salvas; Henrique, suado e vermelho, aparecia de quando em quando à janela, impaciente por não ver Pombinha, que estava esse dia de passeio com a mãe em casa de Léonie.

João Romão, depois de serrazinar[18] na venda com os caixeiros e com a Bertoleza, tornou ao pátio da estalagem, queixando-se de que tudo ali ia muito mal. Censurou os trabalhadores da pedreira, nomeando o próprio Jerônimo, cuja força física aliás o intimidara sempre. "Era um relaxamento aquela porcaria de serviço! Havia três semanas que estava com uma broca à toa, sem atar, nem desatar; afinal aí chegara o domingo e não se havia ainda lascado fogo! Uma verdadeira calaçaria! O tal seu Jerônimo, dantes tão apurado, era agora o primeiro a dar o mau exemplo! perdia noites no samba! não largava os rastros da Rita Baiana e parecia embeiçado por ela! Não tinha jeito!" Piedade, ouvindo o vendeiro dizer mal do seu homem,

O CORTIÇO ~ 205

saltou em defesa deste com duas pedras na mão, e uma contenda travou-se, assanhando todos os ânimos. Felizmente, a chuva, caindo em cheio, veio dispersar o ajuntamento que se tornava sério. Cada um correu para o seu buraco, num alvoroço exagerado; as crianças despiram-se e vieram cá fora tomar banho debaixo das goteiras, por pagode, gritando, rindo, saltando e atirando-se ao chão, a espernearem; fingindo que nadavam. E lá defronte, no sobrado, ferviam brindes, enquanto a água jorrava copiosamente, alagando o pátio.

Quando João Romão entrou na venda, recolhendo-se da chuva, um caixeiro entregou-lhe um cartão de Miranda. Era um convite para lá ir à noite tomar uma chávena de chá.

O vendeiro, a princípio, ficou lisonjeado com o obséquio; primeiro desse gênero que em sua vida recebia; mas logo depois voltou-lhe a cólera com maior ímpeto ainda. Aquele convite irritava-o como um ultraje, uma provocação. "Por que o pulha o convidara, devendo saber que ele decerto lá não ia?... Para que, senão para o enfrenesiar ainda mais do que já estava?!... Seu Miranda que fosse à tábua[19] com a sua festa e com os seus títulos!"

– Não preciso dele para nada!... exclamou o vendeiro. Não preciso, nem dependo de nenhum safardana! Se gostasse de festas, dava-as eu!

No entanto, começou a imaginar como seria, no caso que estivesse prevenido de roupa e aceitasse o convite: figurou-se bem vestido, de pano fino, com uma boa cadeia[20] de relógio, uma gravata com alfinete de brilhantes; e viu-se lá em cima, no meio da sala, a sorrir para os lados, prestando atenção a um, prestando atenção a outro, discretamente silencioso e afável, sentindo que o citavam dos lados em voz mortiça e respeitosa como um homem rico, cheio de independência. E adivinhava os olhares aprobativos das pessoas sérias; os óculos curiosos das velhas assestados sobre ele, procurando ver se estaria ali um bom arranjo para uma das filhas de menor cotação.

Nesse dia serviu mal e porcamente aos fregueses; tratou aos repelões a Bertoleza e, quando, já às cinco horas, deu com a Marciana, que, uns negros por compaixão haviam arrastado para dentro da venda, disparatou:

– Ora bolas! Pra que diabo me metem em casa este estupor?! Gosto de ver tais caridades com o que é dos outros! Isto aqui não é acoito[21] de vagabundos!...

E, como um polícia, todo encharcado de chuva, entrasse para beber um gole de parati, João Romão voltou-se para ele e disse-lhe: – Camarada, esta mulher é gira![22] não tem domicílio, e eu não hei de, quando fechar a porta, ficar com ela aqui dentro da venda!

O soldado saiu e, daí a coisa de uma hora, Marciana era carregada para o xadrez, sem o menor protesto e sem interromper o seu monólogo de demente. Os cacaréus foram recolhidos ao depósito público por ordem do inspetor do quarteirão. E a Bruxa era a única que parecia deveras impressionada com tudo aquilo.

Entretanto, a chuva cessou completamente, o sol reapareceu, como para despedir-se; andorinhas esgaivotaram no ar; e o cortiço palpitou inteiro na trêfega alegria do domingo. Nas salas do barão a festa engrossava, cada vez mais estrepitosa; de vez em quando vinha de lá uma taça quebrar-se no pátio da estalagem, levantando protestos e surriadas[23].

A noite chegou muito bonita, com um belo luar de lua cheia, que começou ainda com o crepúsculo; e o samba rompeu mais forte e mais cedo que de costume, incitado pela grande animação que havia em casa do Miranda.

Foi um forrobodó valente. A Rita Baiana essa noite estava de veia para a coisa; estava inspirada! divina! Nunca dançara com tanta graça e tamanha lubricidade!

Também cantou. E cada verso que vinha da sua boca de mulata era um arrulhar choroso de pomba no cio. E o Fir-

O CORTIÇO ~ 207

mo, bêbedo de volúpia, enroscava-se todo ao violão; e o violão e ele gemiam com o mesmo gosto, grunhindo, ganindo, miando, com todas as vozes de bichos sensuais, num desespero de luxúria que penetrava até ao tutano com línguas finíssimas de cobra.

Jerônimo não pôde conter-se: no momento em que a baiana, ofegante de cansaço, caiu exausta, assentando-se ao lado dele, o português segredou-lhe com a voz estrangulada de paixão:

– Meu bem! se você quiser estar comigo, dou uma perna ao demo!

O mulato não ouviu, mas notou o cochicho e ficou, de má cara, a rondar disfarçadamente o rival.

O canto e a dança continuavam todavia, sem afrouxar. Entrou a das Dores. Neném, mais uma amiga sua, que fora passar o dia com ela, rodavam de mãos nas cadeiras, rebolando em meio de uma volta de palmas cadenciadas, no acompanhamento do ritmo requebrado da música.

Quando o marido de Piedade disse um segundo cochicho à Rita, Firmo precisou empregar grande esforço para não ir logo às do cabo[24].

Mas, lá pelo meio do pagode, a baiana caíra na imprudência de derrear-se toda sobre o português e soprar-lhe um segredo, requebrando os olhos. Firmo, de um salto, aprumou-se então defronte dele, medindo-o de alto a baixo com um olhar provocador e atrevido. Jerônimo, também posto de pé, respondeu altivo com um gesto igual.

Os instrumentos calaram-se logo. Fez-se um profundo silêncio. Ninguém se mexeu do lugar em que estava. E, no meio da grande roda, iluminados amplamente pelo capitoso luar de abril, os dois homens, perfilados defronte um do outro, olhavam-se em desafio.

Jerônimo era alto, espadaúdo, construção de touro, pescoço de Hércules, punho de quebrar um coco com um murro:

era a força tranquila, o pulso de chumbo. O outro – franzino, um palmo mais baixo que o português, pernas e braços secos, agilidade de maracajá[25]: era a força nervosa; era o arrebatamento que tudo desbarata no sobressalto do primeiro instante. Um sólido e resistente; o outro ligeiro e destemido; mas ambos corajosos.

– Senta! Senta!

– Nada de rolo!

– Segue a dança! gritaram em volta.

Piedade erguera-se para arredar o seu homem dali.

O cavouqueiro afastou-a com um empurrão, sem tirar a vista de cima do mulato.

– Deixa-me ver o que quer de mim este cabra!...[26] rosnou ele.

– Dar-te um banho de fumaça, galego ordinário! respondeu Firmo, frente a frente; agora avançando e recuando, sempre com um dos pés no ar, e bamboleando todo o corpo e meneando os braços, como preparado para agarrá-lo.

Jerônimo, esbravecido pelo insulto, cresceu para o adversário com um soco armado; o cabra, porém, deixou-se cair de costas, rapidamente, firmando-se nas mãos, o corpo suspenso, a perna direita levantada; e o soco passou por cima, varando o espaço, enquanto o português apanhava no ventre um pontapé inesperado.

– Canalha! berrou possesso; e ia precipitar-se em cheio sobre o mulato, quando uma cabeçada o atirou no chão.

– Levanta-te, que não dou em defuntos! exclamou o Firmo, de pé, repetindo a sua dança de todo o corpo.

O outro erguera-se logo e, mal se tinha equilibrado, já uma rasteira o tombava para a direita, enquanto da esquerda ele recebia uma tapona na orelha. Furioso, desferiu novo soco, mas o capoeira deu para trás um salto de gato e o português sentiu um pontapé nos queixos.

Espirrou-lhe sangue da boca e das ventas. Então fez-se um clamor medonho. As mulheres quiseram meter-se de permeio, porém o cabra as emborcava com rasteiras rápidas, cujo movimento de pernas apenas se percebia. Um horrível sarilho[27] se formava. João Romão fechou às pressas as portas da venda e trancou o portão da estalagem, correndo depois para o lugar da briga. O Bruno, os mascates, os trabalhadores da pedreira, e todos os outros que tentaram segurar o mulato, tinham rolado em torno dele, formando-se uma roda limpa, no meio da qual o terrível capoeira, fora de si, doido, reinava, saltando, a um tempo, para todos os lados, sem consentir que ninguém se aproximasse. O terror arrancava gritos agudos. Estavam já todos assustados, menos a Rita que, a certa distância, via, de braços cruzados, aqueles dois homens a se baterem por causa dela; um ligeiro sorriso encrespava-lhe os lábios. A lua escondera-se; mudara o tempo; o céu, de limpo que estava, fizera-se cor de lousa[28]; sentia-se um vento úmido de chuva. Piedade berrava, reclamando polícia; tinha levado um troca-queixos do marido, porque insistia em tirá-lo da luta. As janelas do Miranda acumulavam-se de gente. Ouviam-se apitos, soprados com desespero.

Nisto, ecoou na estalagem um bramido de fera enraivecida: Firmo acabava de receber, sem esperar, uma formidável cacetada na cabeça. É que Jerônimo havia corrido à casa e armara-se com o seu varapau[29] minhoto[30]. E então o mulato, com o rosto banhado de sangue, refilando as presas e espumando de cólera, erguera o braço direito, onde se viu cintilar a lâmina de uma navalha.

Fez-se uma debandada em volta dos dois adversários, estrepitosa, cheia de pavor. Mulheres e homens atropelavam-se, caindo uns por cima dos outros. Albino perdera os sentidos; Piedade clamava, estarrecida e em soluços, que lhe iam matar o homem; a das Dores soltava censuras e maldições contra aquela estupidez de se destriparem por causa de entrepernas de mulher; a Machona, armada com um ferro de engomar, jurava abrir as fuças a quem lhe desse um segundo coice como acabava ela de receber um nas ancas; Augusta enfiara pela porta do fundo da estalagem, para atravessar o capinzal e ir à rua ver se descobria o marido, que talvez estivesse de serviço no quarteirão. Por esse lado acudiam curiosos, e o pátio enchia-se de gente de fora. Dona Isabel e Pombinha, de volta da casa de Léonie, tiveram dificuldade em chegar ao número 15, onde, mal entraram, fecharam-se por dentro, praguejando a velha contra a desordem e lamentando-se da sorte que as lançou naquele inferno. Entanto, no meio de uma nova roda, encintada pelo povo, o português e o brasileiro batiam-se.

Agora a luta era regular: havia igualdade de partidos, porque o cavouqueiro jogava o pau admiravelmente; jogava-o tão bem quanto o outro jogava a sua capoeiragem. Embalde Firmo tentava alcançá-lo; Jerônimo, sopesando ao meio a grossa vara na mão direita, girava-a com tal perícia e ligeireza em torno do corpo, que parecia embastilhado[31] por uma teia impenetrável e sibilante. Não se lhe via a arma, só se ouvia um zunido do ar simultaneamente cortado em todas as direções.

E, ao mesmo tempo que se defendia, atacava. O brasileiro tinha já recebido pauladas na testa, no pescoço, nos ombros, nos braços, no peito, nos rins e nas pernas. O sangue inundava-o inteiro; ele rugia e arfava, iroso e cansado, investindo ora com os pés, ora com a cabeça, e livrando-se daqui, livrando-se dali, aos pulos e às cambalhotas.

A vitória pendia para o lado do português. Os espectadores aclamavam-no já com entusiasmo; mas, de súbito, o capoeira mergulhou, num relance, até às canelas do adversário e surgiu-lhe rente dos pés, grudado nele, rasgando-lhe o ventre com uma navalhada.

Jerônimo soltou um mugido e caiu de borco, segurando os intestinos.

– Matou! Matou! Matou! exclamaram todos com assombro.

Os apitos esfuziaram mais assanhados.

Firmo varou pelos fundos do cortiço e desapareceu no capinzal.

– Pega! Pega!

– Ai, o meu rico homem! ululou Piedade, atirando-se de joelhos sobre o corpo ensanguentado do marido. Rita viera também de carreira lançar-se ao chão junto dele, para lhe afagar as barbas e os cabelos.

– É preciso o doutor! suplicou aquela, olhando para os lados à procura de uma alma caridosa que lhe valesse.

Mas nisto um estardalhaço de formidáveis pranchadas estrugiu no portão da estalagem. O portão abalou com estrondo e gemeu.

– Abre! Abre! reclamavam de fora.

João Romão atravessou o pátio, como um general em perigo, gritando a todos:

– Não entra a polícia! Não deixa entrar! Aguenta! Aguenta!

– Não entra! Não entra! repercutiu a multidão em coro.

E todo o cortiço ferveu que nem uma panela ao fogo.

– Aguenta! Aguenta!

Jerônimo foi carregado para o quarto, a gemer, nos braços da mulher e da mulata.

– Aguenta! Aguenta!

De cada casulo espipavam homens armados de pau, achas de lenha, varais de ferro. Um empenho coletivo os agitava agora, a todos, numa solidariedade briosa, como se ficassem desonrados para sempre se a polícia entrasse ali pela primeira vez. Enquanto se tratava de uma simples luta entre dois rivais, estava direito! "Jogassem lá as cristas, que o mais homem ficaria com a mulher!" mas agora tratava-se de defender a estalagem, a comuna, onde cada um tinha a zelar por alguém ou alguma coisa querida.

– Não entra! Não entra!

E berros atroadores respondiam às pranchadas, que lá fora se repetiam ferozes.

A polícia era o grande terror daquela gente, porque, sempre que penetrava em qualquer estalagem, havia grande estropício; à capa de[32] evitar e punir o jogo e a bebedeira, os urbanos invadiam os quartos, quebravam o que lá estava, punham tudo em polvorosa. Era uma questão de ódio velho.

E, enquanto os homens guardavam a entrada do capinzal e sustentavam de costas o portão da frente, as mulheres, em desordem, rolavam as tinas, arrancavam jiraus, arrastavam carroças, restos de colchões e sacos de cal, formando às pressas uma barricada.

As pranchadas multiplicavam-se. O portão rangia, estalava, começava a abrir-se; ia ceder. Mas a barricada estava feita e todos entrincheirados atrás dela. Os que entraram de fora por curiosidade não puderam sair e viam-se metidos no surumbamba[33]. As cercas das hortas voaram. A Machona terrível fungara as saias e empunhava na mão o seu ferro de engomar. A das Dores, que ninguém dava nada por ela, era uma das mais duras e que parecia mais empenhada na defesa.

Afinal o portão lascou; um grande rombo abriu-se logo; caíram tábuas; e os quatro primeiros urbanos que se precipitaram dentro foram recebidos a pedradas e garrafas vazias. Seguiram-se outros. Havia uns vinte. Um saco de cal, despejado sobre eles, desnorteou-os.

Principiou então o salseiro grosso. Os sabres não podiam alcançar ninguém por entre a trincheira; ao passo que os projetis, arremessados lá de dentro, desbaratavam o inimigo. Já o sargento tinha a cabeça partida e duas praças abandonavam o campo, à falta de ar.

O CORTIÇO ~ 213

Era impossível invadir aquele baluarte com tão poucos elementos, mas a polícia teimava, não mais por obrigação que por necessidade pessoal de desforço. Semelhante resistência os humilhava. Se tivessem espingardas fariam fogo. O único deles que conseguiu trepar à barricada rolou de lá abaixo sob uma carga de pau que teve de ser carregado para a rua pelos companheiros. O Bruno, todo sujo de sangue, estava agora armado de um refle e o Porfiro, mestre na capoeiragem, tinha na cabeça uma barretina de urbano.

– Fora os morcegos![34]

– Fora! Fora!

E, a cada exclamação, tome pedra! tome lenha! tome cal! tome fundo de garrafa!

Os apitos estridulavam mais e mais fortes.

Nessa ocasião, porém, Neném gritou, correndo na direção da barricada.

– Acudam aqui! Acudam aqui! Há fogo no número 12. Está saindo fumaça!

– Fogo!

A esse grito um pânico geral apoderou-se dos moradores do cortiço. Um incêndio lamberia aquelas cem casinhas enquanto o diabo esfrega um olho!

Fez-se logo medonha confusão. Cada qual pensou em salvar o que era seu. E os polícias, aproveitando o terror dos adversários, avançaram com ímpeto, levando na frente o que encontravam e penetrando enfim no infernal reduto, a dar espadeiradas[35] para a direita e para a esquerda, como quem destroça uma boiada. A multidão atropelava-se, desembestando num alarido. Uns fugiam à prisão; outros cuidavam em defender a casa. Mas as praças, loucas de cólera, metiam dentro as portas e iam invadindo e quebrando tudo, sequiosas de vingança.

Nisto, roncou no espaço a trovoada. O vento do norte zuniu mais estridente e um grande pé-d'água desabou cerrado.

❦ XI ❧

A Bruxa, por influência sugestiva da loucura de Marciana, piorou do juízo e tentou incendiar o cortiço.

Enquanto os companheiros o defendiam a unhas e dentes, ela, com todo o disfarce, carregava palha e sarrafos para o número 12 e preparava uma fogueira. Felizmente acudiram a tempo; mas as consequências foram do mesmo modo desastrosas, porque muitas outras casinhas, escapando como aquela ao fogo, não escaparam à devastação da polícia. Algumas ficaram completamente assoladas. E a coisa seria ainda mais feia, se não viera o providencial aguaceiro apagar também o outro incêndio ainda pior, que, de parte a parte, lavrava[1] nos ânimos. A polícia retirou-se sem levar nenhum preso. "A ir um, iriam todos à estação! Deus te livre! Demais, para quê? o que ela queria fazer, fez! Estava satisfeita!"

Apesar do empenho de João Romão, ninguém conseguiu descobrir o autor da sinistra tentativa, e só muito tarde cada qual cuidou de pregar olho, depois de reacomodar, entre plangentes lamentações, o que se salvou do destroço. O tempo levantou de novo à meia-noite. Ao romper da aurora já muita gente estava de pé e o vendeiro passava uma revista minuciosa no pátio, avaliando e carpindo[2], inconsolável e furioso, o seu prejuízo. De vez em quando soltava uma praga. Além do que escangalharam os urbanos dentro das casas, havia muita tina partida, muito jirau quebrado, lampiões em fanicos[3], hortas e cercas arrasadas; o portão da frente e a tabuleta foram reduzidos a lenha. João Romão meditava, para cobrir o dano, carregar um imposto sobre os moradores da estalagem, aumentando-lhes o aluguel dos cômodos e o preço dos gêneros. Viu-se numa dobadoura[4] durante o dia inteiro; desde pela manhã dera logo as providências para que tudo voltasse aos seus eixos o mais depressa possível: mandou buscar novas tinas; fabricar novos jiraus e consertar os quebrados; pôs gente a remendar o portão e a tabuleta. Ao meio-dia teve de comparecer à presença do subdelegado na secretaria da polícia. Foi mesmo em mangas de camisa e sem meias; muitos do cortiço o acompanharam, quer por espírito de camaradagem, quer por simples curiosidade.

Uma verdadeira patuscada esse passeio à cidade! Parecia uma romaria; algumas mulheres levaram os seus pequenitos ao colo; um magote de italianos ia à frente, macarroneando[5], a fumar cachimbo; alguns cantavam. Ninguém tomou bonde; e por toda a viagem discutiram e altercaram em grande troça, comentando com gargalhadas e chalaças gordas o que iam encontrando, a chamar a atenção das ruas por onde desfilava a ruidosa farândola[6].

A sala da polícia encheu-se.

O interrogatório, exclusivamente dirigido a João Romão, era respondido por todos a um só tempo, a despeito dos protestos e das ameaças da autoridade, que se viu tonta. Nenhum deles nada esclarecia e todos se queixavam da polícia, exagerando as perdas recebidas na véspera.

A respeito de como se travara o conflito e quem o provocara, o taverneiro declarou que nada podia saber ao certo, porque na ocasião se achava ausente da estalagem. De que tinha certeza era de que as praças lhe invadiram a propriedade e puseram em cacos tudo o que encontraram, como se aquilo lá fosse roupa de francês![7]

– Benfeito! bradou o subdelegado. Não resistissem!

Um coro de respostas assanhadas levantou-se para justificar a resistência. "Ah! Estavam mais que fartos de ver o que pintavam os morcegos, quando lhes não saía alguém pela frente! Esbodegavam até à última, só pelo gostinho de fazer mal! Pois então uma criatura, porque estava a divertir-se um bocado com os amigos, havia de ser aperreada que nem boi ladrão?... Tinha lá jeito? Os rolos era sempre a polícia

quem os levantava com as suas fúrias! Não se metesse ela na vida de quem vivia sossegado no seu canto, e não sairia tanto barulho!..." Como de costume, o espírito de coletividade, que unia aquela gente em círculo de ferro, impediu que transpirasse o menor vislumbre de denúncia. O subdelegado, depois de dirigir-se inutilmente a um por um, despachou o bando, que fez logo a sua retirada, no meio de uma alacridade mais quente ainda que a da ida.

Lá no cortiço, de portas adentro, podiam esfaquear-se à vontade, que nenhum deles, e muito menos a vítima, seria capaz de apontar o criminoso; tanto que o médico, que, logo depois da invasão da polícia, desceu da casa do Miranda à estalagem, para socorrer Jerônimo, não conseguiu arrancar deste o menor esclarecimento sobre o motivo da navalhada. "Não fora nada!... Não fora de propósito!... Estavam a brincar e sucedera aquilo!... Ninguém tivera a menor intenção de fazer-lhe mossa!..."[8]

Rita mostrou-se de uma incansável solicitude para com o ferido. Foi ela quem correu a buscar os remédios, quem serviu de ajudante ao médico e quem serviu de enfermeira ao doente. Muitos lá iam, demorando-se um instante, para dar fé; ela, porém, desde que Jerônimo se achou operado, não lhe abandonou a cabeceira; ao passo que Piedade, aflita e atarantada, não fazia senão chorar e arreliar-se.

A mulata, essa não chorava, mas a sua fisionomia tinha uma profunda expressão de mágoa enternecida. Agora toda ela se sentia apegar-se àquele homem bom e forte; àquele gigante inofensivo; àquele hércules tranquilo, que mataria o Firmo com uma punhada, mas que, na sua boa-fé, se deixara navalhar pelo facínora. "E tudo por causa dela! só por ela!" Seu coração de mulher rendia-se cativo a semelhante dedicação ensanguentada e dolorosa. E ele, o mísero, interrompia as contrações do rosto para sorrir defronte dos olhos enamorados da baiana, feliz naquela desgraça que lhe permitia gozar dos seus carinhos. E tomava-lhe as mãos, e cingia-lhe a cintura, resignado e comovido, sem uma palavra, sem um gesto, mas a dizer bem claro, na sua dor silenciosa e quieta de animal ferido, que a amava muito, que a amava loucamente.

Rita afagava-o, já sem a menor sombra de escrúpulo, tratando-o por tu, ameigando-lhe os cabelos sujos de sangue com a polpa macia da sua mão feminil. E, ali mesmo em presença da mulher dele, só faltava beijá-lo com a boca, que com os olhos o devorava de beijos ardentes e sequiosos.

Depois da meia-noite dada, ela e Piedade ficaram sozinhas velando o enfermo. Deliberou-se que este iria pela manhã para a Ordem de Santo Antônio, de que era irmão. E, com efeito, no dia imediato, enquanto o vendeiro e seu bando andavam lá às voltas com a polícia, e o resto do cortiço formigava, tagarelando em volta do conserto das tinas e jiraus, Jerônimo, ao lado da mulher e da Rita, seguia dentro de um carro para o hospital.

As duas só voltaram de lá à noite, caindo de fadiga. De resto, toda a estalagem estava igualmente prostrada e morrendo pela cama, se bem que nesse dia as lavadeiras em geral gazeassem o trabalho; as que tinham roupa com mais pressa foram lavar fora ou arrastaram bacias de banho para debaixo das bicas, à falta de melhor vasilha para o serviço. Discutiu-se a campanha da véspera sem variar de assunto. Aqui era um que lembrava as suas proezas com os urbanos, descrevendo entusiasmado os pormenores da luta; ali, outro repetia, cheio de empáfia, os desaforos que dissera depois nas bochechas da autoridade; mais adiante trocavam-se queixas e recriminações; cada qual, mulheres e homens, sofrera o seu prejuízo ou a sua arranhadura, e mostravam entre si, numa febre de indignação, os objetos partidos ou a parte do corpo escoriada.

Mas às nove da noite já não havia viva alma no pátio da estalagem. A venda fechou-se um pouco mais cedo que de costume. Bertoleza atirou-se ao colchão, estrompada; João Romão recolheu-se junto dela, porém não conseguiu dormir: sentia calafrios e pontadas na cabeça. Chamou pela amiga, a gemer, e pediu-lhe que lhe desse alguma coisa para suar. Supunha estar com febre.

A crioula só descansou quando, muitas horas adiante, depois de mudar-lhe a roupa, o viu pegar no sono; e daí a pouco, às quatro da madrugada, erguia-se ela, com estalos de juntas, a bocejar, fungando no seu estremunhamento pesadão, e pigarreando forte. Acordou o caixeiro para ir ao mercado; gargarejou um pouco d'água à torneira da cozinha e foi fazer fogo para o café dos trabalhadores, riscando fósforos e acendendo cavacos num fogareiro, donde começaram a borbotar grossos novelos de fumo espesso.

Lá fora clareava já, e a vida renascia no cortiço. A luta de todos os dias continuava, como se não houvera interrupção. Principiava o burburinho. Aquela noite bem dormida punha-os a todos de bom humor.

Pombinha, entretanto, nessa manhã acordara abatida e nervosa, sem ânimo de sair dos lençóis. Pediu café à mãe, bebeu, e tornou a abraçar-se nos travesseiros, escondendo o rosto.

– Não te sentes melhor hoje, minha filha?... perguntou-lhe Dona Isabel, apalpando-lhe a testa. Febre não tens...

– Ainda sinto o corpo mole... mas não é nada... Isto passa!...

– Foi de tanto gelo, que tomaste em casa da madama!... Não te dizia?... Agora, o melhor é dar-te um escalda-pés!...

– Não! não, por amor de Deus! Daqui a pouco estou em pé!

Às oito horas, com efeito, levantava-se e fazia, indolentemente, o alinho da cabeça, defronte do seu modesto lavatório de ferro. Dir-se-ia sem forças para a menor coisa; toda ela transpirava uma contemplativa melancolia de convalescente; havia uma doce expressão dolorosa na limpidez cristalina de seus olhos de moça enferma; um pobre sorriso pálido a entreabrir-lhe as pétalas da boca, sem lhe alegrar os lábios, que pareciam ressequidos à míngua de beijos de amor; assim delicada planta murcha, languesce e morre, se carinhosa borboleta não vai sacudir sobre ela as asas prenhes de fecundo e dourado pólen.

O passeio à casa de Léonie fizera-lhe muito mal. Trouxe de lá impressões e íntimos vexames, que nunca mais se apagariam por toda a sua vida.

A cocote recebeu-a de braços abertos, radiante com apanhá-la junto de si, naqueles divãs fofos e traidores, entre todo aquele luxo extravagante e requintado, próprio para os vícios grandes. Ordenou à criada que não deixasse entrar ninguém, ninguém, nem mesmo o Bebê, e assentou-se ao lado da menina, bem juntinho uma da outra, tomando-lhe as mãos, fazendo-lhe uma infinidade de perguntas, e pedindo-lhe beijos, que saboreava gemendo, de olhos fechados.

Dona Isabel suspirava também, mas doutro modo; na sua parva compreensão do conforto, aqueles impertinentes espelhos, aqueles móveis casquilhos[9] e aquelas cortinas escandalosas arrancavam-lhe saudosas recordações do bom tempo e avivavam a sua impaciência por melhor futuro.

Ai! assim Deus quisesse ajudá-la!...

Às duas da tarde, Léonie, por sua própria mão serviu às visitas um pequeno lanche de *foie gras*[10], presunto e queijo, acompanhado de champanha, gelo e água de Seltz[11]; e, sem se descuidar um instante da rapariga, tinha para ela extremas solicitudes de namorado: levava-lhe a comida à boca, bebia do seu copo, apertava-lhe os dedos por debaixo da mesa.

Depois da refeição, Dona Isabel, que não estava habituada a tomar vinho, sentiu vontade de descansar o corpo; Léonie franqueou-lhe um bom quarto, com boa cama, e, mal percebeu que a velha dormia, fechou a porta pelo lado de fora, para melhor ficar em liberdade com a pequena.

Bem! Agora estavam perfeitamente a sós!

– Vem cá, minha flor!… disse-lhe, puxando-a contra si e deixando-se cair sobre um divã. Sabes? Eu te quero cada vez mais!… Estou louca por ti!

E devorava-a de beijos violentos, repetidos, quentes, que sufocavam a menina, enchendo-a de espanto e de um instintivo temor, cuja origem a pobrezinha, na sua simplicidade, não podia saber qual era.

A cocote percebeu o seu enleio e ergueu-se, sem largar--lhe a mão.

– Descansemos nós também um pouco… propôs, arrastando-a para a alcova.

Pombinha assentou-se, constrangida, no rebordo da cama e, toda perplexa, com vontade de afastar-se, mas sem ânimo de protestar, por acanhamento, tentou reatar o fio da conversa, que elas sustentavam um pouco antes, à mesa, em presença de Dona Isabel. Léonie fingia prestar-lhe atenção e nada mais fazia do que afagar-lhe a cintura, as coxas e o colo. Depois, como que distraidamente, começou a desabotoar-lhe o corpinho do vestido.

– Não! Para quê!… Não quero despir-me…

– Mas faz tanto calor… Põe-te a gosto…

– Estou bem assim. Não quero!

– Que tolice a tua! Não vês que sou mulher, tolinha?… De que tens medo?… Olha! Vou dar o exemplo!

E, num relance, desfez-se da roupa, e prosseguiu na campanha.

A menina, vendo-se descomposta, cruzou os braços sobre o seio, vermelha de pudor.

– Deixa! segredou-lhe a outra, com os olhos envesgados, a pupila trêmula.

E, apesar dos protestos, das súplicas e até das lágrimas da infeliz, arrancou-lhe a última vestimenta, e precipitou-se contra ela, a beijar-lhe todo o corpo, a empolgar-lhe com os lábios o róseo bico do peito.

– Oh! Oh! Deixa disso! Deixa disso! reclamava Pombinha estorcendo-se em cócegas, e deixando ver preciosidades de nudez fresca e virginal, que enlouqueciam a prostituta.

– Que mal faz?... Estamos brincando...

– Não! Não! balbuciou a vítima, repelindo-a.

– Sim! Sim! insistiu Léonie, fechando-a entre os braços, como entre duas colunas e pondo em contato com o dela todo o seu corpo nu.

Pombinha arfava, relutando; mas o atrito daquelas duas grossas pomas[12] irrequietas sobre seu mesquinho peito de donzela impúbere, e o roçar vertiginoso daqueles cabelos ásperos e crespos nas estações mais sensitivas da sua feminilidade, acabaram por foguear-lhe a pólvora do sangue, desertando-lhe a razão ao rebate dos sentidos.

Agora, espolinhava-se[13] toda, cerrando os dentes, fremindo-lhe a carne em crispações de espasmo; ao passo que a outra, por cima, doida de luxúria, irracional, feroz, revoluteava, em corcovos de égua, bufando e relinchando.

E metia-lhe a língua tersa pela boca e pelas orelhas, e esmagava-lhe os olhos debaixo dos seus beijos lubrificados de espuma, e mordia-lhe o lóbulo dos ombros, e agarrava-lhe convulsivamente o cabelo, como se quisesse arrancá-lo aos punhados. Até que, com um assomo mais forte, devorou-a num abraço de todo o corpo, ganindo ligeiros gritos, secos, curtos, muito agudos, e afinal desabou para o lado, exânime[14], inerte, os membros atirados num abandono de bêbedo, soltando de instante a instante um soluço estrangulado.

A menina voltara a si e torcera-se logo em sentido contrário à adversária, cingindo-se rente aos travesseiros e abafando o seu pranto, envergonhada e corrida[15].

A impudica, mal orientada ainda e sem conseguir abrir os olhos, procurou animá-la, ameigando-lhe a nuca e as espáduas. Mas Pombinha parecia inconsolável, e a outra teve de erguer-se a meio e puxá-la como uma criança para o seu colo, onde ela foi ocultando o rosto, a soluçar baixinho.

– Não chores assim, meu amor!...

Pombinha continuou a soluçar.

– Vamos! Não quero ver-te deste modo!... Estás zangada comigo?...

– Não volto mais aqui! nunca mais! exclamou por fim a donzela, desgalgando[16] o leito para vestir-se.

– Vem cá! Não sejas ruim! Ficarei muito triste se estiveres mal com a tua negrinha!... Anda! Não me feches a cara!...

– Deixe-me!

– Vem cá, Pombinha!

– Não vou! Já disse!

E vestia-se com movimentos de raiva. Léonie saltara para junto dela e pôs-se a beijar-lhe, à força, os ouvidos e o pescoço, fazendo-se muito humilde, adulando-a, comprometendo-se a ser sua escrava e obedecer-lhe como um cachorrinho, contanto que aquela tirana não se fosse assim zangada.

– Faço tudo! tudo! mas não fiques mal comigo! Ah! se soubesses como eu te adoro!...

– Não sei! Largue-me!

– Espera!

– Que amolação! Oh!

– Deixa de tolice!... Escuta, por amor de Deus!

Pombinha acabava de encasar o último botão do corpinho, e repuxava o pescoço e sacudia os braços, ajustando bem a sua roupa ao corpo. Mas Léonie caíra-lhe aos pés, enleando-a pelas pernas e beijando-lhe as saias.

– Olha!... Ouve!...

– Deixe-me sair!

– Não! não hás de ir zangada, ou faço aqui um escândalo dos diabos!

– É que mamãe já acordou com certeza!...

– Que acordasse!

Agora a meretriz defendia a porta da alcova.

– Oh! meu Deus! Deixe-me sair!

– Não deixo, sem fazermos as pazes…

– Que aborrecimento!

– Dá-me um beijo!

– Não dou!

– Pois então não sais!

– Eu grito!

– Pois grita! Que me importa!

– Arrede-se daí, por favor!…

– Faz' as pazes…

– Não estou zangada, creia! Estou é indisposta… Não me sinto boa!

– Mas eu faço questão do beijo!

– Pois bem! Está aí!

E beijou-a.

– Não quero assim! Foi dado de má vontade!…

Pombinha deu-lhe outro.

– Ah! Agora bem! Espera um nada! Deixa arranjar-me! É um instante!

Em três tempos, lavou-se ligeiramente no bidê, endireitou o penteado defronte do espelho, num movimento rápido de dedos, e empoou-se, e perfumou-se, e enfiou camisa, anágua e penteador, tudo com uma expedição de quem está habituada a vestir-se muitas vezes por dia. E, pronta, correu uma vista de olhos pela menina, desenrugou-lhe a saia, consertou-lhe melhor os cabelos e, readquirindo o seu ar tranquilo de mulher ajuizada, tomou-a pela cintura e levou-a vagarosamente até à sala de jantar, para tomarem vermute com gasosa[17].

O jantar foi às seis e meia. Correu frio, não tanto por parte de Pombinha, que aliás se mostrava bem incomodada, como porque Dona Isabel, dormindo até o momento de a chamarem para mesa, sentia-se aziada com *o foie gras*. A dona da casa, todavia, não se forrou[18] a desvelos e fez por alegrá-las rindo e contando anedotas burlescas. Ao café apareceu Juju, que a criada levara a passear desde logo depois do almoço, e uma afetação de agrados levantou-se em torno da pequerrucha. Léonie pôs-se a conversar com ela, falando como criança, dizendo-lhe que mostrasse a Dona Isabel "o seu papatinho novo!"

Mais tarde, no terraço, enquanto fumava um cigarro, tomou a mão de Pombinha e meteu-lhe no dedo um anel com um diamante cercado de pérolas. A menina recusou o mimo, formalmente. Foi preciso a intervenção da velha para que ela consentisse em aceitá-lo.

Às oito horas retiraram-se as visitas, seguindo direitinho para a estalagem. Durante toda a viagem Pombinha parecia preocupada e triste.

– Que tens tu?... perguntou-lhe a mãe duas vezes.

E de ambas a filha respondeu:

– Nada! Aborrecimento...

No pouco que dormiu essa noite, que foi a do barulho com a polícia, teve sonhos agitados e passou mal todo o dia seguinte, com molezas de febre e dores no útero. Não arredou pé de casa, nem para ver os destroços do conflito. A notícia do defloramento e da fuga de Florinda, como a da loucura da velha Marciana, produziram-lhe grande abalo nos nervos.

Na manhã imediata, a despeito de fazer-se forte, torceu o nariz ao pobre almoço que Dona Isabel lhe apresentou carinhosa. Persistiam-lhe as dores uterinas, não vivas, mas constantes. Não teve ânimo de pegar na costura, e um livro que ela tentou ler foi por várias vezes repelido.

Às onze para o meio-dia era tal o seu constrangimento e era tal o seu desassossego entre as apertadas paredes do número 15, que, malgrado os protestos da velha, saiu a dar uma volta por detrás do cortiço, à sombra dos bambus e das mangueiras.

Uma irresistível necessidade de estar só, completamente só, uma aflição de conversar consigo mesma, a apartavam no seu estreito quarto sufocante, tão tristonho e tão pouco amigo. Pungia-lhe na brancura da alma virgem um arrependimento incisivo e negro das torpezas da antevéspera; mas, lubrificada por essa recordação, toda a sua carne ria e rejubilava-se, pressentindo delícias que lhe pareciam reservadas para mais tarde, junto de um homem amado; dentro dela balbuciavam desejos, até aí mudos e adormecidos; e mistérios desvendavam-se no segredo do seu corpo, enchendo-a de surpresa e mergulhando-a em fundas concentrações de êxtase. Um inefável quebranto[19] afrouxava-lhe a energia e distendia-lhe os músculos com uma embriaguez de flores traiçoeiras.

Não pôde resistir: assentou-se debaixo das árvores, um cotovelo em terra, a cabeça reclinada contra a palma da mão.

Na doce tranquilidade daquela sombra morna, ouviam-se retinir distante a picareta dos homens da pedreira e o martelo dos ferreiros na forja. E o canto dos trabalhadores, ora mais claro, ora mais duvidoso, acompanhando o marulhar dos ventos, ondeava no espaço, melancólico e sentido, como um coro religioso de penitentes.

O calor tirava do capim um cheiro sensual.

A moça fechou as pálpebras, vencida pelo seu delicioso entorpecimento, e estendeu-se de todo no chão, de barriga para o ar, braços e pernas abertas.

Adormeceu.

Começou logo a sonhar que em derredor ia tudo se fazendo de um cor-de-rosa, a princípio muito leve e transparente, depois mais carregado, e mais, e mais, até formar-se em torno dela uma floresta vermelha, cor de sangue, onde largos tinhorões[20] rubros se agitavam lentamente.

E viu-se nua, toda nua, exposta ao céu, sob a tépida luz de um sol embriagador, que lhe batia de chapa sobre os seios.

Mas, pouco a pouco, seus olhos, posto que bem abertos, nada mais enxergavam do que uma grande claridade palpitante, onde o sol, feito de uma só mancha reluzente, oscilava como um pêndulo fantástico.

Entretanto, notava que, em volta da sua nudez aloirada pela luz, iam-se formando ondulantes camadas sanguíneas, que se agitavam, desprendendo aromas de flor. E, rodando o olhar, percebeu, cheia de encantos, que se achava deitada entre pétalas gigantescas, no regaço de uma rosa interminável, em que seu corpo se atufava como em ninho de veludo carmesim, bordado de ouro, fofo, macio, trescalante e morno.

E suspirando, espreguiçou-se toda num enleio de volúpia ascética.

Lá do alto o sol a fitava obstinadamente, enamorado das suas mimosas formas de menina.

Ela sorriu para ele, requebrando os olhos, e então o fogoso astro tremeu e agitou-se, e, desdobrando-se, abriu-se de par em par em duas asas e principiou a fremir, atraído e perplexo. Mas de repente, nem que se de improviso lhe inflamassem os desejos, precipitou-se lá de cima agitando as asas, e veio, enorme borboleta de fogo, adejar luxuriosamente em torno da imensa rosa, em cujo regaço a virgem permanecia com os peitos franqueados.

E a donzela, sempre que a borboleta se aproximava da rosa, sentia-se penetrar de um calor estranho, que lhe acendia, gota a gota, todo o seu sangue de moça.

E a borboleta, sem parar nunca, doidejava em todas as direções, ora fugindo rápida, ora se chegando lentamente, medrosa de tocar com as suas antenas de brasa a pele delicada e pura da menina.

Esta, delirante de desejos, ardia por ser alcançada e empinava o colo. Mas a borboleta fugia.

Uma sofreguidão lúbrica, desensofrida, apoderou-se da moça; queria a todo custo que a borboleta pousasse nela, ao menos um instante, um só instante, e a fechasse num rápido abraço dentro das suas asas ardentes. Mas a borboleta, sempre doida, não conseguia deter-se; mal se adiantava, fugia logo, irrequieta, desvairada de volúpia.

– Vem! Vem! suplicava a donzela, apresentando o corpo. Pousa um instante em mim! Queima-me a carne no calor das tuas asas!

E a rosa, que tinha ao colo, é que parecia falar e não ela. De cada vez que a borboleta se avizinhava com as suas negaças, a flor arregaçava-se toda, dilatando as pétalas, abrindo o seu pistilo vermelho e ávido daquele contato com a luz.

– Não fujas! Não fujas! Pousa um instante!

A borboleta não pousou; mas, num delírio, convulsa de amor, sacudiu as asas com mais ímpeto e uma nuvem de poeira dourada desprendeu-se sobre a rosa, fazendo a donzela soltar gemidos e suspiros, tonta de gosto sob aquele eflúvio luminoso e fecundante.

Nisto, Pombinha soltou um ai formidável e despertou sobressaltada, levando logo ambas as mãos ao meio do corpo. E feliz, e cheia de susto ao mesmo tempo, a rir e a chorar, sentiu o grito da puberdade sair-lhe afinal das entranhas, em uma onda vermelha e quente.

A natureza sorriu-se comovida. Um sino, ao longe, batia alegre as doze badaladas do meio-dia. O sol, vitorioso, estava a pino e, por entre a copagem negra da mangueira, um dos seus raios descia em fio de ouro sobre o ventre da rapariga, abençoando a nova mulher que se formava para o mundo.

❧ XII ❧

Pombinha ergueu-se de um pulo e abriu de carreira para casa. No lugar em que estivera deitada o capim verde ficou matizado de pontos vermelhos. A mãe lavava à tina, ela chamou-a com instância, enfiando cheia de alvoroço pelo número 15. E aí, sem uma palavra, ergueu as saias do vestido e expôs a Dona Isabel as suas fraldas ensanguentadas.

– Veio?! perguntou a velha com um grito arrancado do fundo d'alma.

A rapariga meneou a cabeça afirmativamente, sorrindo feliz e enrubescida.

As lágrimas saltaram dos olhos da lavadeira.

– Bendito e louvado seja Nosso Senhor Jesus Cristo! exclamou ela, caindo de joelhos defronte da menina e erguendo para Deus o rosto e as mãos trêmulas.

Depois abraçou-se às pernas da filha e, no arrebatamento de sua comoção, beijou-lhe repetidas vezes a barriga e parecia querer beijar também aquele sangue abençoado, que lhes abria os horizontes da vida, que lhes garantia o futuro; aquele sangue bom, que descia do céu, como a chuva benfazeja sobre uma pobre terra esterilizada pela seca.

Não se pôde conter: enquanto Pombinha mudava de roupa, saiu ela ao pátio, apregoando aos quatro ventos a linda notícia. E, se não fora a formal oposição da menina, teria passeado em triunfo a camisa ensanguentada, para que todos a vissem bem e para que todos a adorassem, entre hinos de amor, que nem a uma verônica[1] sagrada de um Cristo.

– Minha filha é mulher! Minha filha é mulher!

O fato abalou o coração do cortiço: as duas receberam parabéns e felicitações. Dona Isabel acendeu velas de cera à frente do seu oratório, e nesse dia não pegou mais no trabalho, ficou estonteada, sem saber o que fazia, a entrar e a sair de casa, radiante de ventura. De cada vez que passava junto da filha dava-lhe um beijo na cabeça e em segredo recomendava-lhe todo o cuidado. "Que não apanhasse umidade! que não bebesse coisas frias! que se agasalhasse o melhor possível e, no caso de sentir o corpo mole, que se metesse logo na cama! Qualquer imprudência poderia ser fatal!..." O seu empenho era pôr o João da Costa, no mesmo instante, ao corrente da grande novidade e pedir-lhe que marcasse logo o dia do casamento; a menina entendia que não, que era feio, mas a mãe arranjou um portador e mandou chamar o rapaz com urgência. Ele apareceu à tarde. A velha convidara gente para jantar; matou duas galinhas, comprou garrafas de vinho, e, à noite, serviu, às nove horas, um chá com biscoitos. Neném e a das Dores apresentaram-se em trajos de festa; fez-se muita cerimônia; conversou-se em voz baixa, formando todos em volta de Pombinha uma solícita cadeia de agrados, uma respeitosa preocupação de bons desejos, a que ela respondia sorrindo comovida, como que exalando da frescura da sua virgindade um vitorioso aroma de flor que desabrocha.

E a partir desse dia Dona Isabel mudou completamente. As suas rugas alegraram-se; ouviam-na cantarolar pela manhã, enquanto varria a casa e espanava os móveis.

Não obstante, depois do tremendo conflito que acabou em navalhada, uma tristeza ia minando uma grande parte da estalagem. Já se não faziam as quentes noitadas de violão e dança ao relento. A Rita andava aborrecida e concentrada, desde que Jerônimo partiu para a Ordem; Firmo fora intimado pelo vendeiro a que lhe não pusesse, nunca mais, os pés em casa, sob pena de ser entregue à polícia; Piedade, que vivia a dar ais, carpindo a ausência do marido, ainda ficou mais consumida com a primeira visita que lhe fez ao hospital; encontrou-o frio e sem uma palavra de ternura para ela, deixando até perceber a sua impaciência por ouvir falar da outra, daquela maldita mulata dos diabos, que, no fim de contas, era a única culpada de tudo aquilo e havia de ser a sua perdição e mais do seu homem! Quando voltou de lá atirou-se à cama, a soluçar sem alívio, e nessa noite não pôde pregar olho, senão já pela madrugada. Um negro desgosto comia-a por dentro, como tubérculos de tísica, e tirava-lhe a vontade para tudo que não fosse chorar.

O CORTIÇO ~ 231

Outro que também, coitado! arrastava a vida muito triste, era o Bruno. A mulher, que a princípio não lhe fizera grande falta, agora o torturava com a sua distância; um mês depois da separação, o desgraçado já não podia esconder o seu sofrimento e ralava-se de saudades. A Bruxa, a pedido dele, tirou a sorte nas cartas e disse-lhe misteriosamente que Leocádia ainda o amava.

Só Dona Isabel e a filha andavam deveras satisfeitas. Essas sim! nunca tinham tido uma época tão boa e tão esperançosa. Pombinha abandonara o curso de dança; o noivo ia agora visitá-la, invariavelmente, todas as noites; chegava sempre às sete horas e demorava-se até às dez; davam-lhe café numa xícara especial, de porcelana; às vezes jogavam a bisca[2], e ele mandava buscar, de sua algibeira, uma garrafa de cerveja alemã, e ficavam a conversar os três, cada qual defronte do seu copo, a respeito dos projetos de felicidade comum; outras vezes o Costa, sempre muito respeitador, muito bom rapaz, acendia o seu charuto da Bahia e deixava-se cair numa pasmaceira, a olhar para a moça, todo embebido nela. Pombinha punha alegrias naqueles serões com as suas garrulices de pomba que prepara o ninho. Depois do seu idílio com o sol fazia-se muito amiga da existência, sorvendo a vida em haustos largos, como quem acaba de sair de uma prisão e saboreia o ar livre. Volvia-se carnuda e cheia, sazonava que nem uma fruta que nos provoca o apetite de morder. Dona Isabel, ao lado deles, toscanejava[3] do meio para o fim da visita, traçando cruzes na boca e afugentando os bocejos com voluptuosas pitadas da sua insigne tabaqueira.

Fixado o dia do casamento, o assunto inalterável da conversa era o enxoval da noiva e a casinha que o Costa preparava para a lua de mel. Iriam todos três morar juntos; teriam cozinheiro e uma criada que lavasse e engomasse. O rapaz trouxera peças de linho e de algodão, e ali, à luz amarela do velho candeeiro de querosene, enquanto a mãe talhava camisas e lençóis, a filha cosia valentemente numa máquina que lhe oferecera o noivo.

Uma vez, eram duas da tarde, ela pregava rendas numa fronha de almofada, quando o Bruno, cheio de hesitações, a coçar os cabelos da nuca, pálido e mal asseado, disse-lhe, encostando-se à ombreira da porta:

– Ora, nhã Pombinha... tinha-lhe um servicinho a pedir... mas vosmecezinha anda agora tão tomada com o seu enxoval e não há de querer dar-se a maços...[4]

– Que queres tu, Bruno?

– N'é nada, é que precisava que vosmecezinha me fizesse uma carta p'raquele diabo... mas já se vê que não tem cabimento... Fica pr'ao depois!

– Uma carta para tua mulher, não é?

– Coitada! É mais doida do que ruim! Pois se a gente até dos brutos tem pena!...

– Pois estás servido. Queres para já?

– Não vale estorvar! Continue seu servicinho! Eu volto pr'outra vez!...

– Não! anda cá, entra! O que se tem de fazer, faz-se logo!

– Deus lhe pague! Vosmecezinha é mesmo um anjo! Não sei a quem se chegue a gente ao depois que já lhe não tivermos cá!...

E continuou a louvar a bondade da rapariga, enquanto esta, toda serviçal, preparava numa mesinha redonda os seus apetrechos de escrita.

– Vamos lá, Bruno! que queres tu mandar dizer à Leocádia?

– Diga-lhe, antes de mais nada, que aquilo que quebrei dela, que dou outro! Que ela fez mal em quebrar também o que era meu, mas que fecho os olhos! Águas passadas não movem moinho! Que sei que ela agora está desempregada e aos paus[5]; que está a dever para mais de mês na estalagem; mas que não precisa dar cabeçadas: que me mande cá o senhorio,

O CORTIÇO ~ 233

que me entendo com ele. Que acho bom que ela deixe a casa da crioula onde come, porque a mulher já se queixou e já disse, a quem quis ouvir, que aquilo lá não era ponto de vadios e mulheres de má vida! Que ela, se tivesse um pouco de tino, nem precisava estar às migalhas dos outros, que eu na forja fazia para a trazer de barriga cheia e mais aos filhos que Deus mandasse... – Principiava a tomar calor. – Que a culpada de tudo isto é só ela e mais ninguém! tivesse um bocado de juízo e não precisava envergonhar a cara por aí...

– Isso já está dito, Bruno!

– Pois arrume-lhe outra vez a ver se ela toma brio!

– E que mais?

– Que lhe não quero mal, nem lhe rogo pragas, mas que é benfeito que ela amargue um pouco do pão do diabo, pra ficar sabendo que uma mulher direita não deve olhar senão pra seu marido; e que, se ela não fosse tão maluca...

– Já aí vai você repetir inda uma vez a mesma cantiga!...

– Mas diga-lhe sempre, tenha paciência, nhã Pombinha!... Que ainda estaria aqui, comigo, como dantes, sem aguentar repelões d'estranhos!...

– Adiante, Bruno!

– Diga-lhe...

E interrompeu-se.

Ora, que mais ele tinha a dizer?...

Coçou a cabeça.

– Veja, Bruno, você é quem sabe o que precisa escrever a sua mulher...

– Diga-lhe...

Não se animava.

– Que...

– Diga-lhe... Não! não lhe diga mais nada!...

– Posso então fechar a carta?...

– Está bom... resmungou o ferreiro, decidindo-se. Vá lá! Diga-lhe que...

– Que…

Houve um silêncio, no qual o desgraçado parecia arrancar de dentro uma frase que, no entanto, era a única ideia que o levava a dirigir-se à mulher. Afinal, depois de coçar mais vivamente a cabeça, gaguejou com a voz estrangulada de soluços:

– Diga-lhe que… se ela quiser tornar pra minha companhia… que pode vir… Eu esqueço tudo!

Pombinha, impressionada pela transformação da voz dele, levantou o rosto e viu que as lágrimas lhe desfilavam duas a duas, três a três, pela cara, indo afogar-se-lhe na moita cerdosa das barbas. E, coisa estranha, ela, que escrevera tantas cartas naquelas mesmas condições; que tantas vezes presenciara o choro rude de outros muitos trabalhadores do cortiço, sobressaltava-se agora com os desalentados soluços do ferreiro.

Porque, só depois que o sol lhe abençoou o ventre; depois que nas suas entranhas ela sentiu o primeiro grito de sangue de mulher, teve olhos para essas violentas misérias dolorosas, a que os poetas davam o bonito nome de amor. A sua intelectualidade, tal como seu corpo, desabrochara inesperadamente, atingindo de súbito, em pleno desenvolvimento, uma lucidez que a deliciava e surpreendia. Não a comovera tanto a revolução física. Como que naquele instante o mundo inteiro se despia à sua vista, de improviso esclarecida, patenteando-lhe todos os segredos das suas paixões. Agora, encarando as lágrimas do Bruno, ela compreendeu e avaliou a fraqueza dos homens, a fragilidade desses animais fortes, de músculos valentes, de patas esmagadoras, mas que se deixavam encabrestar e conduzir humildes pela soberana e delicada mão da fêmea.

Aquela pobre flor de cortiço, escapando à estupidez do meio em que desabotoou, tinha de ser fatalmente vítima da própria inteligência. À míngua de educação, seu espírito trabalhou à revelia, e atraiçoou-a, obrigando-a a tirar da substância caprichosa da sua fantasia de moça ignorante e viva a explicação de tudo que lhe não ensinaram a ver e sentir.

Bruno retirou-se com a carta. Pombinha pousou os cotovelos na mesa e tulipou[6] as mãos contra o rosto, a cismar nos homens.

Que estranho poder era esse, que a mulher exercia sobre eles, a tal ponto, que os infelizes, carregados de desonra e de ludíbrio, ainda vinham covardes e suplicantes mendigar-lhe o perdão pelo mal que ela lhes fizera?...

E surgiu-lhe então uma ideia bem clara da sua própria força e do seu próprio valor.

Sorriu.

E no seu sorriso já havia garras.

Uma aluvião de cenas, que ela jamais tentara explicar e que até aí jaziam esquecidas nos meandros do seu passado, apresentavam-se agora nítidas e transparentes. Compreendeu como era que certos velhos respeitáveis, cujas fotografias Léonie lhe mostrara no dia que passaram juntas, deixavam-se vilmente cavalgar pela loureira, cativos e submissos, pagando a escravidão com a honra, os bens, e até com a própria vida, se a prostituta, depois de os ter esgotado, fechava-lhes o corpo. E continuou a sorrir, desvanecida na sua superioridade sobre esse outro sexo, vaidoso e fanfarrão, que se julgava senhor e que no entanto fora posto no mundo simplesmente para servir ao feminino; escravo ridículo que, para gozar um pouco, precisava tirar da sua mesma ilusão a substância do seu gozo; ao passo que a mulher, a senhora, a dona dele, ia tranquilamente desfrutando o seu império, endeusada e querida, prodigalizando martírios, que os miseráveis aceitavam contritos, a beijar os pés que os deprimiam e as implacáveis mãos que os estrangulavam.

– Ah! homens! homens!... sussurrou ela de envolta com um suspiro.

E pegou de novo na costura, deixando que o pensamento vadiasse à solta, enquanto os dedos iam maquinalmente pregando as rendas naquela almofada, em que a sua cabeça teria de repousar para receber o primeiro beijo genital.

Num só lance de vista, como quem apanha uma esfera entre as pontas de um compasso, mediu com as antenas da sua perspicácia mulheril toda aquela esterqueira, onde ela, depois de se arrastar por muito tempo como larva, um belo dia acordou borboleta à luz do sol. E sentiu diante dos olhos aquela massa informe de machos e fêmeas, a comichar, a fremir concupiscente, sufocando-se uns aos outros. E viu o Firmo e o Jerônimo atassalharem-se[7], como dois cães que disputam uma cadela da rua; e viu o Miranda, lá defronte, subalterno ao lado da esposa infiel, que se divertia a fazê-lo dançar a seus pés seguro pelos chifres; e viu o Domingos, que fora da venda, furtando horas ao sono, depois de um trabalho de burro, e perdendo o seu emprego e as economias ajuntadas com sacrifício, para ter um instante de luxúria entre as pernas de uma desgraçadinha irresponsável e tola; e tornou a ver o Bruno a soluçar pela mulher; e outros ferreiros e hortelões, e cavouqueiros, e trabalhadores de toda a espécie, um exército de bestas sensuais, cujos segredos ela possuía, cujas íntimas correspondências escrevera dia a dia, cujos corações conhecia como as palmas das mãos, porque a sua escrivaninha era um pequeno confessionário, onde toda a salsugem e todas as fezes daquela praia de despejo foram arremessadas espumantes de dor e aljofradas de lágrimas.

E na sua alma enfermiça e aleijada, no seu espírito rebelde de flor mimosa e peregrina[8] criada num monturo, violeta infeliz, que um estrume forte demais para ela atrofiara, a moça pressentiu bem claro que nunca daria de si ao marido que ia ter uma companheira amiga, leal e dedicada; pressentiu que nunca o respeitaria sinceramente como a um ser superior por quem damos a vida; que nunca lhe votaria entusiasmo, e por conseguinte nunca lhe teria amor; desse de que ela se sentia capaz de amar alguém, se na terra houvera homens dignos disso. Ah! não o amaria decerto, porque o Costa era como os outros, passivo e resignado, aceitando a existência que lhe impunham as circunstâncias, sem ideais próprios, sem temeridades de revolta, sem atrevimentos de ambição, sem vícios trágicos, sem capacidade para grandes crimes; era mais um animal que viera ao mundo para propagar a espécie; um pobre-diabo enfim que já a adorava cegamente e que mais tarde, com ou sem razão, derramaria aquelas mesmas lágrimas, ridículas e vergonhosas, que ela vira decorrendo em quentes camarinhas[9] pelas ásperas e maltratadas barbas do marido de Leocádia.

E não obstante, até então, aquele matrimônio era o seu sonho dourado. Pois agora, nas vésperas de obtê-lo, sentia repugnância em dar-se ao noivo, e, se não fora a mãe, seria muito capaz de dissolver o ajuste.

Mas, daí a uma semana, a estalagem era toda em rebuliço desde logo pela manhã. Só se falava em casamento; havia em cada olhar um sanguíneo reflexo de noites nupciais. Desfolharam-se rosas à porta da Pombinha. Às onze horas parou um carro à entrada do cortiço com uma senhora gorda, vestida de seda cor de pérola. Era a madrinha, que vinha buscar a noiva para a igreja de São João Batista. A cerimônia estava marcada para o meio-dia. Toda esta formalidade embatucava os circunstantes, que se alinhavam imóveis defronte do número 15, com as mãos cruzadas atrás, o rosto paralisado por uma comoção respeitosa; alguns sorriam enternecidos; quase todos tinham os olhos ressumbrados[10] d'água.

Pombinha surgiu à porta de casa, já pronta para desferir o grande voo; de véu e grinalda, toda de branco, vaporosa, linda. Parecia comovida; despedia-se dos companheiros atirando-lhes beijos com o seu ramalhete de flores artificiais.

Dona Isabel chorava como criança, abraçando as amigas, uma por uma.

– Deus lhe ponha virtude! exclamou a Machona. E que lhe dê um bom parto, quando vier a primeira barriga.

A noiva sorria, de olhos baixos. Uma fímbria de desdém toldava-lhe a rosada candura de seus lábios. Encaminhou-se para o portão, cercada pela bênção de toda aquela gente, cujas lágrimas rebentaram afinal, feliz cada um por vê-la feliz e em caminho da posição que lhe competia na sociedade.

– Não! aquela não nascera para isto!... sentenciou o Alexandre, retorcendo o reluzente bigode. Seria lástima se a deixassem ficar aqui!

O velho Libório, cascalhando uma risada decrépita, queixou-se de que o maganão[11] do Costa lhe passara a perna, roubando-lhe a namorada.

Ingrata! Ele que estava disposto a fazer uma asneira!

Neném deu uma corrida até à noiva, na ocasião em que esta chegava à carruagem e, estalando-lhe um beijo na boca, pediu-lhe com empenho que se não esquecesse de mandar-lhe um botão da sua grinalda de flores de laranjeira.

– Diz que é muito bom para quem deseja casar!... e eu tenho tanto medo de ficar solteira!... É todo o meu susto!

❦ XIII ❦

À proporção que alguns locatários abandonavam a estalagem, muitos pretendentes surgiam disputando os cômodos desalugados. Delporto e Pompeo foram varridos pela febre amarela e três outros italianos estiveram em risco de vida. O número dos hóspedes crescia; os casulos subdividiam-se em cubículos do tamanho de sepulturas, e as mulheres iam despejando crianças com uma regularidade de gado procriador. Uma família, composta de mãe viúva e cinco filhas solteiras, das quais destas a mais velha tinha trinta anos e a mais moça quinze, veio ocupar a casa que Dona Isabel esvaziou poucos dias depois do casamento de Pombinha.

Agora, na mesma rua, germinava outro cortiço ali perto, o "Cabeça de Gato". Figurava como seu dono um português que também tinha venda, mas o legítimo proprietário era um abastado conselheiro, homem de gravata lavada[1], a quem não convinha, por decoro social, aparecer em semelhante gênero de especulações. E João Romão, estalando de raiva, viu que aquela nova república da miséria prometia ir adiante e ameaçava fazer-lhe à sua perigosa concorrência. Pôs-se logo em campo, disposto à luta, e começou a perseguir o rival por todos os modos, peitando fiscais e guardas municipais, para que o não deixassem respirar um instante com multas e exigências vexatórias; enquanto pela sorrelfa[2] plantava no espírito dos seus inquilinos um verdadeiro ódio de partido, que os incompatibilizava com a gente do Cabeça de Gato. Aquele que não estivesse disposto a isso ia direitinho para a rua, "que ali se não admitia meias medidas a tal respeito! Ali: ou bem peixe ou bem carne! Nada de embrulho!" É inútil dizer que a parte contrária lançou mão igualmente de todos os meios para guerrear o inimigo, não tardando que entre os moradores das duas estalagens rebentasse uma tremenda rivalidade, dia a dia agravada por pequenas brigas e rezingas, em que as lavadeiras se destacavam sempre com questões de freguesia de roupa. No fim de pouco tempo os dois partidos estavam já perfeitamente determinados; os habitantes do Cabeça de Gato tomaram por alcunha o título do seu cortiço, e os de São Romão, tirando o nome do peixe que a Bertoleza mais vendia à porta da taverna, foram batizados por "Carapicus". Quem se desse com um carapicu não podia entreter a mais ligeira amizade com um cabeça de gato; mudar-se alguém de uma estalagem para ou-

O CORTIÇO ∻ 241

tra era renegar ideias e princípios e ficava apontado a dedo; denunciar a um contrário o que se passava, fosse o que fosse, dentro do círculo oposto, era cometer traição tamanha, que os companheiros a puniam a pau. Um vendedor de peixe, que caiu na asneira de falar a um cabeça de gato a respeito de uma briga entre a Machona e sua filha, a das Dores, foi encontrado quase morto perto do cemitério de São João Batista. Alexandre, esse então não cochilava com os adversários: nas suas partes policiais figurava sempre o nome de um deles pelo menos; mas entre os próprios polícias havia adeptos de um e de outro partido; o urbano que entrava na venda do João Romão tinha escrúpulo de tomar qualquer coisa ao balcão da outra venda. Em meio do pátio do Cabeça de Gato arvorara-se uma bandeira amarela; os carapicus responderam logo levantando um pavilhão vermelho. E as duas cores olhavam-se no ar como um desafio de guerra.

A batalha era inevitável. Questão de tempo!

Firmo, assim que se instaurara a nova estalagem, abandonou o quarto na oficina e meteu-se lá de súcia com o Porfiro, apesar da oposição de Rita, que mais depressa o deixaria a ele do que aos seus velhos camaradas de cortiço. Daí nasceu certa ponta de discórdia entre os dois amantes; as suas entrevistas tornavam-se agora mais raras e mais difíceis. A baiana, por coisa alguma desta vida, poria os pés no Cabeça de Gato e o Firmo achava-se, como nunca, incompatibilizado com os carapicus. Para estar juntos tinham encontros misteriosos num caloji[3] de uma velha miserável da rua de São João Batista, que lhe cedia a cama mediante esmolas. O capoeira fazia questão de ficar no Cabeça de Gato, porque aí se sentia resguardado contra qualquer perseguição que o seu delito motivasse; de resto, Jerônimo não estava morto e, uma vez bem curado, podia vir sobre ele com gana. No Cabeça de Gato, o Firmo conquistara rápidas simpatias e constituíra-se chefe de malta. Era querido e venerado; os companheiros tinham entusiasmo

242 ⌐ ALUÍSIO AZEVEDO

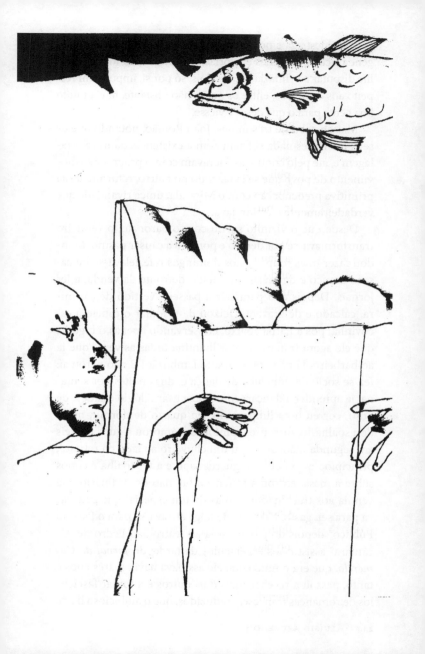

pela sua destreza e pela sua coragem; sabiam-lhe de cor a legenda rica de façanhas e vitórias. O Porfiro secundava-o sem lhe disputar a primazia, e estes dois, só por si, impunham respeito aos carapicus, entre os quais, não obstante, havia muito boa gente para o que desse e viesse.

Mas ao cabo de três meses, João Romão, notando que os seus interesses nada sofriam com a existência da nova estalagem e, até pelo contrário, lucravam com o progressivo movimento de povo que se ia fazendo no bairro, retornou à sua primitiva preocupação com o Miranda, única rivalidade que verdadeiramente o estimulava.

Desde que o vizinho surtiu com o baronato, o vendeiro transformava-se por dentro e por fora a causar pasmo. Mandou fazer boas roupas e aos domingos refestelava-se de casaco branco e de meias, assentado defronte da venda, a ler jornais. Depois deu para sair a passeio, vestido de casimira, calçado e de gravata. Deixou de tosquiar o cabelo à escovinha; pôs a barba abaixo, conservando apenas o bigode, que ele agora tratava com brilhantina todas as vezes que ia ao barbeiro. Já não era o mesmo lambuzão! E não parou aí: fez-se sócio de um clube de dança e, duas noites por semana, ia aprender a dançar; começou a usar relógio e cadeia de ouro; correu uma limpeza no seu quarto de dormir, mandou soalhá-lo, forrou-o e pintou-o; comprou alguns móveis em segunda mão; arranjou um chuveiro ao lado da retrete[4]; principiou a comer com guardanapo e a ter toalha e copos sobre a mesa; entrou a tomar vinho, não do ordinário que vendia aos trabalhadores, mas de um especial que guardava para seu gasto. Nos dias de folga atirava-se para o Passeio Público[5] depois do jantar ou ia ao teatro São Pedro de Alcântara[6] assistir aos espetáculos da tarde; do *Jornal do Comércio*, que era o único que ele assinava havia já três anos e tanto, passou a receber mais dois outros e a tomar fascículos de romances franceses traduzidos, que o ambicioso lia de cabo a rabo, com uma paciência de santo, na doce convicção de que se instruía.

Admitiu mais três caixeiros; já não se prestava muito a servir pessoalmente à negralhada da vizinhança, agora até mal chegava ao balcão. E em breve o seu tipo começou a ser visto com frequência na rua Direita, na praça do comércio e nos bancos, o chapéu alto derreado para a nuca e o guarda-chuva debaixo do braço. Principiava a meter-se em altas especulações, aceitava ações de companhias de títulos ingleses e só emprestava dinheiro com garantias de boas hipotecas.

O Miranda tratava-o já de outro modo, tirava-lhe o chapéu, parava risonho para lhe falar quando se encontravam na rua, e às vezes trocava com ele dois dedos de palestra à porta da venda. Acabou por oferecer-lhe a casa e convidá-lo para o dia de anos da mulher, que era daí a pouco tempo. João Romão agradeceu o obséquio, desfazendo-se em demonstrações de reconhecimento, mas não foi lá.

Bertoleza é que continuava na cepa torta[7], sempre a mesma crioula suja, sempre atrapalhada de serviço, sem domingo nem dia santo; essa, em nada, em nada absolutamente, participava das novas regalias do amigo; pelo contrário, à medida que ele galgava posição social, a desgraçada fazia-se mais e mais escrava e rasteira. João Romão subia e ela ficava cá embaixo, abandonada como uma cavalgadura de que já não precisamos para continuar a viagem. Começou a cair em tristeza.

O velho Botelho chegava-se também para o vendeiro, e ainda mais do que o próprio Miranda. O parasita não saía agora depois do almoço para a sua prosa na charutaria, nem voltava à tarde para o jantar, sem deter-se um instante à porta do vizinho ou, pelo menos, sem lhe gritar lá para dentro: "Então, seu João, isso vai ou não vai?…" E tinha sempre uma frase amigável para lhe atirar cá de fora. Em geral o taverneiro acudia a apertar-lhe a mão, de cara alegre, e propunha-lhe que bebesse alguma coisa.

Sim, João Romão já convidava para beber alguma coisa. Mas não era à toa que o fazia, que aquele mesmo não metia prego sem estopa![8] Tanto assim que uma vez, em que os dois saíram à tardinha para dar um giro até à praia, Botelho, depois de falar com o costumado entusiasmo do seu belo amigo Barão e da virtuosíssima família deste, acrescentou com o olhar fito:

– Aquela pequena é que lhe estava a calhar, seu João!...

– Como? Que pequena?

– Ora morda aqui! Pensa que já não dei pelo namoro?... Maganão!

O vendeiro quis negar, mas o outro atalhou:

– É um bom partido, é! Excelente menina... tem um gênio de pomba... uma educação de princesa: até o francês sabe! Toca piano como você tem ouvido... canta o seu bocado... aprendeu desenho... muito boa mão de agulha!... e...

Abaixou a voz e segredou grosso no ouvido do interlocutor: – Ali, tudo aquilo é sólido!... Prédios e ações do banco!...

– Você tem certeza disso? Já viu?

– Já! Palavra d'honra!

Calaram-se um instante.

Botelho continuou depois:

– O Miranda é bom homem, coitado! tem lá as suas fumaças de grandeza, mas não o podemos criminar... são coisas pegadas da mulher; no entanto acho-o com boas disposições a seu respeito... e, se você souber levá-lo, apanha-lhe a filha...

– Ela talvez não queira...

– Qual o quê! Pois uma menina daquelas, criada a obedecer aos pais, sabe lá o que é não querer? Tenha você uma pessoa, de intimidade com a família, que de dentro empurre o negócio e verá se consegue ou não! Eu, por exemplo!

– Ah! se você se metesse nisso, que dúvida! Dizem que o Miranda só faz o que você quer...

– Dizem com razão.

– E você está resolvido a... ?

– A protegê-lo?... Sim, decerto: neste mundo estamos nós para servir uns aos outros!... apenas, como não sou rico...

– Ah! Isso é dos livros! Arranje-me você o negócio e não se arrependerá...

– Conforme, conforme...

– Creio que não me supõe um velhaco!...

– Pelo amor de Deus! Sou incapaz de semelhante sacrilégio!

– Então!...

– Sim, sim... em todo o caso falaremos depois, com mais vagar... Não é sangria desatada!

E desde então, com efeito, sempre que os dois se pilhavam a sós discutiam o seu plano de ataque à filha do Miranda. Botelho queria vinte contos de réis, e com papel passado a prazo de casamento; o outro oferecia dez.

– Bom! então não temos nada feito... resumiu o velho. Trate você do negócio só por si; mas já lhe vou prevenindo de que não conte comigo absolutamente... Compreende?

– Quer dizer que me fará guerra...

– Valha-me Deus, criatura! não faço guerra a ninguém! guerra está você a fazer-me, que não me quer deixar comer uma migalha da bela fatia que lhe vou meter no papo!... O Miranda hoje tem pra mais de mil contos de réis! Agora, fique sabendo que a coisa não é assim também tão fácil, como lhe parece talvez...

– Paciência!

– O Barão há de sonhar com um genro de certa ordem!... Aí algum deputado... algum homem que faça figura na política aqui da terra!

– Não! melhor seria um príncipe!...

– E mesmo a pequena tem um doutorzinho de boa família; que lhe ronda muito a porta... E ela, ao que parece, não lhe faz má cara...

– Ah! nesse caso é deixá-los lá arranjar a vida!

– É melhor, é! Creio até que com ele será mais fácil qualquer transação...

– Então não falemos mais nisto! Está acabado!

– Pois não falemos!

Mas no dia seguinte voltaram à questão:

– Homem! disse o vendeiro; para decidir, dou-lhe quinze!

– Vinte!

– Vinte, não!

– Por menos não me serve!

– E eu vinte não dou!

– Nem ninguém o obriga... Adeusinho!

– Até mais ver.

Quando se encontraram de novo, João Romão riu-se para o outro, sem dizer palavra. O Botelho, em resposta, fez um gesto de quem não quer intrometer-se com o que não é da sua conta.

– Você é o diabo!... faceteou[9] aquele, dando-lhe no ombro uma palmada amigável. Então não há meio de chegarmos a um acordo?...

– Vinte!

– E, caso esteja eu pelos vinte, posso contar que...?

– Caso o meu nobre amigo se decida pelos vinte, receberá do Barão um chamado para lá ir jantar ao primeiro domingo; aceita o convite, vai, e encontrará o terreno preparado.

– Pois seja lá como você quer! mais vale um gosto do que quatro vinténs!

O Botelho não faltou ao prometido: dias depois do contrato selado e assinado, João Romão recebeu uma carta do vizinho, solicitando-lhe a fineza de ir jantar com ele mais a família.

Ah! que revolução não se feriu no espírito do vendeiro! passou dias a estudar aquela visita; ensaiou o que tinha que dizer, conversando sozinho defronte do espelho do seu lavatório; afinal, no dia marcado, banhou-se em várias águas,

248 ⁙ ALUÍSIO AZEVEDO

areou os dentes até fazê-los bem limpos, perfumou-se todo dos pés à cabeça, escanhoou-se com esmero, aparou e bruniu as unhas, vestiu-se de roupa nova em folha, e às quatro e meia da tarde apresentou-se, risonho e cheio de timidez, no espelhado e pretensioso salão de S. Ex.ª

Aos primeiros passos que dera sobre o tapete, onde seus grandes pés, afeitos por toda vida à independência do chinelo e do tamanco, se destacavam como um par de tartarugas, sentiu logo o suor dos grandes apuros inundar-lhe o corpo e correr-lhe em bagada pela fronte e pelo pescoço, nem que se o desgraçado acabasse de vencer naquele instante uma légua de carreira ao sol. As suas mãos, vermelhas e redondas, gotejavam, e ele não sabia o que fazer delas, depois que o Barão, muito solícito, lhe tomou o chapéu e o guarda-chuva.

Arrependia-se já de ter lá ido.

– Fique a gosto, homem! bradou-lhe o dono da casa. Se tem calor venha antes aqui para a janela. Não faça cerimônia! Ó Leonor! traz' o vermute! Ou o amigo prefere tomar um copinho de cerveja?

João Romão aceitava tudo, com sorrisos de acanhamento, sem ânimo de arriscar palavra. A cerveja fê-lo suar ainda mais e, quando apareceram na sala Dona Estela e a filha, o pobre-diabo chegava a causar dó de tão atrapalhado que se via. Por duas vezes escorregou, e numa delas foi apoiar-se a uma cadeira que tinha rodízios; a cadeira afastou-se e ele quase vai ao chão.

Zulmira riu-se, mas disfarçou logo a sua hilaridade pondo-se a conversar com a mãe em voz baixa. Agora, refeita nos seus dezessete anos, não parecia tão anêmica e deslavada; vieram-lhe os seios e engrossara-lhe o quadril. Estava melhor assim. Dona Estela, coitada! é que se precipitava, a passos de granadeiro[10], para a velhice, a despeito da resistência com que se rendia; tinha já dois dentes postiços, pintava o cabelo, e dos cantos da boca duas rugas serpenteavam-lhe pelo queixo abaixo, desfazendo-lhe a primitiva graça maliciosa dos lábios; ainda assim, porém, conservava o pescoço branco, liso e grosso, e os seus braços não desmereciam dos antigos créditos.

À mesa, a visita comeu tão pouco e tão pouco bebeu, que os donos da casa a censuraram jovialmente, fingindo aceitar o fato como prova segura de que o jantar não prestava; o obsequiado pedia por amor de Deus que não acreditassem em tal e jurava sob palavra de honra que se sentia satisfeito e que nunca outra comida lhe soubera tão bem. Botelho lá estava, ao lado de um velhote fazendeiro, que por essa ocasião hospedava-se com o Miranda. Henrique, aprovado no seu primeiro ano de medicina, fora visitar a família em Minas. Isaura e Leonor serviam aos comensais, rindo ambas à socapa por verem ali o João da venda engravatado e com piegas[11] de visita.

Depois do jantar apareceu uma família conhecida, trazendo um rancho[12] de moças; vieram também alguns rapazes; formaram-se jogos de prendas, e João Romão, pela primeira vez em sua vida, viu-se metido em tais funduras. Não se saiu mal todavia.

O chá das dez e meia correu sem novidade; e, quando enfim o neófito[13] se pilhou na rua, respirou com independência, remexendo o pescoço dentro do colarinho engomado e soprando com alívio. Uma alegria de vitória transbordava-lhe do coração e fazia-o feliz nesse momento. Bebeu o ar fresco da noite com uma volúpia nova para ele e, muito satisfeito consigo mesmo, entrou em casa e recolheu-se, rejubilando com a ideia de que ia descalçar aquelas botas, desfazer-se de toda aquela roupa e atirar-se à cama, para pensar mais à vontade no seu futuro, cujos horizontes se rasgavam agora iluminados de esperança.

Mas a bolha do seu desvanecimento engelhou logo à vista de Bertoleza que, estendida na cama, roncava, de papo para o ar, com a boca aberta, a camisa soerguida sobre o ventre, deixando ver o negrume das pernas gordas e lustrosas.

E tinha de estirar-se ali, ao lado daquela preta fedorenta a cozinha e bodum[14] de peixe! Pois, tão cheiroso e radiante como se sentia, havia de pôr a cabeça naquele mesmo travesseiro sujo em que se enterrava a hedionda carapinha da crioula?...

– Ai! ai! gemeu o vendeiro, resignando-se.

E despiu-se.

Uma vez deitado, sem ânimo de afastar-se da beira da cama, para não se encostar com a amiga, surgiu-lhe nítida ao espírito a compreensão do estorvo que o diabo daquela negra seria para o seu casamento.

E ele que até aí não pensara nisso!... Ora o demo!

Não pôde dormir; pôs-se a malucar:

Ainda bem que não tinham filhos! Abençoadas drogas que a Bruxa dera à Bertoleza nas duas vezes em que esta se sentiu grávida! Mas, afinal, de que modo se veria livre daquele trambolho? E não se ter lembrado disso há mais tempo!... parecia incrível!

João Romão, com efeito, tão ligado vivera com a crioula e tanto se habituara a vê-la ao seu lado, que, nos seus devaneios de ambição, pensou em tudo, menos nela.

E agora?

E malucou no caso até às duas da madrugada, sem achar furo. Só no dia seguinte, a contemplá-la de cócoras à porta da venda, abrindo e destripando peixe, foi que, por associação de ideias, lhe acudiu esta hipótese:

– E se ela morresse?...

❧ XIV ❧

Iam-se assim os dias, e assim mais de três meses se passaram depois da noite da navalhada. Firmo continuava a encontrar-se com a baiana na rua de São João Batista, mas a mulata já não era a mesma para ele; apresentava-se fria, distraída, às vezes impertinente, puxando questão por dá cá aquela palha.

– Hum! hum! temos mouro na costa![1] rosnava o capadócio com ciúmes. Ora queira Deus que eu me engane!

Nas entrevistas apresentava-se ela agora sempre um pouco depois da hora marcada, e sua primeira frase era para dizer que tinha pressa e não podia demorar-se.

– Estou muito apertada de serviço! acrescentava à réplica do amante. Uma roupa de uma família que embarca amanhã para o norte! Tem de ficar pronta esta noite! Já ontem fiz serão!

– Agora estás sempre apertada de serviço!… resmungava o Firmo.

– E que é preciso puxar por ele, filho! Ponha-me eu a dormir e quero ver do que como e com que pago a casa! Não há de ser com o que levo daqui!

– Or'essa! Tens coragem de dizer que não te dou nada? E quem foi que te deu esse vestido que tens no corpo?!

– Não disse que nunca me desse nada, mas com o que você me dá não pago a casa e não ponho a panela no fogo! Também não lhe estou pedindo coisa alguma! Oh!

Azedavam-se deste modo as suas entrevistas, esfriando as poucas horas que os dois tinham para o amor. Um domingo, Firmo esperou bastante tempo e Rita não apareceu. O quarto era acanhado e sombrio, sem janelas, com um cheiro mau de bafio e umidade. Ele havia levado um embrulho de peixe frito, pão e vinho, para almoçarem juntos. Deu meio-dia e Firmo esperou ainda, passeando na estreiteza da miserável alcova, como uma onça enjaulada, rosnando pragas obscenas; o sobrolho intumescido, os dentes cerrados. "Se aquela safada lhe aparecesse naquele momento, ele seria capaz de torcê-la nas mãos!"

À vista do embrulho da comida estourou-lhe a raiva. Deu um pontapé numa bacia de louça que havia no chão, perto da cama, e soltou um murro na cabeça.

– Diabo!

Depois assentou-se no leito, esperou ainda algum tempo, fungando forte, sacudindo as pernas cruzadas, e afinal saiu, atirando para dentro do quarto uma palavra porca.

Pela rua, durante o caminho, jurava que "aquela caro pagaria a mulata!" Um sôfrego desejo de castigá-la, no mesmo instante, o atraía ao cortiço de São Romão, mas não se sentiu com ânimo de lá ir, e contentou-se em rondar a estalagem. Não conseguiu vê-la; resolveu esperar até à noite para lhe mandar um recado. E vagou aborrecido pelo bairro, arrastando o seu desgosto por aquele domingo sem pagode. Às duas horas da tarde entrou no botequim do Garnisé, uma espelunca, perto da praia, onde ele costumava beber de súcia com o Porfiro. O amigo não estava lá. Firmo atirou-se numa cadeira, pediu um martelo de parati e acendeu um charuto, a pensar. Um mulatinho, morador no Cabeça de Gato, veio assentar-se na mesma mesa e, sem rodeios, deu-lhe a notícia de que na véspera o Jerônimo tivera alta no hospital.

Firmo acordou com um sobressalto.

– O Jerônimo?!

– Apresentou-se hoje pela manhã na estalagem.

– Como soubeste?

– Disse-me o Pataca.

– Ora aí está o que é! exclamou o capoeira, soltando um murro na mesa.

– Que é o quê? interrogou o outro.

– Nada! É cá comigo. Toma alguma coisa?

Veio novo copo, e Firmo resmungou no fim de uma pausa:

– É! não há dúvida! Por isto é que a perua ultimamente me anda de vento mudado!…

E um ciúme doido, um desespero feroz rebentou-lhe por dentro e cresceu logo como a sede de um ferido. "Oh! precisava vingar-se dela! dela e dele! O amaldiçoado resistiu à primeira, mas não lhe escaparia da segunda!"

– Veja mais um martelo de parati! gritou para o portugue-sinho da espelunca. E acrescentou, batendo com toda a for-ça o seu petrópolis no chão: – E não passa de hoje mesmo!

Com o chapéu à ré[2], a gaforina mais assanhada que de costume, os olhos vermelhos, a boca espumando pelos can-tos, todo ele respirava uma febre de vingança e de ódio.

– Olha! disse ao companheiro de mesa. Disto, nem pio lá com os carapicus! Se abrires o bico dou-te cabo da pele! Já me conheces!

– Tenho nada que falar! Pra quê?

– Bom!

E ficaram ainda a beber.

Jerônimo, com efeito, tivera alta e tornara aquele domin-go ao cortiço, pela primeira vez depois da doença. Vinha ma-gro, pálido, desfigurado, apoiando-se a um pedaço de bambu. Crescera-lhe a barba e o cabelo, que ele não queria cortar sem ter cumprido certo juramento feito aos seus brios. A mulher fora buscá-lo ao hospital e caminhava ao seu lado, igualmente abatida com a moléstia do marido e com as causas que a de-terminaram. Os companheiros receberam-no compungidos, tomados de uma tristeza respeitosa; um silêncio fez-se em tor-no do convalescente; ninguém falava senão a meia-voz; a Rita Baiana tinha os olhos arrasados d'água.

Piedade levou o seu homem para o quarto.

– Queres tomar um caldinho? perguntou-lhe. Creio que ainda não estás de todo pronto…

– Estou! contrapôs ele. Diz o doutor que preciso é de an-dar, para ir chamando força às pernas. Também estive tanto tempo preso à cama! Só de uma semana pra cá é que encos-tei os pés no chão!

Deu alguns passos na sua pequena sala e disse depois, tor-nando junto da mulher: – O que me saberia bem agora era uma xicrinha de café, mas queria-o bom como o faz a Rita… Olha! pede-lhe que o arranje.

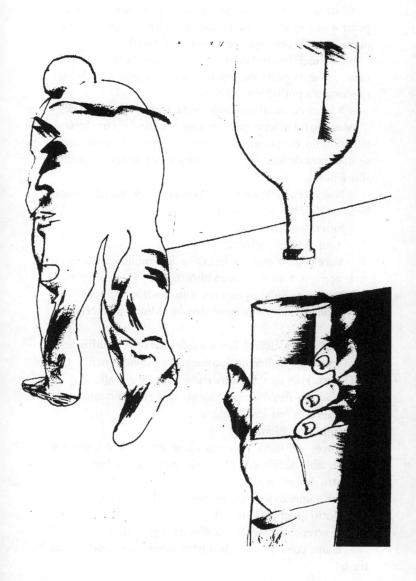

Piedade soltou um suspiro e saiu vagarosamente, para ir pedir o obséquio à mulata. Aquela preferência pelo café da outra doía-lhe duro que nem uma infidelidade.

– Lá o meu homem quer do seu café e torce o nariz ao de casa… Manda pedir-lhe que lhe faça uma xícara. Pode ser? perguntou a portuguesa à baiana.

– Não custa nada! respondeu esta. Com poucas está lá!

Mas não foi preciso que o levasse, porque daí a um instante, Jerônimo, com o seu ar tranquilo e passivo de quem ainda se não refez de todo depois de uma longa moléstia, surgiu-lhe à porta.

– Não vale a pena estorvar-se em lá ir… Se me dá licença, bebo o cafezinho aqui mesmo…

– Entra, seu Jerônimo.

– Aqui ele sabe melhor…

– Você pega já com partes! Olha, sua mulher anda de pé atrás comigo! E eu não quero histórias!…

Jerônimo sacudiu os ombros com desdém.

– Coitada!… resmungou depois. Muito boa criatura, mas…

– Cala a boca, diabo! Toma o café e deixa de maldizência! É mesmo vício de Portugal: comendo e dizendo mal!

O português sorveu com delícia um gole de café.

– Não digo mal, mas confesso que não encontro nela umas tantas coisas que desejava…

E chupou os bigodes.

– Vocês são tudo a mesma súcia! Bem tola é quem vai atrás de lábia de homem! Eu cá não quero mais saber disso… Ao outro despachei já!

O cavouqueiro teve um tremor de todo o corpo.

– Outro quem?! O Firmo?

Rita arrependeu-se do que dissera, e gaguejou:

– É um coisa-ruim! Não quero saber mais dele!… Um traste!

– Ele ainda vem cá? perguntou o cavouqueiro.

– Aqui? Qual! Nessa não caio! E se vier não lhe abro a porta! Ah! quando embirro com uma pessoa é que embirro mesmo!

– Isso é verdade, Rita?

– Quê? Que não quero saber mais dele? Esta que aqui está nunca mais fará vida com semelhante cábula![3] Juro por esta luz!

– Ele fez-lhe alguma?

– Não sei! não quero! acabou-se!

– É que então você tem outro agora…

– Que esperança! Não tenho, nem quero mais ter homem!

– Por quê, Rita?

– Ora! não paga a pena!

– E… se você encontrasse um… que a quisesse deveras… para sempre?…

– Não é com essas!…

– Pois sei de um que a quer como Deus aos seus!…

– Pois diga-lhe que siga outro ofício!

Ela se chegou para recolher a xícara, e ele apalpou-lhe a cintura.

– Olha! Escuta!

Rita fugiu com uma rabanada, e disse rápido, muito a sério:

– Deixa disso. Pode tua mulher ver!

– Vem cá!

– Logo.

– Quando?

– Logo mais.

– Onde?

– Não sei.

– Preciso muito te falar…

– Pois sim, mas aqui fica feio.

– Onde nos encontramos então?

– Sei cá!

O CORTIÇO ❧ 257

E, vendo que Piedade entrava, ela disfarçou, dizendo sem transição:

– Os banhos frios é que são bons para isso. Põem duro o corpo!

A outra, embesourada, atravessou em silêncio a pequena sala, foi ter com o marido e comunicou-lhe que o Zé Carlos queria falar-lhe, junto com o Pataca.

– Ah! fez Jerônimo. Já sei o que é. Até logo, nhá Rita. Obrigado. Quando quiser qualquer coisa de nós, lá estamos.

Ao sair no pátio aqueles dois vieram ao seu encontro. O cavouqueiro levou-os para a casa, onde a mulher havia posto já a mesa do almoço, e com um sinal preveniu-os de que não falassem por enquanto sobre o assunto que os trouxera ali. Jerônimo comeu às pressas e convidou as visitas a darem um giro lá fora.

Na rua, perguntou-lhes em tom misterioso:

– Onde poderemos falar à vontade?

O Pataca lembrou a venda do Manuel Pepé, defronte do cemitério.

– Bem achado! confirmou Zé Carlos. Há lá bons fundos para se conversar.

E os três puseram-se a caminho, sem trocar mais palavras até à esquina.

– Então está de pé o que dissemos?... indagou afinal aquele último.

– De pedra e cal! respondeu o cavouqueiro.

– E o que é que se faz?

– Ainda não sei... Preciso antes de tudo saber onde o cabra é encontrado à noite.

– No Garnisé, afirmou o Pataca.

– Garnisé?

– Aquele botequim ali ao entrar da rua da Passagem, onde está um galo à tabuleta.

– Ah! Defronte da farmácia nova...

– Justo! Ele vai lá agora todas as noites, e lá esteve ontem, que o vi, por sinal que num gole...

– Muito bêbedo, hein?

– Como um gambá! Aquilo foi alguma, que a Rita Baiana lhe pregou de fresco!

Tinham chegado à venda. Entraram pelos fundos e assentaram-se sobre caixas de sabão vazias, em volta de uma mesa de pinho. Pediram parati com açúcar.

– Onde é que eles se encontravam?... informou-se Jerônimo, afetando que fazia esta pergunta sem interesse especial. Lá mesmo no São Romão?...

– Quem? A Rita mais ele? Ora o quê! Pois se ele agora é todo cabeça de gato!...

– Ela ia lá?

– Duvido! Então logo aquela! Aquela é carapicu até o sabugo das unhas!

– Nem sei como ainda não romperam! interveio Zé Carlos, que continuou a falar a respeito da mulata, enquanto Jerônimo o escutava abstrato, sem tirar os olhos de um ponto. O Pataca, como se acompanhasse o pensamento do cavouqueiro, disse-lhe emborcando o resto do copo:

– Talvez o melhor fosse liquidar a coisa hoje mesmo!...

– Ainda estou muito fraco... observou lastimoso o convalescente.

– Mas o teu pau está forte! E além disso cá estamos nós dois. Tu podes até ficar em casa, se quiseres...

– Isso é que não! atalhou aquele. Não dou o meu quinhão pelos dentes da boca!

– Eu cá também vou que o melhor seria pespegar-lhe hoje mesmo a sova... declarou o outro. Pão de um dia pra outro fica duro!

– E eu estou-lhe com uma gana!... acrescentou o Pataca.

– Pois seja hoje mesmo! resolveu Jerônimo. E o dinheiro lá está em casa, quarenta pra cada um! Em seguida à mela[4]

O CORTIÇO ~ 259

corre logo o cobre! E ao depois vai a gente tomar uma farta-
dela de vinho fino!

– A que horas nos juntamos? perguntou Zé Carlos.

– Logo ao cair da noite, aqui mesmo. Está dito?

– E será feito, se Deus quiser!

O Pataca acendeu o cachimbo, e os três puseram-se a cavaquear[5] animadamente sobre o efeito que aquela sova havia
de produzir; a cara que o cabra faria entre três bons cacetes.
"Então é que queriam ver até onde ia a impostura da navalha! Diabo de um calhordas que, por um – vai tu, irei eu –
arrancava logo pelo ferro!..."

Dois trabalhadores, em camisa de meia, entraram na tasca[6] e o grupo calou-se. Jerônimo fogueou um cigarro no
cachimbo do Pataca e despediu-se, relembrando aos companheiros a hora da entrevista e atirando sobre a mesa um níquel de duzentos réis.

Foi direito para o cortiço.

– Fazes mal em andar por aí com este sol!... repreendeu
Piedade, ao vê-lo entrar.

– Pois se o doutor me disse que andasse quanto pudesse...

Mas recolheu-se à casa, estirou-se na cama e ferrou logo
no sono. A mulher, que o acompanhara até lá, assim que o
viu dormindo, enxotou as moscas de junto dele, cobriu-lhe
a cara com uma cambraia que servia para os tabuleiros de
roupa engomada, e saiu na ponta dos pés, deixando a porta encostada.

Jantaram daí a duas horas. Jerônimo comeu com apetite,
bebeu uma garrafa de vinho, e a tarde passaram-na os dois
de palestra, assentados à frente de casa, formando grupo
com a Rita e a gente da Machona. Em torno deles a liberdade feliz do domingo punha alegrias naquela tarde. Mulheres
amamentavam o filhinho ali mesmo, ao ar livre, mostrando
a uberdade das tetas cheias. Havia muito riso, muito paro-
lar de papagaios; pequenos travessavam, tão depressa rin-

do como chorando; os italianos faziam a ruidosa digestão dos seus jantares de festa; ouviam-se cantigas e pragas entre gargalhadas. A Augusta, que estava grávida de sete meses, passeava solenemente o seu bandulho[7], levando um outro filho ao colo. O Albino, instalado defronte de uma mesinha em frente à sua porta, fazia, à força de paciência, um quadro, composto de figurinhas de caixa de fósforos, recortadas a tesoura e grudadas em papelão com goma-arábica. E lá em cima, numa das janelas do Miranda, João Romão, vestido de casimira clara, uma gravata à moda, já familiarizado com a roupa e com a gente fina, conversava com Zulmira que, ao lado dele, sorrindo de olhos baixos, atirava migalhas de pão para as galinhas do cortiço; ao passo que o vendeiro lançava para baixo olhares de desprezo sobre aquela gentalha sensual, que o enriquecera, e que continuava a mourejar estupidamente, de sol a sol, sem outro ideal senão comer, dormir e procriar.

Ao cair da noite, Jerônimo foi, como ficara combinado, à venda do Pepé. Os outros dois já lá estavam. Infelizmente, havia mais alguém na tasca. Tomaram juntos, pelo mesmo copo, um martelo de parati e conversaram em voz surda, numa conspiração sombria em que as suas barbas roçavam umas com as outras.

– Os paus onde estão?... perguntou o cavouqueiro.

– Ali, junto às pipas... segredou o Pataca, apontando com disfarce para uma esteira velha enrolada. Preparei-os ainda há pouco... Não os quis muito grandes... Deste tamanho.

E abriu a mão contra a terra no lugar do peito. – Estiveram de molho até agora... acrescentou, piscando o olho.

– Bom! aprovou Jerônimo, esgotando o copo com um último gole. Agora onde vamos nós? Parece-me ainda cedo para o Garnisé.

– Ainda! confirmou o Pataca. Deixemo-nos ficar por aqui mais um pouco e ao depois então seguiremos. Eu entro no botequim e vocês me esperam fora no lugar que marcarmos... Se o cabra não estiver lá, volto logo a dizer-lhes, e, caso esteja, fico... chego-me para ele, procuro entrar em conversa, puxo discussão e afinal desafio-o pra rua; ele cai na esparrela, e então vocês dois surgem e metem-se na dança, como quem não quer a coisa! Que acham?

– Perfeito! aplaudiu Jerônimo, e gritou para dentro: – Olha mais um martelo de parati!

Em seguida enterrou a mão no bolso da calça e sacou um rolo grosso de notas.

– Podem enxugar à vontade! disse. Aqui ainda há muito com quê!

E, ordenando as notas, separou oitenta mil-réis, em cédulas de vinte.

– Isto é o do ajuste! Este é sagrado! acrescentou, guardando-as na algibeira do lado esquerdo.

Depois separou ainda vinte mil-réis, que atirou sobre a mesa.

– Esse aí é para festejarmos a nossa vitória!

E fazendo do resto do seu dinheiro um bolo, que ele, um pouco ébrio, apertava nos dedos, agora claros e quase descalejados, socou-o na algibeira do lado direito explicando entre dentes que ali ficava ainda bastante para o que desse e viesse, no caso de algum contratempo.

– Bravo! exclamou Zé Carlos. Isto é o que se chama fazer as coisas à fidalga! Haja contar comigo pra vida e pra morte!

O Pataca entendia que podiam tomar agora um pouco de cerveja.

– Cá por mim não quero, mas bebam-na vocês, acudiu Jerônimo.

– Preferia um trago de vinho branco, contraveio o terceiro.

– Tudo o que quiserem! franqueou aquele. Eu tomo também um pouco de vinho. Não! que o que estamos a beber não é dinheiro de navalhista, foi ganho ao sol e à chuva com o suor do meu rosto! É entornar pra baixo sem caretas, que este não pesa na consciência de ninguém!

– Então, à sua! brindou Zé Carlos, logo que veio o novo reforço. Pra que não torne você a dar que fazer à má casta dos boticários!

– À sua, mestre Jerônimo! concorreu o outro.

Jerônimo agradeceu e disse, depois de mandar encher os copos:

– Aos amigos e patrícios com quem me achei para o meu desforço![8]

E bebeu.

– À da S'ora Piedade de Jesus! reclamou o Pataca.

– Obrigado! respondeu o cavouqueiro, erguendo-se. Bem! Não nos deixemos agora ficar aqui toda a noite; mãos à obra! São quase oito horas.

Os outros dois esvaziaram de um trago o que ainda havia no fundo dos copos e levantaram-se também.

– É muito cedo ainda... obtemperou[9] Zé Carlos, cuspindo de esguelha e limpando o bigode nas costas da mão.

– Mas talvez tenhamos alguma demora pelo caminho, advertiu o companheiro, indo buscar junto às pipas o embrulho dos cacetes.

– Em todo o caso vamos seguindo, resolveu Jerônimo, impaciente, nem se temesse que a noite lhe fugisse de súbito.

Pagou a despesa, e os três saíram, não cambaleando, mas como que empurrados por um vento forte, que os fazia de vez em quando dar para a frente alguns passos mais rápidos. Seguiram pela rua de Sorocaba e tomaram depois a direção da praia, conversando em voz baixa, muito excitados. Só pararam perto do Garnisé.

– Vais tu então, não é? perguntou o cavouqueiro ao Pataca.

Este respondeu entregando-lhe o embrulho dos paus e afastando-se de mãos nas algibeiras, a olhar para os pés, fingindo-se mais bêbedo do que realmente estava.

❧ XV ❧

O Garnisé tinha bastante gente essa noite. Em volta de umas doze mesinhas toscas, de pau, com uma coberta de folha de Flandres pintada de branco fingindo mármore, viam-se grupos de três e quatro homens, quase todos em mangas de camisa, fumando e bebendo no meio de grande algazarra. Fazia-se largo consumo de cerveja nacional, vinho virgem, parati e laranjinha. No chão coberto de areia havia cascas de queijo de Minas, restos de iscas de fígado, espinhas de peixe, dando ideia de que ali não só se enxugava[1] como também se comia. Com efeito, mais para dentro, num engordurado bufete, junto ao balcão e entre as prateleiras de garrafas cheias e arrolhadas, estava um travessão de assado com batatas, um osso de presunto e vários pratos de sardinhas fritas. Dois candeeiros de querosene fumeavam, encarvoando o teto. E de uma porta ao fundo, que escondia o interior da casa com uma cortina de chita vermelha, vinha de vez em quando uma baforada de vozes roucas, que parecia morrer em caminho, vencida por aquela densa atmosfera cor de opala.

O Pataca estacou à entrada, afetando grande bebedeira e procurando com disfarce, em todos os grupos, ver se descobria o Firmo. Não o conseguiu; mas alguém, em certa mesa, lhe chamara a atenção, porque ele se dirigiu para lá. Era uma mulatinha magra, malvestida, acompanhada por uma velha quase cega e mais um homem, inteiramente calvo, que sofria de asma e, de quando em quando, abalava a mesa com um frouxo de tosse, fazendo dançar os copos.

O Pataca bateu no ombro da rapariga.

– Como vais tu, Florinda?

Ela olhou para ele, rindo; disse que ia bem, e perguntou-lhe como passava.

– Rola-se, filha. Tu que fim levaste? Há um par de quinze dias que te não vejo!

– É mesmo. Desde que estou com seu Bento não tenho saído quase.

– Ah! disse o Pataca, estás amigada? Bom!...

– Sempre estive!

E ela então, muito expansiva com a sua folga daquele domingo e com o seu bocado de cerveja, contou que, no dia em que fugiu da estalagem, ficou na rua e dormiu numas obras de uma casa em construção na Travessa da Passagem, e que no seguinte, oferecendo-se de porta em porta, para alugar-se de criada ou de ama-seca, encontrou um velho solteiro e agimbado[2] que a tomou ao seu serviço e meteu-se com ela.

– Bom! muito bom! anuiu Pataca.

Mas o diabo do velho era um safado; dava-lhe muita coisa, dinheiro até, trazia-a sempre limpa e de barriga cheia; sim senhor! mas queria que ela se prestasse a tudo! Brigaram. E, como o vendeiro da esquina estava sempre a chamá-la para casa, um belo dia arribou, levando o que apanhara ao velho.

– Estás então agora com o da venda?

Não! O tratante, a pretexto de que desconfiava dela com o Bento marceneiro, pô-la na rua, chamando a si o que a pobre de Cristo trouxera da casa do outro e deixando-a só com a roupa do corpo e ainda por cima doente por causa de um aborto que tivera logo que se metera com semelhante peste. O Bento tomara-a então à sua conta, e ela, graças a Deus, por enquanto não tinha razões de queixa.

O Pataca olhou em torno de si com o ar de quem procura alguém, e Florinda, supondo que se tratava do seu homem, acrescentou:

O CORTIÇO ∽ 265

– Não está cá, está lá dentro. Ele, quando joga, não gosta que eu fique perto; diz que encabula.

– E tua mãe?

– Coitada! foi pro hospício...

E passou logo a falar a respeito da velha Marciana; o Pataca, porém, já lhe não prestava atenção, porque nesse momento acabava de abrir-se a cortina vermelha, e Firmo surgia muito ébrio, a dar bordos[3], contando, sem conseguir, uma massagada de dinheiro, em notas pequenas, que ele afinal entrouxou num bolo e recolheu na algibeira das calças.

– Ó Porfiro! não vens? gritou lá para dentro, arrastando a voz.

E, depois de esperar inutilmente pela resposta, fez alguns passos na sala.

O Pataca deu à Florinda um "até logo" rápido e, fingindo-se de novo muito bêbedo, encaminhou-se na direção em que vinha o mulato.

Esbarraram-se.

– Oh! Oh! exclamou o Pataca. Desculpe!

Firmo levantou a cabeça e encarou-o com arrogância; mas desfranziu o rosto logo que o reconheceu.

– Ah! és tu, seu galego? Como vai isso? A ladroeira corre?

– Ladroeira tinha a avó na cuia! Anda a tomar alguma coisa. Queres?

– Que há de ser?

– Cerveja. Vai?

– Vá lá.

Chegaram-se para o balcão.

– Uma Guarda Velha[4], ó pequeno! gritou o Pataca.

Firmo puxou logo dinheiro para pagar.

– Deixa! disse o outro. A lembrança foi minha!

Mas, como Firmo insistisse, consentiu-lhe que fizesse a despesa.

266 ⤙ ALUÍSIO AZEVEDO

E os níqueis do troco rolaram no chão, fugindo por entre os dedos do mulato, que os tinha duros na tensão muscular da sua embriaguez.

– Que horas são? perguntou Pataca, olhando quase de olhos fechados o relógio da parede. Oito e meia. Vamos a outra garrafa, mas agora pago eu!

Beberam de novo, e o coadjutor de Jerônimo observou depois: – Você hoje ferrou-a deveras! Estás que te não podes lamber!

– Desgostos... resmungou o capoeira, sem conseguir lançar da boca a saliva que se lhe grudava à língua.

– Limpa o queixo que estás cuspido. Desgostos de quê? Negócio de mulher, aposto!

– A Rita não me apareceu hoje, sabes? Não foi, e eu bem calculo por quê!

– Por quê?

– Porque a peste do Jerônimo voltou hoje à estalagem!

– Ahn! Não sabia!... A Rita está então com ele?...

– Não está, nem nunca há de estar, que eu daqui mesmo vou à procura daquele galego ordinário e ferro-lhe a sardinha[5] no pandulho!

– Vieste armado?

Firmo sacou da camisa uma navalha.

– Esconde! não deves mostrar isso aqui! Aquela gente ali da outra mesa já não nos tira os olhos de cima!

– Estou-me ninando pra eles! E que não olhem muito, que lhes dou uma de amostra!

– Entrou um urbano! Passa-me a navalha!

O capadócio fitou o companheiro, estranhando o pedido.

– É que, explicou aquele, se te prenderem não te encontram ferro...

– Prender a quem? a mim? Ora, vai-te catar!

– E ela é boa? Deixa ver!

– Isto não é coisa que se deixe ver!

– Bem sabes que não me entendo com armas de barbeiro!

– Não sei! Esta é que não me sai das unhas, nem para meu pai, que a pedisse!

– É porque não tens confiança em mim!

– Confio nos meus dentes, e esses mesmo me mordem a língua!

– Sabes quem vi ainda há pouco? Não és capaz de adivinhar!...

– Quem?

– A Rita.

– Onde?

– Ali na praia da Saudade.

– Com quem?

– Com um tipo que não conheço...

Firmo levantou-se de improviso e cambaleou para o lado da saída.

– Espera! rosnou o outro, detendo-o. Se queres vou contigo; mas é preciso ir com jeito, porque, se ela nos bispa, foge!

O mulato não fez caso desta observação e saiu a esbarrar-se por todas as mesas. Pataca alcançou-o já na rua e passou-lhe o braço na cintura, amigavelmente.

– Vamos devagar... disse; senão o pássaro se arisca!

A praia estava deserta. Caía um chuvisco. Ventos frios sopravam do mar. O céu era um fundo negro, de uma só tinta; do lado oposto da baía os lampiões pareciam surgir d'água, como algas de fogo, mergulhando bem fundo as suas trêmulas raízes luminosas.

– Onde está ela? perguntou o Firmo, sem se aguentar nas pernas.

– Ali mais adiante, perto da pedreira. Caminha, que hás de ver!

E continuaram a andar para as bandas do hospício. Mas dois vultos surdiram[6] da treva; o Pataca reconheceu-os e abraçou-se de improviso ao mulato.

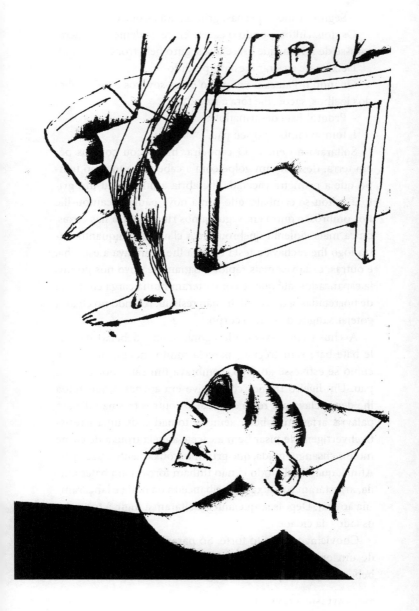

– Segurem-lhe as pernas! gritou para os outros.

Os dois vultos, pondo o cacete entre os dentes, apodera-ram-se de Firmo, que bracejava seguro pelo tronco.

Deixara-se agarrar – estava perdido.

Quando o Pataca o viu preso pelos sovacos e pela dobra dos joelhos, sacou-lhe fora a navalha.

– Pronto! Está desarmado!

E tomou também o seu pau.

Soltaram-no então. O capoeira, mal tocou com os pés em terra, desferiu um golpe com a cabeça, ao mesmo tempo que a primeira cacetada lhe abria a nuca. Deu um grito e voltou-se cambaleando. Uma nova paulada cantou-lhe nos ombros, e outra em seguida nos rins, e outra nas coxas, outra mais violenta quebrou-lhe a clavícula, enquanto outra logo lhe rachava a testa e outra lhe apanhava a espinha, e outras, cada vez mais rápidas, batiam de novo nos pontos já espancados, até que se converteram numa carga contínua de porretadas, a que o infeliz não resistiu, rolando no chão, a gotejar sangue de todo o corpo.

A chuva engrossava. Ele agora, assim, debaixo daquele bate-bate sem tréguas, parecia muito menor, minguava como se estivesse ao fogo. Lembrava um rato morrendo a pau. Um ligeiro tremor convulsivo era apenas o que ainda lhe denunciava um resto de vida. Os outros três não diziam palavra, arfavam, a bater sempre, tomados de uma irresistível vertigem de pisar bem a cacete aquela trouxa de carne mole e ensanguentada, que grunhia frouxamente a seus pés. Afinal, quando de todo já não tinham forças para bater ainda, arrastaram a trouxa até a ribanceira da praia e lançaram-na ao mar. Depois, arquejantes, deitaram a fugir, à toa, para os lados da cidade.

Chovia agora muito forte. Só pararam no Catete, ao pé de um quiosque; estavam encharcados; pediram parati e beberam como quem bebe água. Passava já de onze horas. Desceram pela praia da Lapa; ao chegarem debaixo de um lampião, Jerônimo parou, suando apesar do aguaceiro que caía.

– Aqui têm vocês, disse, tirando do bolso as quatro notas de vinte mil-réis. Duas para cada um! E agora vamos tomar qualquer coisa quente em lugar seco.

– Ali há um botequim, indicou o Pataca, apontando a rua da Glória.

Subiram por uma das escadinhas que ligam essa rua à praia, e daí a pouco instalavam-se em volta de uma mesa de ferro. Pediram de comer e de beber e puseram-se a conversar em voz soturna, muito cansados.

A uma hora da madrugada o dono do café pô-los fora. Felizmente chovia menos. Os três tomaram de novo a direção de Botafogo; em caminho Jerônimo perguntou ao Pataca se ainda tinha consigo a navalha do Firmo e pediu-lha, ao que o companheiro cedeu sem objeção.

– É para conservar uma lembrança daquele bisbórria![7] explicou o cavouqueiro, guardando a arma.

Separaram-se defronte da estalagem. Jerônimo entrou sem ruído; foi até à casa, espiou pelo buraco da fechadura: havia luz no quarto de dormir; compreendeu que a mulher estava à sua espera, acordada talvez; pensou sentir, vindo lá de dentro, o bodum azedo que ela punha de si, fez uma careta de nojo e encaminhou-se resolutamente para a casa da mulata, em cuja porta bateu devagarinho.

Rita, essa noite, recolhera-se aflita e assustada. Deixara de ir ter com o amante e mais tarde admirava-se como fizera semelhante imprudência; como tivera coragem de pôr em prática, justamente no momento mais perigoso, uma coisa que ela, até aí, não se sentira com ânimo de praticar. No íntimo respeitava o capoeira; tinha-lhe medo. Amara-o a princípio por afinidade de temperamento, pela irresistível conexão do instinto luxurioso e canalha que predominava em ambos, de-

O CORTIÇO ∻ 271

pois continuou a estar com ele por hábito, por uma espécie de vício que amaldiçoamos sem poder largá-lo; mas desde que Jerônimo propendeu para ela, fascinando-a com a sua tranquila seriedade de animal bom e forte, o sangue da mestiça reclamou os seus direitos de apuração[8], e Rita preferiu no europeu o macho de raça superior. O cavouqueiro, pelo seu lado, cedendo às imposições mesológicas, enfarava a esposa, sua congênere, e queria a mulata, porque a mulata era o prazer, era a volúpia, era o fruto dourado e acre destes sertões americanos, onde a alma de Jerônimo aprendeu lascívias de macaco e onde seu corpo porejou o cheiro sensual dos bodes.

Amavam-se brutalmente, e ambos sabiam disso. Esse amor irracional e empírico carregara-se muito mais, de parte a parte, com o trágico incidente da luta, em que o português fora vítima. Jerônimo aureolou-se aos olhos dela com uma simpatia de mártir sacrificado à mulher que ama; cresceu com aquela navalhada; iluminou-se com o seu próprio sangue derramado; e, depois, a ausência no hospital veio a completar a cristalização do seu prestígio, como se o cavouqueiro houvera baixado a uma sepultura, arrastando atrás de si a saudade dos que o choravam.

Entretanto, o mesmo fenômeno se operava no espírito de Jerônimo com relação à Rita: arriscar espontaneamente a vida por alguém é aceitar um compromisso de ternura, em que empenhamos alma e coração; a mulher por quem fazemos tamanho sacrifício, seja ela quem for, assume de um só voo em nossa fantasia as proporções de um ideal. O desterrado, à primeira troca de olhares com a baiana, amou-a logo, porque sentiu nela o resumo de todos os quentes mistérios que os enlearam voluptuosamente nestas terras da luxúria; amou-a muito mais quando teve ocasião de jogar a existência por esse amor, e amou-a loucamente durante a triste e dolorosa solidão da enfermaria, em que os seus gemidos e suspiros eram todos para ela.

A mulata bem que o compreendeu, mas não teve ânimo de confessar-lhe que também morria de amores por ele; receou prejudicá-lo. Agora, com aquela loucura de faltar à entrevista justamente no dia em que Jerônimo voltava à estalagem, a situação parecia-lhe muito melindrosa. Firmo, desesperado com a ausência dela, embebedava-se naturalmente e vinha ao cortiço provocar o cavouqueiro; a briga rebentaria de novo, fatal para um dos dois, se é que não seria para ambos. Do que ela sentira pelo navalhista persistia agora apenas o medo, não como ele era dantes, indeterminado e frouxo, mas ao contrário, sobressaltado, nervoso, cheio de apreensões que a punham aflita. Firmo já lhe não aparecia no espírito como um amante ciumento e perigoso, mas como um simples facínora, armado de uma velha navalha desleal e homicida. O seu medo transformava-se em uma mistura de asco e terror. E, sem achar sossego na cama, deixava-se atordoar pelos seus pressentimentos, quando ouviu bater na porta.

– É ele! disse, com o coração a saltar.

E via já defronte de si o Firmo, bêbedo, a reclamar o Jerônimo aos berros, para esfaqueá-lo ali mesmo. Não respondeu ao primeiro chamado; ficou escutando.

Depois de uma pausa bateram de novo.

Ela estranhou o modo pelo qual batiam. Não era natural que o facínora procedesse com tanta prudência. Ergueu-se, foi à janela, abriu uma das folhas e espreitou pelas rótulas[9].

– Quem está aí?… perguntou a meia-voz.

– Sou eu… disse Jerônimo, chegando-se.

Reconheceu-o logo e correu a abrir.

– Como?! É você, Jeromo?

– Chit! fez ele, pondo o dedo na boca. Fala baixo.

Rita começou a tremer: no olhar do português, nas suas mãos encardidas de sangue, no seu todo de homem ébrio, encharcado e sujo, havia uma terrível expressão de crime.

– Donde vens tu?… segredou ela.

– De cuidar da nossa vida... Aí tens a navalha com que fui ferido!

E atirou-lhe sobre a mesa a navalha de Firmo, que a mulata conhecia como as palmas da mão.

– E ele?

– Está morto.

– Quem o matou?

– Eu.

Calaram-se ambos.

– Agora... acrescentou o cavouqueiro, no fim de um silêncio arquejado por ambos; estou disposto a tudo para ficar contigo. Sairemos os dois daqui para onde melhor for... Que dizes tu?

– E tua mulher?...

– Deixo-lhe as minhas economias de muito tempo e continuarei a pagar o colégio à pequena. Sei que não devia abandoná-la, mas podes ter como certo que, ainda que não queiras vir comigo, não ficarei com ela! Não sei! já não a posso suportar! Um homem enfara-se! Felizmente minha caixa de roupa está ainda na Ordem[10] e posso ir buscá-la pela manhã.

– E para onde iremos?

– O que não falta é pr'onde ir! Em qualquer parte estaremos bem. Tenho aqui sobre mim uns quinhentos mil-réis, para as primeiras despesas. Posso ficar cá até às cinco horas; são duas e meia; saio sem ser visto por Piedade; mando-te ao depois dizer o que arranjei, e tu irás ter comigo... Está dito? Queres?

Rita, em resposta, atirou-se ao pescoço dele e pendurou-se-lhe nos lábios, devorando-o de beijos.

Aquele novo sacrifício do português; aquela dedicação extrema que o levava a arremessar para o lado família, dignidade, futuro, tudo, tudo por ela, entusiasmou-a loucamente. Depois dos sobressaltos desse dia e dessa noite, seus nervos estavam afiados e toda ela elétrica.

Ah! não se tinha enganado! aquele homenzarrão hercúleo, de músculos de touro, era capaz de todas as meiguices do carinho.

– Então? insistiu ele.

– Sim, sim, meu cativeiro! respondeu a baiana, falando-lhe na boca; eu quero ir contigo; quero ser a tua mulata, o bem do teu coração! Tu és os meus feitiços!

E apalpando-lhe o corpo: – Mas como estás ensopado! Espera! espera! o que não falta aqui é roupa de homem pra mudar!... Podias ter uma recaída, cruzes! Tira tudo isso que está alagado! Eu vou acender o fogareiro e estende-se em cima o que é casimira, para te poderes vestir às cinco horas. Tira as botas! Olha o chapéu como está! Tudo isto seca! Tudo isto seca! Mira, toma já um gole de parati pr'atalhar a friagem! Depois passa em todo o corpo! Eu vou fazer café!

Jerônimo bebeu um bom trago de parati, mudou de roupa e deitou-se na cama de Rita.

– Vem pra cá... disse, um pouco rouco.

– Espera! espera! O café está quase pronto!

E ela só foi ter com ele, levando-lhe a chávena fumegante da perfumosa bebida que tinha sido a mensageira dos seus amores; assentou-se ao rebordo da cama e, segurando com uma das mãos o pires e com a outra a xícara, ajudava-o a beber, gole por gole, enquanto seus olhos o acarinhavam, cintilantes de impaciência no antegozo daquele primeiro enlace.

Depois, atirou fora a saia e, só de camisa, lançou-se contra o seu amado, num frenesi de desejo doido.

Jerônimo, ao senti-la inteira nos seus braços; ao sentir na sua pele a carne quente daquela brasileira; ao sentir inundar-lhe o rosto e as espáduas, num eflúvio de baunilha e cumaru[11], a onda negra e fria da cabeleira da mulata; ao sentir esmagarem-se no seu largo e peludo colo de cavouqueiro os dois globos túmidos e macios, e nas suas coxas as coxas dela; sua alma derreteu-se, fervendo e borbulhando como

O CORTIÇO ~ 275

um metal ao fogo, e saiu-lhe pela boca, pelos olhos, por todos os poros do corpo, escandescente, em brasa, queimando-lhe as próprias carnes e arrancando-lhe gemidos surdos, soluços irreprimíveis, que lhe sacudiam os membros, fibra por fibra, numa agonia extrema, sobrenatural, uma agonia de anjos violentados por diabos, entre a vermelhidão cruenta das labaredas do inferno.

E com um arranco de besta-fera caíram ambos prostrados, arquejando. Ela tinha a boca aberta, a língua fora, os braços duros, os dedos inteiriçados, e o corpo todo a tremer-lhe da cabeça aos pés, continuamente, como se estivesse morrendo; ao passo que ele, de súbito arremessado longe da vida por aquela explosão inesperada dos seus sentidos, deixava-se mergulhar numa embriaguez deliciosa, através da qual o mundo inteiro e todo o seu passado fugiam como sombras fátuas. E, sem consciência de nada que o cercava, nem memória de si próprio, sem olhos, sem tino, sem ouvidos, apenas conservava em todo o seu ser uma impressão bem clara, viva, inextinguível: o atrito daquela carne quente e palpitante, que ele em delírio apertou contra o corpo, e que ele ainda sentia latejar-lhe debaixo das mãos, e que ele continuava a comprimir maquinalmente, como a criança que, já dormindo, afaga ainda as tetas em que matou ao mesmo tempo a fome e a sede com que veio ao mundo.

⚜ XVI ⚜

A essas horas Piedade de Jesus ainda esperava pelo marido.

Ouvira, assentada impaciente à porta de sua casa, darem oito horas, oito e meia; nove, nove e meia. "Que teria acontecido, Mãe Santíssima?... Pois o homem ainda não estava pronto de todo e punha-se ao fresco, mal engolira o jantar, para demorar-se daquele modo?... Ele que nunca fora capaz de semelhantes tonteiras!..."

– Dez horas! Valha-me Nosso Senhor Jesus Cristo!

Foi até ao portão da estalagem, perguntou a conhecidos que passavam se tinham visto Jerônimo; ninguém dava notícias dele. Saiu, correu à esquina da rua; um silêncio de cansaço bocejava naquele resto de domingo; às dez e meia recolheu-se sobressaltada, com o coração a sair-lhe pela garganta, o ouvido alerta, para que ela acudisse ao primeiro toque na porta; deitou-se sem tirar a saia, nem apagar de todo o candeeiro. A ceia frugal de leite fervido e queijo assado com açúcar e manteiga ficou intacta sobre a mesa.

Não conseguiu dormir: trabalhava-lhe a cabeça, afastando para longe o sono. Começou a imaginar perigos, rolos, em que o seu homem recebia novas navalhadas; Firmo figurava em todas as cenas do delírio; em todas elas havia sangue. Afinal, quando, depois de muito virar de um para outro lado do colchão, a infeliz ia caindo em modorra, o mais leve rumor lá fora a fazia erguer-se de pulo e correr à rótula da janela. Mas não era o cavouqueiro, da primeira, nem da segunda, nem de nenhuma das vezes.

Quando principiou a chover, Piedade ficou ainda mais aflita; na sua sobre-excitação afigurava-se-lhe agora que o marido estava sobre as águas do mar, embarcado, entregue unicamente à proteção da Virgem, em meio de um temporal medonho. Ajoelhou-se defronte do oratório e rezou com a voz emaranhada por uma agonia sufocadora. A cada trovão redobrava o seu sobressalto. E ela, de joelhos, os olhos fitos na imagem de Nossa Senhora, sem consciência do tempo que corria, arfava soluçando. De repente, ergueu-se, muito admirada de se ver sozinha, como se só naquele instante dera pela falta do marido a seu lado. Olhou em torno de si, espavorida, com vontade de chorar, de pedir socorro; as

O CORTIÇO ∾ 277

sombras espichadas em volta do candeeiro, tracejando trêmulas pelas paredes e pelo teto, pareciam querer dizer-lhe alguma coisa misteriosa. Um par de calças, dependurado à porta do quarto, com um paletó e um chapéu por cima, representou-lhe de relance o vulto de um enforcado, a mexer com as pernas. Benzeu-se. Quis saber que horas eram e não pôde; afigurava-se-lhe terem decorrido já três dias pelo menos durante aquela aflição. Calculou que não tardaria a amanhecer, se é que ainda amanheceria; se é que aquela noite infernal não se fosse prolongando infinitamente, sem nunca mais aparecer o sol! Bebeu um copo d'água, bem cheio, apesar de haver pouco antes tomado outro, e ficou imóvel, de ouvido atento, na expectativa de escutar as horas de algum relógio da vizinhança.

A chuva diminuíra e os ventos principiavam a soprar com desespero. Lá de fora a noite dizia-lhe segredos pelo buraco da fechadura e pelas frinchas do telhado e das portas; a cada assovio a mísera julgava ver surgir um espectro que vinha contar-lhe a morte de Jerônimo. O desejo impaciente de saber que horas eram punha-a doida: foi à janela, abriu-a; uma rajada úmida entrou na sala, esfuziando, e apagou a luz. Piedade soltou um grito e começou a procurar a caixa de fósforos, aos esbarrões, sem conseguir reconhecer os objetos que tateava. Esteve a perder os sentidos; afinal achou os fósforos, acendeu de novo o candeeiro e fechou a janela. Entrara-lhe um pouco de chuva em casa; sentiu a roupa molhada no corpo; tomou um novo copo d'água; um calafrio de febre percorreu-lhe a espinha, e ela atirou-se para a cama, batendo o queixo, e meteu-se debaixo dos lençóis, a tiritar de febre. Veio de novo a modorra, fechou os olhos; mas ergueu-se logo, assentando-se no colchão: parecia-lhe ter ouvido alguém falar lá fora, na rua; o calafrio voltou; ela, trêmula, procurava escutar. Se se não enganava, distinguira vozes abafadas, conversando, e as vozes eram de homem; deixou-

-se ficar à escuta, concheando a mão atrás da orelha; depois ouviu baterem, não na sua porta, mas lá muito mais para diante, na casa da das Dores, da Rita, ou da Augusta. "Devia ser o Alexandre que voltava do serviço..." Quis ir ter com ele e pedir-lhe notícias de Jerôrimo, o calafrio, porém, obrigou--a a ficar debaixo das cobertas.

Às cinco horas levantou-se de novo com um salto. "Já havia gente lá fora com certeza!..." Ouvira ranger a primei-ra porta; abriu a janela, mas ainda estava tão escuro que se não distinguia patavina. Era uma preguiçosa madruga-da de agosto, nebulosa, úmida; parecia disposta a resistir ao dia. "Ó senhores! aquela noite dos diachos não acabaria nunca mais?..." Entretanto, adivinhava-se que ia amanhe-cer. Piedade ouviu dentro do pátio, do lado contrário à sua casa, um zunzum de duas vozes cochichando com interes-se. "Virgem do céu! dir-se-ia a voz do seu homem! e a outra era voz de mulher, credo! Ilusão sua com certeza! ela essa noite estava para ouvir o que não se dava..." Mas aqueles cochichos dialogados na escuridão causavam-lhe extremo alvoroço. "Não! Como poderia ser ele?... Que loucura! se o homem estivesse ali teria sem dúvida procurado a casa!..." E os cochichos persistiam, enquanto Piedade, toda ouvidos, estalava de agonia.

– Jeromo! gritou ela.

As vozes calaram-se logo, fazendo o silêncio completo; depois nada mais se ouviu.

Piedade ficou à janela. As trevas dissolveram-se afinal; uma claridade triste formou-se no nascente e foi, a pouco e pouco, se derramando pelo espaço. O céu era uma argamas-sa cinzenta e gorda. O cortiço acordava com o remancho[1] das segundas-feiras; ouviam-se os pigarros das ressacas de parati. As casinhas abriam-se; vultos espreguiçados vinham bocejando fazer a sua lavagem à bica; as chaminés principia-vam a fumegar; recendia o cheiro do café torrado.

Piedade atirou um xale em cima dos ombros e saiu ao pátio; a Machona, que acabava de aparecer à porta do número 7 com um berro para acordar a família de uma só vez, gritou-lhe:

– Bons dias, vizinha! Seu marido como vai? melhor?

Piedade soltou um suspiro.

– Ai, não mo porgunte, sóra Leandra!

– Piorou, filha?

– Não veio esta noite pra casa...

– Olha o demo! Como não veio? Onde ficou ele então?

– Cá está quem não lho sabe responder.

– Ora já se viu?!

– Estou com o miolo que é água de bacalhau! Não preguei olho durante a noite! Forte desgraça a minha!

– Teria a ele lhe sucedido alguma?...

Piedade pôs-se a soluçar, enxugando as lágrimas no xale de lã; ao passo que a outra, com a sua voz rouca e forte, que nem o som de uma trompa enferrujada, passava adiante a nova de que o Jerônimo não se recolhera aquela noite à estalagem.

– Talvez voltasse pro hospital... obtemperou Augusta, que lavava junto a uma tina a gaiola do seu papagaio.

– Mas ele ontem veio de muda... contrapôs Leandra.

– E lá não se entra depois das oito horas da noite, acrescentou outra lavadeira.

E os comentários multiplicavam-se, palpitando de todos os lados, numa boa disposição para fazer daquilo o escândalo do dia. Piedade respondia friamente às perguntas curiosas que lhe dirigiam as companheiras; estava triste e sucumbida; não se lavou, não mudou de roupa, não comeu nada, porque a comida lhe crescia na boca e não lhe passava da garganta; o que fazia só era chorar e lamentar-se.

– Forte desgraça a minha! repetia a infeliz a cada instante.

– Se vais assim, filha, estás bem arranjada! exclamou-lhe a Machona, chegando à porta de sua casa a dar dentadas num pão recheado de manteiga. Que diabo, criatura! O homem não te morreu, pra estares agora aí a carpir desse modo!

– Sei-o eu lá se me morreu?... disse Piedade entre soluços. Vi tanta coisa esta noite!...

– Ele te apareceu nos sonhos?... perguntou Leandra com assombro.

– Nos sonhos não, que não dormi, mas vi a modos que fantasmas...

E chorava.

– Ai, credo, filha!

– Estou desgraçada!

– Se te apareceram almas, decerto; mas põe a fé em Deus, mulher! e não te rales desse modo, que a desgraça pode ser maior! O choro puxa muita coisa!

– Ai, o meu rico homem!

E o mugido lúgubre daquela pobre criatura abandonada antepunha à rude agitação do cortiço uma nota lamentosa e tristonha de uma vaca chamando ao longe, perdida ao cair da noite num lugar desconhecido e agreste. Mas o trabalho aquecia já de uma ponta à outra da estalagem; ria-se, cantava-se, soltava-se a língua; o formigueiro assanhava-se com as compras para o almoço; os mercadores entravam e saíam: a máquina de massas principiava a bufar. E Piedade, assentada à soleira de sua porta, paciente e ululante como um cão que espera pelo dono, maldizia a hora em que saíra da sua terra, e parecia disposta a morrer ali mesmo, naquele limiar de granito, onde ela, tantas vezes, com a cabeça encostada ao ombro do seu homem, suspirava feliz, ouvindo gemer na guitarra dele os queridos fados de além-mar.

E Jerônimo não aparecia.

Ela ergueu-se finalmente, foi lá fora ao capinzal, pôs-se a andar agitada, falando sozinha, a gesticular forte. E nos seus movimentos de desespero, quando levantava para o céu os punhos fechados, dir-se-ia que não era contra o marido que se revoltava, mas sim contra aquela amaldiçoada luz alucinadora, contra aquele sol crapuloso, que fazia ferver o sangue aos homens e metia-lhes no corpo luxúrias de bode. Parecia rebelar-se contra aquela natureza alcoviteira, que lhe roubara o seu homem para dá-lo a outra, porque a outra era gente do seu peito e ela não.

E maldizia soluçando a hora em que saíra da sua terra; essa boa terra cansada, velha como que enferma; essa boa terra tranquila, sem sobressaltos nem desvarios de juventude. Sim, lá os campos eram frios e melancólicos, de um verde aloirado e quieto, e não ardentes e esmeraldinos e afogados em tanto sol e em tanto perfume como o deste inferno, onde em cada folha que se pisa há debaixo um réptil venenoso, como em cada flor que desabotoa e em cada moscardo que adeja há um vírus de lascívia. Lá, nos saudosos campos da sua terra, não se ouvia em noites de lua clara roncar a onça e o maracajá, nem pela manhã, ao romper do dia, rilhava o bando truculento dos queixadas; lá não varava pelas florestas a anta feia e terrível, quebrando árvores; lá a sucuruju não chocalhava a sua campainha fúnebre, anunciando a morte, nem a coral esperava traidora o viajante descuidado para lhe dar o bote certeiro e decisivo; lá o seu homem não seria anavalhado pelo ciúme de um capoeira; lá Jerônimo seria ainda o mesmo esposo casto, silencioso e meigo; seria o mesmo lavrador triste e contemplativo, como o gado que à tarde levanta para o céu de opala o seu olhar humilde, compungido e bíblico.

Maldita a hora em que ela veio! Maldita! mil vezes maldita!

E tornando à casa, Piedade ainda mais se enraivecia, porque ali defronte, no número 9, a mulata baiana, a dançadeira de chorado, a cobra assanhada, cantava alegremente, chegando de vez em quando à janela para vir soprar fora a cinza da fornalha do seu ferro de engomar, olhando de passagem para a direita e para a esquerda, a afetar indiferença pelo que

O CORTIÇO ∾ 283

não era de sua conta, e desaparecendo logo, sem interromper a cantiga, muito embebida no seu serviço. Ah! essa não fez comentários sobre o estranho procedimento de mestre Jerônimo, nem mesmo quis ouvir notícias dele; pouco arredou o pé de dentro de casa e, nesse pouco que saiu, foi às pressas e sem dar trela a ninguém.

Nada! que as penas e desgostos não punham a panela no fogo!

Entretanto, ah! ah! ela estava bem preocupada. Apesar do alívio que lhe trouxera ao espírito a morte do Firmo e a despeito do seu contentamento de passar por uma vez aos braços do cavouqueiro, um sobressalto vago e opressivo esmagava-lhe o coração e matava-a de impaciência por atirar-se à procura de notícias sobre as ocorrências da noite; tanto assim que, às onze horas, mal percebeu que Piedade, depois de esperar em vão pelo marido, saía aflita em busca dele, disposta a ir ao hospital, à polícia, ao necrotério, ao diabo, contanto que não voltasse sem algum esclarecimento, ela atirou logo o trabalho pro canto, enfiou uma saia, cruzou o xale no ombro, e ganhou o mundo, também disposta a não voltar sem saber tintim por tintim o que havia de novo.

Foi cada uma para seu lado e só voltaram à tarde, quase ao mesmo tempo, encontrando o cortiço cheio já e assanhado com a notícia da morte do Firmo e do terrível efeito que esta causara no Cabeça de Gato, onde o crime era atribuído aos carapicus, contra os quais juravam-se extremas vinganças de desafronta. Soprava de lá, rosnando, um hálito morno de cólera malsofrida e sequiosa que crescia com a aproximação da noite e parecia sacudir no ar, ameaçadoramente, a irrequieta flâmula amarela.

O sol descambava para o ocaso, indefeso e nu, tingindo o céu de uma vermelhidão pressaga e sinistra.

Piedade entrou carrancuda na estalagem; não vinha triste, vinha enfurecida; soubera na rua a respeito do marido mais do que esperava. Soubera em primeiro lugar que ele estava vivo, perfeitamente vivo, pois fora visto aquele mesmo dia, mais de uma vez, no Garnisé e na Praia da Saudade, a vagar macambúzio; soubera, por intermédio de um rondante amigo de Alexandre, que Jerônimo surgira de manhãzinha do capinzal perto da pedreira de João Romão, o que fazia crer viesse ele naquele momento de casa, saindo pelos fundos do cortiço; soubera ainda que o cavouqueiro fora à Ordem buscar a sua caixa de roupa e que, na véspera, estivera a beber à farta na venda do Pepé, de súcia com o Zé Carlos e com o Pataca, e que depois seguiram para os lados da praia, todos três mais ou menos no gole. Sem a menor desconfiança do crime, a desgraçada ficou convencida de que o marido não se recolhera aquela noite à casa, porque ficara em grossa pândega com os amigos e que, voltando tarde e bêbedo, dera-lhe para meter-se com a mulata, que o aceitou logo. "Pudera! Pois se havia muito a deslambida não queria outra coisa!..." Com esta convicção inchou-lhe de súbito por dentro um novelo de ciúmes, e ela correu incontinenti para a estalagem, certa de que iria encontrar o homem e despejaria contra ele aquela tremenda tempestade de ressentimentos e despeitos acumulados, que ameaçavam sufocá-la se não rebentassem de vez. Atravessou o cortiço sem dar palavra a ninguém e foi direito à casa; contava encontrá-la aberta e a sua decepção foi cruel ao vê-la fechada como a deixara. Pediu a chave à Machona, que, ao entregá-la, inquiriu sobre Jerônimo e pespegou-lhe ao mesmo tempo a notícia do assassinato de Firmo.

Com esta nova é que Piedade não contava. Ficou lívida; um pavoroso pressentimento varou-lhe o espírito como um raio. Afastou-se logo, com medo de falar, e foi trêmula e ofegante que abriu a porta e meteu-se no número 35.

Atirou-se a uma cadeira. Estava morta de cansaço; não tinha comido nada esse dia e não sentia fome; a cabeça andava-lhe à roda e as pernas pareciam-lhe de chumbo.

Seria ele?!… interrogou a si própria.

E os raciocínios começaram a surdir-lhe em massa, ensarilhados, atropelando-lhe a razão. Não conseguia coordená-los, entre todas uma ideia insubordinava-se com mais teima, a perturbar as outras, ficando superior, como uma carta maior que o resto do baralho: "Se ele matou o Firmo, dormiu na estalagem e não veio ter comigo, é porque então deixou-me de feita pela Rita!"

Tentou fugir a semelhante hipótese; repeliu-a indignada. Não! não era possível que o Jerônimo, seu marido de tanto tempo, o pai de sua filha, um homem a quem ela nunca dera razão de queixa e a quem sempre respeitara e quisera com o mesmo carinho e com a mesma dedicação, a abandonasse de um momento para outro, e por quem?! por uma não sei que diga! um diabo de uma mulata assanhada, que tão depressa era de Pedro como de Paulo! uma sirigaita, que vivia mais para a folia do que para o trabalho! uma peste, que… Não! Qual! Era lá possível?! Mas então por que ele não viera?… por que não vinha?… por que não dava notícias suas?… por que fora pela manhã à Ordem buscar a caixa da roupa?… O Roberto Papa-defuntos dissera-lhe que o encontrara às duas da tarde ali perto, ao dobrar da rua Bambina, e que até pararam um instante para conversar. Com mais alguns passos teria chegado à casa! Seria possível, santos do céu! que o seu homem estivesse disposto a nunca mais tornar para junto dela?

Nisto entrou a outra, acompanhada por um pequeno descalço. Vinha satisfeita; estivera com Jerônimo, jantaram juntos, numa casa de pasto; ficara tudo combinado; arranjara-se o ninho. Não se mudaria logo para não dar que falar na estalagem, mas levaria alguma roupa e os objetos mais indispensáveis e que não dessem na vista por ocasião do transporte. Voltaria no dia seguinte ao cortiço, onde continuaria a trabalhar; à noite iria ter com o novo amante, e, no fim de uma

semana – zás! fazia-se a mudança completa, e adeus coração!
– Por aqui é o caminho! O cavouqueiro, pelo seu lado, mandaria uma carta a João Romão, despedindo-se do seu serviço, e outra à mulher, dizendo com boas palavras que, por
uma dessas fatalidades de que nenhuma criatura está livre,
deixava de viver em companhia dela, mas que lhe conservaria a mesma estima e continuaria a pagar o colégio da filha;
e, feito isto, pronto! entraria em vida nova, senhor da sua
mulata, livres e sozinhos, independentes, vivendo um para o
outro, numa eterna embriaguez de gozos.

Mas, na ocasião em que a baiana, seguida pelo pequeno,
passava defronte da porta de Piedade, esta deu um salto da
cadeira e gritou-lhe:

– Faz favor?

– Que é? resmungou Rita, parando sem voltar senão o
rosto, e já a dizer no seu todo de impaciência que não estava
disposta a muita conversa.

– Diga-me uma coisa, inquiriu aquela; você muda-se?

A mulata não contava com semelhante pergunta, assim à
queima-roupa; ficou calada sem achar o que responder.

– Muda-se, não é verdade? insistiu a outra, fazendo-se
vermelha.

– E o que tem você com isso? Mude-me ou não, não lhe
tenho de dar satisfações! Meta-se lá com a sua vida! Ora esta!

– Com a minha vida é que te meteste tu, cigana! exclamou a portuguesa, sem se conter e avançando para a porta
com ímpeto.

– Hein?! Repete, cutruca[2] ordinária! berrou a mulata,
dando um passo em frente.

– Pensas que já não sei de tudo? Maleficiaste-me o homem e agora carregas-me com ele! Que a má coisa te saiba,
cabra do inferno! Mas deixa estar que hás de amargar o que
o diabo não quis! quem to jura sou eu!

– Pula cá pra fora, perua choca, se és capaz!

O CORTIÇO ᔕ 287

Em torno de Rita já o povaréu se reunia alvoroçado; as lavadeiras deixaram logo as tinas e vinham, com os braços nus, cheios de espuma de sabão, estacionar ali ao pé, formando roda, silenciosas, sem nenhuma delas querer meter-se no barulho. Os homens riam e atiravam chufas às duas contendoras, como sucedia sempre quando no cortiço qualquer mulher se disputava com outra.

– Isca! Isca! gritavam eles.

Ao desafio da mulata, Piedade saltara ao pátio, armada com um dos seus tamancos. Uma pedrada recebeu-a em caminho, rachando-lhe a pele do queixo, ao que ela respondeu desfechando contra a adversária uma formidável pancada na cabeça.

E pegaram-se logo a unhas e dentes.

Por algum tempo lutaram de pé, engalfinhadas, no meio de grande algazarra dos circunstantes. João Romão acudiu e quis separá-las; todos protestaram. A família do Miranda assomou à janela, tomando ainda o café de depois do jantar, indiferente, já habituada àquelas cenas. Dois partidos todavia se formavam em torno das lutadoras; quase todos os brasileiros eram pela Rita e quase todos os portugueses pela outra. Discutia-se com febre a superioridade de cada qual delas; rebentavam gritos de entusiasmo a cada mossa que qualquer das duas recebia; e estas, sem se desunharem, tinham já arranhões e mordeduras por todo o busto.

Quando menos se esperava ouviu-se um baque pesado e viu-se Piedade de bruços no chão e a Rita por cima, escarranchada sobre as suas largas ancas, a socar-lhe o cachaço de murros contínuos, desgrenhada, rota, ofegante, os cabelos caídos sobre a cara, gritando vitoriosa, com a boca escorrendo sangue:

– Toma pro teu tabaco! Toma, galinha podre! Toma, pra não te meteres comigo! Toma! Toma, baiacu da praia!

Os portugueses precipitaram-se para tirar Piedade de debaixo da mulata. Os brasileiros opuseram-se ferozmente.

– Não pode!

– Enche!

– Não deixa!

– Não tira!

– Entra! Entra!

E as palavras "galego" e "cabra" cruzaram-se de todos os pontos, como bofetadas. Houve um vavau[3] rápido e surdo, e logo em seguida um formidável rolo, um rolo a valer, não mais de duas mulheres, mas de uns quarenta e tantos homens de pulso, rebentou como um terremoto. As cercas e os jiraus desapareceram do chão e estilhaçaram-se no ar, estalando em descarga; ao passo que numa berraria infernal, num fecha-fecha de formigueiro em guerra, aquela onda viva ia arrastando o que topava no caminho; barracas e tinas, baldes, regadores e caixões de planta, tudo rolava entre aquela centena de pernas confundidas e doidas. Das janelas do Miranda apitava-se com fúria; da rua, em todo o quarteirão, novos apitos respondiam; dos fundos do cortiço e pela frente surgia povo e mais povo. O pátio estava quase cheio; ninguém mais se entendia; todos davam e todos apanhavam; mulheres e crianças berravam. João Romão, clamando furioso, sentia-se impotente para conter semelhantes demônios. "Fazer rolo àquela hora, que imprudência!" Não conseguiu fechar as portas da venda, nem o portão da estalagem; guardou às pressas na burra o que havia em dinheiro na gaveta, e, armando-se com uma tranca de ferro, pôs-se de sentinela às prateleiras, disposto a abrir o casco ao primeiro que se animasse a saltar-lhe o balcão. Bertoleza, lá dentro na cozinha, aprontava uma grande chaleira de água quente, para defender com ela a propriedade do seu homem. E o rolo a ferver lá fora, cada vez mais inflamado com um terrível sopro de rivalidade nacional. Ouviam-se, num clamor de pragas e gemidos, vivas a Portugal e vivas ao Brasil. De vez em quando, o povaréu, que continuava a crescer, afastava-se em massa, rugindo de medo, mas tornava logo, como a onda no refluxo dos mares. A polícia apareceu e não se achou com ânimo de entrar, antes de vir um reforço de praças, que um permanente[4] fora buscar a galope.

E o rolo fervia.

Mas, no melhor da luta, ouvia-se na rua um coro de vozes que se aproximavam das bandas do Cabeça de Gato. Era o canto de guerra dos capoeiras do outro cortiço, que vinham dar batalha aos carapicus, para vingar com sangue a morte de Firmo, seu chefe de malta.

❧ XVII ❧

Mal os carapicus sentiram a aproximação dos rivais, um grito de alarma ecoou por toda a estalagem e o rolo dissolveu-se de improviso, sem que a desordem cessasse. Cada qual correu à casa, rapidamente, em busca do ferro, do pau e de tudo que servisse para resistir e para matar. Um só impulso os impelia a todos; já não havia ali brasileiros e portugueses, havia um só partido que ia ser atacado pelo partido contrário; os que se batiam ainda há pouco emprestavam armas uns aos outros, limpando com as costas das mãos o sangue das feridas. Agostinho, encostado ao lampião do meio do cortiço, cantava em altos berros uma coisa que lhe parecia responder à música bárbara que entoavam lá fora os inimigos; a mãe dera-lhe licença, a pedido dele, para pôr um cinto de Neném, em que o pequeno enfiou a faca da cozinha. Um mulatinho franzino, que até aí não fora notado por ninguém no São Romão, postou-se defronte da entrada, de mãos limpas, à espera dos invasores; e todos tiveram confiança nele, porque o ladrão, além de tudo, estava rindo.

Os cabeças de gato assomaram afinal ao portão. Uns cem homens, em que se não via a arma que traziam. Porfiro vinha na frente, a dançar, de braços abertos, bamboleando o corpo e dando rasteiras para que ninguém lhe estorvasse a entrada. Trazia o chapéu à ré, com um laço de fita amarela flutuando na copa.

– Aguenta! Aguenta! Faz frente! clamavam de dentro os carapicus.

E os outros, cantando o seu hino de guerra, entraram e aproximaram-se lentamente, a dançar como selvagens.

As navalhas traziam-nas abertas e escondidas na palma da mão.

Os carapicus enchiam a metade do cortiço. Um silêncio arquejado sucedia à estrepitosa vozeria do rolo que findara. Sentia-se o hausto impaciente da ferocidade que atirava aqueles dois bandos de capoeiras um contra o outro. E no entanto o sol, único causador de tudo aquilo, desaparecia de todo nos limbos do horizonte, indiferente, deixando atrás de si as melancolias do crepúsculo, que é a saudade da terra quando ele se ausenta, levando consigo a alegria da luz e do calor.

Lá na janela do Barão, o Botelho, entusiasmado como sempre por tudo que lhe cheirava a guerra, soltava gritos de aplauso e dava brados de comando militar.

E os cabeças de gato aproximavam-se cantando, a dançar, rastejando alguns de costas para o chão, firmados nos pulsos e nos calcanhares.

Dez carapicus saíram em frente; dez cabeças de gato se alinharam defronte deles.

E a batalha principiou, não mais desordenada e cega, porém com método, sob o comando de Porfiro que, sempre a cantar ou assoviar, saltava em todas as direções, sem nunca ser alcançado por ninguém.

Desferiram-se navalhas contra navalhas, jogaram-se as cabeçadas e os voa-pés[1]. Par a par, todos os capoeiras tinham pela frente um adversário de igual destreza que respondia a cada investida com um salto de gato ou uma queda repentina que anulava o golpe. De parte a parte esperavam que o cansaço desequilibrasse as forças, abrindo furo à vitória; mas um fato veio neutralizar inda uma vez a campanha: imenso rebentão de fogo esgargalhava-se de uma das casas do fundo, o número 88. E agora o incêndio era a valer.

Houve nas duas maltas um súbito espasmo de terror. Abaixaram-se os ferros e calou-se o hino de morte. Um clarão tremendo ensanguentou o ar, que se fechou logo de fumaça fulva.

A Bruxa conseguira afinal realizar o seu sonho de louca: o cortiço ia arder; não haveria meio de reprimir aquele cruento devorar de labaredas. Os cabeças de gato, leais nas suas justas[2] de partido, abandonaram o campo, sem voltar o rosto, desdenhosos de aceitar o auxílio de um sinistro e dispostos até a socorrer o inimigo, se assim fosse preciso. E nenhum dos carapicus os feriu pelas costas. A luta ficava para outra ocasião. E a cena transformou-se num relance; os mesmos que barateavam tão facilmente a vida, apressavam-se agora a salvar os miseráveis bens que possuíam sobre a terra. Fechou-se um entra-e-sai de maribondos defronte daquelas cem casinhas ameaçadas pelo fogo. Homens e mulheres corriam de cá para lá com os tarecos ao ombro, numa balbúrdia de doidos. O pátio e a rua enchiam-se agora de camas velhas e colchões espocados. Ninguém se conhecia naquele zumbo[3] de gritos sem nexo, e choro de crianças esmagadas, e pragas arrancadas pela dor e pelo desespero. Da casa do Barão saíam clamores apopléticos; ouviam-se os guinchos de Zulmira que se espolinhava com um ataque. E começou a aparecer água. Quem a trouxe? Ninguém sabia dizê-lo; mas viam-se baldes e baldes que se despejavam sobre as chamas.

Os sinos da vizinhança começaram a badalar.

E tudo era um clamor.

A Bruxa surgiu à janela da sua casa, como à boca de uma fornalha acesa. Estava horrível; nunca fora tão bruxa. O seu moreno trigueiro, de cabocla velha, reluzia que nem metal em brasa; a sua crina preta, desgrenhada, escorrida e abundante como a das éguas selvagens, dava-lhe um caráter fantástico de fúria saída do inferno. E ela ria-se, ébria de satisfação, sem sentir as queimaduras e as feridas, vitoriosa no meio daquela orgia de fogo, com que ultimamente vivia a sonhar em segredo a sua alma extravagante de maluca.

Ia atirar-se cá para fora, quando se ouviu estalar o madeiramento da casa incendiada, que abateu rapidamente, sepultando a louca num montão de brasas.

Os sinos continuavam a badalar aflitos. Surgiam aguadeiros com as suas pipas em carroça, alvoroçados, fazendo cada qual maior empenho em chegar antes dos outros e apanhar os dez mil-réis da gratificação. A polícia defendia a passagem ao povo que queria entrar. A rua lá fora estava já atravancada com o despojo de quase toda a estalagem. E as labaredas iam galopando desembestadas para a direita e para a esquerda do número 88. Um papagaio, esquecido à parede de uma das casinhas e preso à gaiola, gritava furioso, como se pedisse socorro.

Dentro de meia hora o cortiço tinha de ficar em cinzas. Mas um fragor de repiques de campainhas e estridente silvar de válvulas encheu de súbito todo o quarteirão, anunciando que chegava o corpo dos bombeiros.

E logo em seguida apontaram carros à desfilada, e um bando de demônios de blusa clara, armados uns de archotes e outros de escadilhas de ferro, apoderaram-se do sinistro, dominando-o incontinenti, como uma expedição mágica, sem uma palavra, sem hesitações e sem atropelos. A um só tempo viram-se fartas mangas[4] d'água chicoteando o fogo por todos os lados; enquanto, sem se saber como, homens, mais ágeis que macacos, escalavam os telhados abrasados por escadas que mal se distinguiam; e outros invadiam o coração vermelho do incêndio, a dardejar duchas em torno de si, rodando, saltando, piruetando, até estrangularem as chamas que se atiravam ferozes para cima deles, como dentro de um inferno; ao passo que outros, cá de fora, imperturbáveis, com uma limpeza de máquina moderna, fuzilavam d'água toda a estalagem, número por número, resolvidos a não deixar uma só telha enxuta.

O povo aplaudia-os entusiasmado, já esquecido do desastre e só atenção para aquele duelo contra o incêndio. Quando um bombeiro, de cima do telhado, conseguiu sufocar uma ninhada de labaredas, que surgira defronte dele, rebentou cá debaixo uma roda de palmas, e o herói voltou-se para a multidão, sorrindo e agradecendo.

Algumas mulheres atiravam-lhe beijos, entre brados de ovação.

❧ XVIII ❧

Por esse tempo, o amigo de Bertoleza, notando que o velho Libório, depois de escapar de morrer na confusão do incêndio, fugia agoniado para o seu esconderijo, seguiu-o com disfarce e observou que o miserável, mal deu luz à candeia, começou a tirar ofegante alguma coisa do seu colchão imundo.

Eram garrafas. Tirou a primeira, a segunda, meia dúzia delas. Depois puxou às pressas a coberta do catre e fez uma trouxa. Ia de novo ganhar a saída, mas soltou um gemido surdo e caiu no chão sem forças, arrevessando uma golfada de sangue e cingindo contra o peito o misterioso embrulho.

João Romão apareceu, e ele, assim que o viu, redobrou de aflição e torceu-se todo sobre as garrafas, defendendo-as com o corpo inteiro, a olhar aterrado e de esguelha para o seu interventor, como se dera cara a cara com um bandido. E, a cada passo que o vendeiro adiantava, o tremor e o sobressalto do velho recresciam, tirando-lhe da garganta grunhidos roucos de animal batido e assustado. Duas vezes tentou erguer-se; duas vezes rolou por terra moribundo. João Romão objurgou-lhe[1] que qualquer demora ali seria morte certa: o incêndio avançava. Quis ajudá-lo a carregar o fardo, Libório, por única resposta, arregaçou os beiços, mostrando as gengivas sem dentes e tentando morder a mão que o vendeiro estendia já sobre as garrafas.

Mas, lá de cima, a ponta de uma língua de fogo varou o teto e iluminou de vermelho a miserável pocilga. Libório tentou ainda um esforço supremo, e nada pôde, começando a tremer da cabeça aos pés, a tremer, a tremer, grudando-se cada vez mais à sua trouxa, e já estrebuchava, quando o vendeiro lha arrancou das garras com violência. Também era tempo, porque, depois de insinuar a língua, o fogo mostrou a boca e escancarou afinal a goela devoradora.

O tratante fugiu de carreira, abraçado à sua presa, enquanto o velho, sem conseguir pôr-se de pé, rastreava na pista dele, dificultosamente, estrangulado de desespero senil, já sem fala, rosnando uns vagidos de morte, os olhos turvos, todo ele roxo, os dedos enriçados como as unhas de um abutre ferido.

João Romão atravessou o pátio de carreira e meteu-se na sua toca para esconder o furto. Ao primeiro exame, de relance, reconheceu logo que era dinheiro em papel o que havia nas garrafas. Enterrou a trouxa na prateleira de um armário velho cheio de frascos e voltou lá fora para acompanhar o serviço dos bombeiros.

À meia-noite estava já completamente extinto o fogo e quatro sentinelas rondavam a ruína das trinta e tantas casinhas que arderam. O vendeiro só pôde voltar à trouxa das garrafas às cinco horas da manhã, quando Bertoleza, que fi-

zera prodígios contra o incêndio, passava pelo sono, encostada na cama, com a saia ainda encharcada d'água, o corpo cheio de pequenas queimaduras. Verificou que as garrafas eram oito e estavam cheias até à boca de notas de todos os valores, que aí foram metidas, uma a uma, depois de cuidadosamente enroladas e dobradas à moda de bilhetes de rifa. Receoso, porém, de que a crioula não estivesse bem adormecida e desse pela coisa, João Romão resolveu adiar para mais tarde a contagem do dinheiro e guardou o tesouro noutro lugar mais seguro.

No dia seguinte a polícia averiguou os destroços do incêndio e mandou proceder logo ao desentulho, para retirar os cadáveres que houvesse.

Rita desaparecera da estalagem durante a confusão da noite; Piedade caíra de cama, com um febrão de quarenta graus; a Machona tinha uma orelha rachada e um pé torcido; a das Dores a cabeça partida; o Bruno levara uma navalhada na coxa; dois trabalhadores da pedreira estavam gravemente feridos; um italiano perdera dois dentes da frente, e uma filhinha da Augusta Carne Mole morrera esmagada pelo povo. E todos, todos se queixavam de danos recebidos e revoltaram-se contra os rigores da sorte. O dia passou-se inteiro na computação dos prejuízos e a dar-se balanço no que se salvara do incêndio. Sentia-se um fartum aborrecido de estorrilho[2] e cinza molhada. Um duro silêncio de desconsolo embrutecia aquela pobre gente. Vultos sombrios, de mãos cruzadas atrás, permaneciam horas esquecidas, a olhar imóveis os esqueletos carbonizados e ainda úmidos das casinhas queimadas. Os cadáveres da Bruxa e do Libório foram carregados para o meio do pátio, disformes, horrorosos, e jaziam entre duas velas acesas, ao relento, à espera do carro da Misericórdia. Entrava gente da rua para os ver; descobriam-se defronte deles, e alguns curiosos lançavam piedosamente uma moeda de cobre no prato que, aos pés dos dois defuntos, recebia a esmola para a mortalha.

Em casa de Augusta, sobre uma mesa coberta por uma cerimoniosa toalha de rendas, estava o cadaverzinho da filha morta, todo enfeitado de flores, com um Cristo de latão à cabeceira e dois círios que ardiam tristemente. Alexandre, assentado a um canto da sala, com o rosto escondido nas mãos, chorava, aguardando o pêsame das visitas; fardara-se, só para isso, com o seu melhor uniforme, coitado!

O enterro da pequenita foi feito à custa de Léonie, que apareceu às três da tarde, vestida de cetineta cor de creme, num carrinho dirigido por um cocheiro de calção de flanela branca e libré agaloada de ouro.

O Miranda apresentou-se na estalagem logo pela manhã, o ar compungido, porém superior. Deu um ligeiro abraço em João Romão, falou-lhe em voz baixa, lamentando aquela catástrofe, mas felicitou-o porque tudo estava no seguro.

O vendeiro, com efeito, impressionado com a primeira tentativa de incêndio, tratara de segurar todas as suas propriedades; e, com tamanha inspiração o fez que, agora, em vez de lhe trazer o fogo prejuízo, até lhe deixava lucros.

– Ah, ah, meu caro! Cautela e caldo de galinha nunca fizeram mal a doente!... segredou o dono do cortiço, a rir. Olhe, aqueles é que com certeza não gostaram da brincadeira! acrescentou, apontando para o lado em que maior era o grupo dos infelizes que tomavam conta dos restos de seus tarecos atirados em montão.

– Ah, mas esses, que diabo! nada têm que perder!... considerou o outro.

E os dois vizinhos foram até o fim do pátio, conversando em voz baixa.

– Vou reedificar tudo isto! declarou João Romão, com um gesto enérgico que abrangia toda aquela babilônia desmantelada.

E expôs o seu projeto: tencionava alargar a estalagem, entrando um pouco pelo capinzal. Levantaria do lado esquerdo, encostado ao muro do Miranda, um novo correr de casinhas, aproveitando assim parte do pátio, que não precisava ser tão grande; sobre as outras levantaria um segundo andar, com uma longa varanda na frente toda gradeada. Negociozinho para ter ali, a dar dinheiro, em vez de uma centena de cômodos, nada menos de quatrocentos a quinhentos, de doze a vinte e cinco mil-réis cada um!

Ah! ele havia de mostrar como se fazem as coisas benfeitas.

O Miranda escutava-o calado, fitando-o com respeito.

– Você é um homem dos diabos! disse afinal, batendo-lhe no ombro.

E, ao sair de lá, no seu coração vulgar de homem que nunca produziu e levou a vida, como todo o mercador, a explorar a boa-fé de uns e o trabalho intelectual de outros, trazia uma grande admiração pelo vizinho. O que ainda lhe restava da primitiva inveja transformou-se nesse instante num entusiasmo ilimitado e cego.

– É um filho da mãe! resmungava ele pela rua, em caminho do seu armazém. É de muita força! Pena é estar metido com a peste daquela crioula! Nem sei como um homem tão esperto caiu em semelhante asneira!

Só lá pelas dez e tanto da noite foi que João Romão, depois de certificar-se de que Bertoleza ferrara num sono de pedra, resolveu dar balanço às garrafas de Libório. O diabo é que ele também quase que não se aguentava nas pernas e sentia os olhos a fecharem-se-lhe de cansaço. Mas não podia sossegar sem saber quanto ao certo apanhara do avarento.

Acendeu uma vela, foi buscar a imunda e preciosa trouxa, e carregou com esta para a casa de pasto ao lado da cozinha.

Depôs tudo sobre uma das mesas, assentou-se, e principiou a tarefa. Tomou a primeira garrafa, tentou despejá-la, batendo-lhe no fundo; foi-lhe porém necessário extrair as

300 ⋅⟨ ALUÍSIO AZEVEDO

notas, uma por uma, porque estavam muito socadas e pega-nhentas de bolor. À proporção que as fisgava, ia logo as de-senrolando e estendendo cuidadosamente em maço, depois de secar-lhes a umidade ao calor das mãos e da vela. E o pra-zer que ele desfrutava neste serviço punha-lhe em jogo todos os sentidos e afugentava-lhe o sono e as fadigas. Mas, ao pas-sar à segunda garrafa, sofreu uma dolorosa decepção: quase todas as cédulas estavam já prescritas pelo Tesouro; veio-lhe então o receio de que a melhor parte do bolo se achasse inu-tilizada; restava-lhe todavia a esperança de que fosse aquela garrafa a mais antiga de todas e a pior por conseguinte.

E continuou com mais ardor o seu delicioso trabalho.

Tinha já esvaziado seis, quando notou que a vela, consu-mida até o fim, bruxuleava a extinguir-se; foi buscar outra nova e viu ao mesmo tempo que horas eram. "Oh! como a noite correra depressa!…" Três e meia da madrugada. "Pare-cia impossível!"

Ao terminar a contagem, as primeiras carroças passavam lá fora na rua.

– Quinze contos, quatrocentos e tantos mil-réis!… disse João Romão entre dentes, sem se fartar de olhar para as pi-lhas de cédulas que tinha defronte dos olhos.

Mas oito contos e seiscentos eram em notas já prescritas. E o vendeiro, à vista de tão bela soma, assim tão estupida-mente comprometida, sentiu a indignação de um rouba-do. Amaldiçoou aquele maldito velho Libório por tamanho relaxamento; amaldiçoou o governo porque limitava, com intenções velhacas, o prazo da circulação dos seus títulos; chegou até a sentir remorsos por não se ter apoderado do te-souro do avarento, logo que este, um dos primeiros morado-res do cortiço, lhe apareceu com o colchão às costas, a pedir chorando que lhe dessem de esmola um cantinho onde ele se metesse com sua miséria. João Romão tivera sempre uma vidente cobiça sobre aquele dinheiro engarrafado; fariscara-

O CORTIÇO ∾ 301

-o desde que fitou de perto os olhinhos vivos e redondos do abutre decrépito, e convenceu-se de todo, notando que o miserável dava pronto sumiço a qualquer moedinha que lhe caía nas garras.

– Seria um ato de justiça! concluiu João Romão; pelo menos seria impedir que todo este pobre dinheiro apodrecesse tão barbaramente!

Ora adeus! mas sete ricos continhos quase inteiros ficavam-lhe nas unhas. "E depois, que diabo! os outros assim mesmo haviam de ir com jeito... Hoje impingiam-se dois mil-réis, amanhã cinco. Não nas compras, mas nos trocos... Por que não? Alguém reclamaria, mas muitos engoliriam a bucha... Para isso não faltavam estrangeiros e caipiras!... E demais, não era crime!... Sim! se havia nisso ladroeira, queixassem-se do governo! o governo é que era o ladrão!"

– Em todo o caso, rematou ele, guardando o dinheiro bom e mau e dispondo-se a descansar; isto já serve para principiar as obras! Deixem estar, que daqui a dias eu lhes mostrarei pra quanto presto!

❧ XIX ❧

Daí a dias, com efeito, a estalagem metia-se em obras. À desordem do desentulho do incêndio sucedia a do trabalho dos pedreiros; martelava-se ali de pela manhã até à noite, o que aliás não impedia que as lavadeiras continuassem a bater roupa e as engomadeiras reunissem ao barulho das ferramentas o choroso falsete das suas eternas cantigas.

Os que ficaram sem casa foram aboletados a trouxe e mouxe[1] por todos os cantos, à espera dos novos cômodos. Ninguém se mudou para o Cabeça de Gato.

As obras principiaram pelo lado esquerdo do cortiço, o lado do Miranda; os antigos moradores tinham preferência e vantagens nos preços. Um dos italianos feridos morreu na Misericórdia e o outro, também lá, continuava ainda em risco de vida. Bruno recolhera-se à Ordem de que era irmão, e Leocádia, que não quis atender àquela carta escrita por Pombinha, resolveu-se a ir visitar o seu homem no hospital. Que alegrão para o infeliz a volta da mulher, aquela mulher levada dos diabos, mas de carne dura, a quem ele, apesar de tudo, queria muito. Com a visita reconciliaram-se, chorando ambos, e Leocádia decidiu tornar para o São Romão e viver de novo com o marido. Agora fazia-se muito séria e ameaçava com pancada a quem lhe propunha brejeirices.

Piedade, essa é que se levantou das febres completamente transformada. Não parecia a mesma depois do abandono de Jerônimo; emagrecera em extremo, perdera as cores do rosto, ficara feia, triste e resmungona; mas não se queixava, e ninguém lhe ouvia falar no nome do esposo.

Esses meses, durante as obras, foram uma época especial para a estalagem. O cortiço não dava ideia do seu antigo caráter, tão acentuado e no entanto tão misto: aquilo agora parecia uma grande oficina improvisada, um arsenal, em cujo fragor a gente só se entende por sinais. As lavadeiras fugiram para o capinzal dos fundos, porque o pó da terra e da madeira sujava-lhes a roupa lavada. Mas, dentro de pouco tempo, estava tudo pronto; e, com imenso pasmo, viram que a venda, a sebosa bodega, onde João Romão se fez gente, ia também entrar em obras. O vendeiro resolvera aproveitar dela somente algumas das paredes, que eram de um metro de largura, talhadas à portuguesa; abriria as portas em arco, suspenderia o teto e levantaria um sobrado, mais alto que o do Miranda e, com toda a certeza, mais vistoso. Prédio para meter o do outro no chinelo; quatro janelas de frente, oito de lado, com um terraço ao fundo. O lugar em que ele dormia com Bertoleza, a cozinha e a casa de pasto seriam abobadadas, formando, com a parte da taverna, um grande armazém, em que o seu comércio iria fortalecer-se e alargar-se.

O Barão e o Botelho apareciam por lá quase todos os dias, ambos muito interessados pela prosperidade do vizinho; examinavam os materiais escolhidos para a construção, batiam com a biqueira do chapéu de sol[2] no pinho de Riga destinado ao assoalho, e afetando-se bons entendedores, tomavam na palma da mão e esfarelavam entre os dedos um punhado da terra e da cal com que os operários faziam barro. Às vezes chegavam a ralhar com os trabalhadores, quando lhes parecia que não iam bem no serviço! João Romão, agora sempre de paletó, engravatado, calças brancas, colete e corrente de relógio, já não parava na venda, e só acompanhava as obras na folga das ocupações da rua. Principiava a tomar tino no jogo da Bolsa; comia em hotéis caros e bebia cerveja em larga camaradagem com capitalistas nos cafés do comércio.

E a crioula? Como havia de ser?

Era isto justamente o que, tanto o Barão como o Botelho, morriam por que lhe dissessem. Sim, porque aquela boa casa que se estava fazendo, e os ricos móveis encomendados, e mais as pratas e as porcelanas que haviam de vir, não seriam decerto para os beiços da negra velha! Conservá-la-ia como criada? Impossível! Todo Botafogo sabia que eles até aí fizeram vida comum!

Todavia, tanto o Miranda, como o outro, não se animavam a abrir o bico a esse respeito com o vizinho e contentavam-se em boquejar entre si misteriosamente, palpitando ambos por ver a saída que o vendeiro acharia para semelhante situação.

Maldita preta dos diabos! Era ela o único defeito, o senão, de um homem tão importante e tão digno!

Agora, não se passava um domingo sem que o amigo de Bertoleza fosse jantar à casa do Miranda. Iam juntos ao teatro. João Romão dava o braço à Zulmira, e, procurando galanteá-la e mais ao resto da família, desfazia-se em obséquios brutais e dispendiosos, com uma franqueza exagerada que não olhava gastos. Se tinham de tomar alguma coisa, ele fazia vir logo três, quatro garrafas ao mesmo tempo, pedindo sempre o triplo do necessário e acumulando compras inúteis de doces, flores e tudo o que aparecia. Nos leilões das festas de arraial era tão feroz a sua febre de obsequiar à gente do Miranda, que nunca voltavam para casa sem um homem atrás, carregado com os mimos que o vendeiro arrematava.

E Bertoleza bem que compreendia tudo isso e bem que estranhava a transformação do amigo. Ele ultimamente mal se chegava para ela e, quando o fazia, era com tal repugnância, que antes o não fizesse. A desgraçada muita vez sentia-lhe cheiro de outras mulheres, perfumes de cocotes estrangeiras, e chorava em segredo, sem ânimo de reclamar os seus direitos. Na sua obscura condição de animal de trabalho, já não era amor o que a mísera desejava, era somente confiança no amparo da sua velhice, quando de todo lhe faltassem as forças para ganhar a vida. E contentava-se em suspirar no meio de grandes silêncios durante o serviço de todo o dia, covarde e resignada, como seus pais que a deixaram nascer e crescer no cativeiro. Escondia-se de todos, mesmo da gentalha do frege e da estalagem, envergonhada de si própria, amaldiçoando-se por ser quem era, triste de sentir-se a mancha negra, a indecorosa nódoa daquela prosperidade brilhante e clara.

E, no entanto, adorava o amigo; tinha por ele o fanatismo irracional das caboclas do Amazonas pelo branco a que se escravizam, dessas que morrem de ciúmes, mas que também são capazes de matar-se para poupar ao seu ídolo a vergonha do seu amor. O que custava àquele homem consentir que ela, uma vez por outra, se chegasse para junto dele? Todo o dono, nos momentos de bom humor, afaga o seu cão... Mas qual! o destino de Bertoleza fazia-se cada vez mais estreito e mais

O CORTIÇO ∾ 305

sombrio; pouco a pouco deixara totalmente de ser a amante do vendeiro, para ficar sendo só uma sua escrava. Como sempre, era a primeira a erguer-se e a última a deitar-se; de manhã escamando peixe, à noite vendendo-o à porta, para descansar da trabalheira grossa das horas de sol; sempre sem domingo nem dia santo, sem tempo para cuidar de si, feia, gasta, imunda, repugnante, com o coração eternamente emprenhado de desgostos que nunca vinham à luz. Afinal, convencendo-se de que ela, sem ter ainda morrido, já não vivia para ninguém, nem tampouco para si, desabou num fundo entorpecimento apático, estagnado como um charco podre que causa nojo. Fizera-se áspera, desconfiada, sobrolho carrancudo, uma linha dura de um canto ao outro da boca. E durante dias inteiros, sem interromper o serviço, que ela fazia agora automaticamente, por um hábito de muitos anos, gesticulava e mexia com os lábios, monologando sem pronunciar as palavras. Parecia indiferente a tudo, a tudo que a cercava.

Não obstante, certo dia em que João Romão conversou muito com Botelho, as lágrimas saltaram dos olhos da infeliz, e ela teve de abandonar a obrigação, porque o pranto e os soluços não lhe deixavam fazer nada.

Botelho havia dito ao vendeiro:

– Faça o pedido! É ocasião.

– Hein?

– Pode pedir a mão da pequena. Está tudo pronto!

– O Barão dá-ma?

– Dá.

– Tem certeza disso?

– Ora! se não tivesse não lho diria deste modo!

– Ele prometeu?

– Falei-lhe; fiz-lhe o pedido em seu nome. Disse que estava autorizado por você. Fiz mal?

– Mal? Fez muito bem. Creio até que não é preciso mais nada!

– Não, se o Miranda não vier logo ao seu encontro é bom você lhe falar, compreende?

– Ou escrever.

– Também!

– E a menina?

– Respondo por ela. Você não tem continuado a receber as flores?

– Tenho.

– Pois então não deixe pelo seu lado de ir mandando também as suas e faça o que lhe disse. – Atire-se, seu João, atire-se enquanto o angu está quente!

Por outro lado, Jerônimo empregara-se na pedreira de São Diogo, onde trabalhava dantes, e morava agora com a Rita numa estalagem da Cidade Nova.

Tiveram de fazer muita despesa para se instalarem; foi-lhes preciso comprar de novo todos os arranjos de casa, porque do São Romão Jerônimo só levou dinheiro, dinheiro que ele já não sabia poupar. Com o asseio da mulata a sua casinha ficou, todavia, que era um regalo; tinham cortinado na cama, lençóis de linho, fronhas de renda, muita roupa branca, para mudar todos os dias, toalhas de mesa, guardanapos; comiam em pratos de porcelana e usavam sabonetes finos. Plantaram à porta uma trepadeira que subia para o telhado, abrindo pela manhã flores escarlates, de que as abelhas gostavam muito; penduraram gaiolas de passarinho na sala de jantar; sortiram a despensa de tudo que mais gostavam; compraram galinhas e marrecos e fizeram um banheiro só para eles, porque o da estalagem repugnou à baiana que, nesse ponto, era muito escrupulosa.

A primeira parte da sua lua de mel foi uma cadeia de delícias contínuas; tanto ele como ela, pouco ou nada trabalharam; a vida dos dois resumira-se, quase que exclusivamente, nos oitos palmos de colchão novo, que nunca chegava a esfriar de todo. Jamais a existência pareceu tão boa e corredia para o português; aqueles primeiros dias fugiram-lhe como estrofes seguidas de uma deliciosa canção de amor, apenas espacejada pelo estribilho dos beijos em dueto; foi um prazer prolongado e amplo, bebido sem respirar, sem abrir os olhos, naquele colo carnudo e dourado da mulata, a que o cavouqueiro se abandonara como um bêbedo que adormece abraçado a um garrafão inesgotável de vinho gostoso.

Estava completamente mudado. Rita apagara-lhe a última réstia das recordações da pátria; secou, ao calor dos seus lábios grossos e vermelhos, a derradeira lágrima de saudade, que o desterrado lançou do coração com o extremo arpejo que a sua guitarra suspirou!

A guitarra! substituiu-a ela pelo violão baiano, e deu-lhe a ele uma rede, um cachimbo, e embebedou-lhe os sonhos de amante prostrado com as suas cantigas do norte, tristes, deleitosas, em que há caboclinhos curupiras, que no sertão vêm pitar à beira das estradas em noites de lua clara, e querem que todo o viajante que vai passando lhes ceda fumo e cachaça, sem o que, ai deles! o curupira transforma-os em bicho do mato. E deu-lhe do seu comer da Bahia, temperado com fogoso azeite de dendê, cor de brasa; deu-lhe das suas muquecas escandescentes, de fazer chorar, habituou-lhe a carne ao cheiro sensual daquele seu corpo de cobra, lavado três vezes ao dia e três vezes perfumado com ervas aromáticas.

O português abrasileirou-se para sempre; fez-se preguiçoso, amigo das extravagâncias e dos abusos, luxurioso e ciumento; fora-se-lhe de vez o espírito da economia e da ordem; perdeu a esperança de enriquecer, e deu-se todo, todo inteiro, à felicidade de possuir a mulata e ser possuído só por ela, só ela, e mais ninguém.

A morte do Firmo não vinha nunca a toldar-lhes o gozo da vida; quer ele, quer a amiga, achavam a coisa muito natural. "O facínora matara tanta gente; fizera tanta maldade; de-

308 ⸰ ALUÍSIO AZEVEDO

via pois acabar como acabou! Nada mais justo! Se não fosse Jerônimo, seria outro! Ele assim o quis – benfeito!"

Por esse tempo, Piedade de Jesus, sem se conformar com a ausência do marido, chorava o seu abandono e ia também agora se transformando de dia para dia, vencida por um desmazelo de chumbo, uma dura desesperança, a que nem as lágrimas bastavam para adoçar as agruras. A princípio, ainda a pobre de Cristo tentou resistir com coragem àquela viuvez pior que essa outra, em que há, para elemento de resignação, a certeza de que a pessoa amada nunca mais terá olhos para cobiçar mulheres, nem boca para pedir amores; mas depois começou a afundar sem resistência na lama do seu desgosto, covardemente, sem forças para iludir-se com uma esperança fátua, abandonando-se ao abandono, desistindo dos seus princípios, do seu próprio caráter, sem se ter já neste mundo na conta de alguma coisa e continuando a viver somente porque a vida era teimosa e não queria deixá-la ir apodrecer lá embaixo, por uma vez. Deu para desleixar-se no serviço; as suas freguesas de roupa começaram a reclamar; foi-lhe fugindo o trabalho pouco a pouco; fez-se madraça[3] e moleirona, precisando já empregar grande esforço para não bulir nas economias que Jerônimo lhe deixara, porque isso devia ser para a filha, aquela pobrezita orfanada antes da morte dos pais.

Um dia, Piedade levantou-se queixando-se de dores de cabeça, zoada nos ouvidos e o estômago embrulhado; aconselharam-lhe que tomasse um trago de parati. Ela aceitou o conselho e passou melhor. No dia seguinte repetiu a dose; deu-se bem com a perturbação em que a punha o álcool, esquecia-se um pouco durante algum tempo das amofinações da sua vida; e, gole a gole, habituara-se a beber todos os dias o seu meio martelo de aguardente, para enganar os pesares.

Agora, que o marido já não estava ali para impedir que a filha pusesse os pés no cortiço, e agora que Piedade precisava de consolo, a pequena ia passar os domingos com ela. Saíra uma criança forte e bonita; puxara do pai o vigor físico e da mãe a expressão bondosa da fisionomia. Já tinha nove anos.

Eram esses agora os únicos bons momentos da pobre mulher, esses que ela passava ao lado da filha. Os antigos moradores da estalagem principiavam a distinguir a menina com a mesma predileção com que amavam Pombinha, porque em toda aquela gente havia uma necessidade moral de eleger para mimoso[4] da sua ternura um entezinho delicado e superior, a quem eles privilegiavam respeitosamente, como súditos a um príncipe. Crismaram-na logo com o cognome de "Senhorinha".

Piedade, apesar do procedimento do marido, ainda no íntimo se impressionava com a ideia de que não devia contrariá-lo nas suas disposições de pai. "Mas que mal tinha que a pequena fosse ali?... Era uma esmola que fazia à mãe! Lá pelo risco de perder-se... Ora adeus, só se perdia quem mesmo já nascera para a perdição! A outra não se conservara sã e pura? não achara noivo? não casara e não vivia dignamente com o seu marido? Então?!" E Senhorinha continuou a ir à estalagem, a princípio nos domingos pela manhã, para voltar à tarde, depois já de véspera, nos sábados, para só tornar ao colégio na segunda-feira.

Jerônimo ao saber disto, por intermédio da professora, revoltou-se no primeiro ímpeto, mas, pensando bem no caso, achou que era justo deixar à mulher aquele consolo. "Coitada! devia viver bem aborrecida da sorte!" Tinha ainda por ela um sentimento compassivo, em que a melhor parte nascera com o remorso. "Era justo, era! que a pequena aos domingos e dias santos lhe fizesse companhia!" E então, para ver a filha, tinha que ir ao colégio nos dias de semana. Quase sempre levava-lhe presentes de doce, frutas e perguntava-lhe se precisava de roupa ou de calçado. Mas,

O CORTIÇO ~ 311

um belo dia, apresentou-se tão ébrio, que a diretora lhe negou a entrada. Desde essa ocasião, Jerônimo teve vergonha de lá voltar, e as suas visitas à filha tornaram-se muito raras.

Tempos depois, Senhorinha entregou à mãe uma conta de seis meses da pensão do colégio, com uma carta em que a diretora negava-se a conservar a menina, no caso que não liquidassem prontamente a dívida. Piedade levou as mãos à cabeça: "Pois o homem já nem o ensino da pequena queria dar?! Que lhe valesse Deus! onde iria ela fazer dinheiro para educar a filha?!"

Foi à procura do marido; já sabia onde ele morava. Jerônimo recusou-se, por vexame; mandou dizer que não estava em casa. Ela insistiu; declarou que não arredaria dali sem lhe falar; disse em voz bem alta que não ia lá por ele, mas pela filha, que estava arriscada a ser expulsa do colégio; ia para saber que destino lhe havia de dar, porque agora a pequena estava muito taluda para ser enjeitada na roda![5]

Jerônimo apareceu afinal, com um ar triste de vicioso envergonhado que não tem ânimo de deixar o vício. A mulher, ao vê-lo, perdeu logo toda a energia com que chegara e comoveu-se tanto, que as lágrimas lhe saltaram dos olhos às primeiras palavras que lhe dirigiu. E ele abaixou os seus e fez-se lívido defronte daquela figura avelhantada, de peles vazias, de cabelos sujos e encanecidos. Não lhe parecia a mesma! Como estava mudada! E tratou-a com brandura, quase a pedir-lhe perdão, a voz muito espremida no aperto da garganta.

– Minha pobre velha... balbuciou, pousando-lhe a mão larga na cabeça.

E os dois emudeceram um defronte do outro, arquejantes. Piedade sentiu ânsias de atirar-se-lhe nos braços, possuída de imprevista ternura com aquele simples afago do seu homem. Um súbito raio de esperança iluminou-a toda por dentro, dissolvendo de relance os negrumes acumulados ultimamente no seu coração. Contava não ouvir ali senão palavras duras e ásperas, ser talvez repelida grosseiramente, insultada pela outra e coberta de ridículo pelos novos companheiros do marido; mas, ao encontrá-lo também triste e desgostoso, sua alma prostrou-se reconhecida; e, assim que Jerônimo, cujas lágrimas corriam já silenciosamente, deixou que a sua mão fosse descendo da cabeça ao ombro e depois à cintura da esposa, ela desabou, escondendo o rosto contra o peito dele, numa explosão de soluços que lhe faziam vibrar o corpo inteiro.

Por algum tempo choraram ambos abraçados.

– Consola-te! que queres tu?... São desgraças!... disse o cavouqueiro afinal, limpando os olhos. Foi como se eu tivesse te morrido... mas podes ficar certa de que te estimo e nunca te quis mal!... Volta para casa; eu irei pagar o colégio de nossa filhinha e hei de olhar por ti. Vai, e pede a Deus Nosso Senhor que me perdoe os desgostos que te tenho eu dado!

E acompanhou-a até ao portão da estalagem.

Ela, sem poder pronunciar palavra, saiu cabisbaixa, a enxugar os olhos no xale de lã, sacudida ainda de vez em quando por um soluço retardado.

Entretanto, Jerônimo não mandou saldar a conta do colégio, no dia seguinte, nem no outro, nem durante todo o resto do mês; e ele, coitado! bem que se mortificou por isso; mas onde ia buscar dinheiro naquela ocasião? o seu trabalho mal lhe dava agora para viver junto com a mulata; estava já alcançado[6] nos seus ordenados e devia ao padeiro e ao homem da venda. Rita era desperdiçada e amiga de gastar à larga; não podia passar sem uns tantos regalos de barriga e gostava de fazer presentes. Ele, receoso de contrariá-la e quebrar o ovo da sua paz, até aí tão completo com respeito à baiana, subordinava-se calado e afetando até satisfação; no íntimo, porém, o infeliz sofria deveras. A lembrança constante da filha e da mulher apoquentava-o com pontas de remorso, que dia a dia alastravam na sua consciência, à proporção que esta ia acordando daquela cegueira. O desgraçado sentia e compreendia perfeitamente todo o mal da sua conduta; mas só a ideia de separar-se da amante punha-lhe logo o sangue doido e apagava-lhe de novo a luz dos raciocínios. "Não! não!! Tudo que quisessem, menos isso!"

E então, para fugir àquela voz irrefutável, que estava sempre a serrazinar dentro dele, bebia em camaradagem com os companheiros e habituara-se, dentro em pouco, à embriaguez. Quando Piedade, quinze dias depois da sua primeira visita, tornou lá, um domingo, acompanhada pela filha, encontrou-o bêbedo, numa roda de amigos.

Jerônimo recebeu-as com grande escarcéu de alegria. Fê-las entrar. Beijou a pequena repetidas vezes e suspendeu-a pela cintura, soltando exclamações de entusiasmo.

Com um milhão de raios! Que linda estava a sua morgadinha![7]

Obrigou-as logo a tomar alguma coisa e foi chamar a mulata; queria que as duas mulheres fizessem as pazes no mesmo instante. Era questão decidida!

Houve uma cena de constrangimentos, quando a portuguesa se viu defronte da baiana.

– Vamos! vamos! Abracem-se! Acabem com isso por uma vez! bradava Jerônimo, a empurrá-las uma contra a outra. Não quero aqui caras fechadas!

As duas trocaram um aperto de mão, sem se fitarem. Piedade estava escarlate de vergonha.

– Ora muito bem! acrescentou o cavouqueiro. Agora, para a coisa ser completa, hão de jantar conosco!

A portuguesa opôs-se, resmungando desculpas, que o cavouqueiro não aceitou.

– Não as deixo sair! É boa! Pois hei de deixar ir minha filha sem matar as saudades?

Piedade assentou-se a um canto, impaciente pela ocasião de entender-se com o marido sobre o negócio do colégio. Rita, volúvel como toda a mestiça, não guardava rancores, e, pois, desfez-se em obséquios com a família do amigo. As outras visitas saíram antes do jantar.

Puseram-se à mesa às quatro horas e principiaram a comer com boa disposição, carregando no virgem logo desde a sopa. Senhorinha destacava-se do grupo; na sua timidez de menina de colégio parecia, entre aquela gente, triste e assustada ao mesmo tempo. O pai acabrunhava-a com as suas solicitudes brutais e com as suas perguntas sobre os estudos. À exceção dela, todos os outros estavam, antes da sobremesa, mais ou menos chumbados pelo vinho. Jerônimo, esse estava de todo. Piedade, instigada por ele, esvaziara frequentes vezes o seu copo e, ao fim do jantar, dera para queixar-se amargamente da vida; foi então que ela, já com azedume na voz, falou na dívida do colégio e nas ameaças da diretora.

– Ora, filha! disse-lhe o cavouqueiro. Agora estás tu também pr'aí com essa mastigação! Deixa as tristezas pr'outra vez! Não nos amargures o jantar!

– Triste sorte a minha!

– Ai, ai! que temos lamúria!

– Como não me hei de queixar, se tudo me corre mal?!

– Sim? Pois se é para isso que aqui vens, melhor será não tornares cá!... resmungou Jerônimo, franzindo o sobrolho. Que diabo! com choradeiras nada se endireita! Tenho eu culpa de que sejas infeliz?... Também o sou e não me queixo de Deus!

Piedade abriu a soluçar.

– Aí temos! berrou o marido, erguendo-se e dando uma punhada forte sobre a mesa. E aturem-na! Por mais que um homem se não queira zangar, há de estoirar por força! Ora bolas!

O CORTIÇO ~ 315

Senhorinha correu para junto do pai, procurando contê-lo.

– Sebo! berrou ele, desviando-a. Sempre a mesma coisa! Pois não estou disposto a aturar isto! Arre!

– Eu não vim cá por passeio!... prosseguiu Piedade entre lágrimas! Vim cá para saber da conta do colégio!...

– Pague-a você, que tem lá o dinheiro que lhe deixei! Eu é que não tenho nenhum!

– Ah! então com que não pagas?!

– Não! Com um milhão de raios!

– É que és muito pior do que eu supunha!

– Sim, hein?! Pois então deixe-me cá com toda a minha ruindade e despache o beco! Despache-o, antes que eu faça alguma asneira!

– Minha pobre filha! Quem olhará por ela, Senhor dos aflitos?!

– A pequena já não precisa de colégio! deixe-a cá comigo, que nada lhe faltará!

– Separar-me de minha filha? a única pessoa que me resta?!

– Ó mulher! você não está separada dela a semana inteira?... Pois a pequena, em vez de ficar no colégio, fica aqui, e aos domingos irá vê-la. Ora aí tem!

– Eu quero antes ficar com minha mãe!... balbuciou a menina, abraçando-se a Piedade.

– Ah! também tu, ingrata, já me fazes guerra?! Pois vão com todos os diabos! e não me tornem cá para me ferver o sangue, que já tenho de sobra com que arreliar-me!

– Vamos daqui! gritou a portuguesa, travando da filha pelo braço. Maldita a hora em que vim cá!

E as duas, mãe e filha, desapareceram; enquanto Jerônimo, passeando de um para outro lado, monologava, furioso sob a fermentação do vinho.

Rita não se metera na contenda, nem se mostrara a favor de nenhuma das partes. "O homem, se quisesse voltar para

316 ⚜ ALUÍSIO AZEVEDO

junto da mulher, que voltasse! Ela não o prenderia, porque amor não era obrigado!"

Depois de falar só por muito espaço, o cavouqueiro atirou-se a uma cadeira, despejou sombrio dois dedos de laranjinha num copo e bebeu-os de um trago.

– Arre! Assim também não!

A mulata então aproximou-se dele, por detrás; segurou-lhe a cabeça entre as mãos e beijou-o na boca, arredando com os lábios a espessura dos bigodes.

Jerônimo voltou-se para a amante, tomou-a pelos quadris e assentou-a em cheio sobre as suas coxas.

– Não te rales, meu bem! disse ela, afagando-lhe os cabelos. Já passou!

– Tens razão! besta fui eu em deixá-la pôr pé cá dentro de casa!

E abraçaram-se com ímpeto, como se o breve tempo roubado pelas visitas fosse uma interrupção nos seus amores.

Lá fora, junto ao portão da estalagem, Piedade, com o rosto escondido no ombro da filha, esperava que as lágrimas cedessem um pouco, para as duas seguirem o seu destino de enxotadas.

❦ XX ❦

Chegaram à casa às nove horas da noite. Piedade levava o coração feito em lama; não dera palavra por todo o caminho e logo que recolheu a pequena, encostou-se à cômoda, soluçando.

Estava tudo acabado! Tudo acabado!

Foi à garrafa de aguardente, bebeu uma boa porção; chorou ainda, tornou a beber, e depois saiu ao pátio, disposta a parasitar a alegria dos que se divertiam lá fora.

A das Dores tivera jantar de festa; ouviam-se as risadas dela e a voz avinhada e grossa do seu homem, o tal sujeito do comércio, abafadas de vez em quando pelos berros da Machona, que ralhava com Agostinho. Em diversos pontos cantavam e tocavam à viola.

Mas o cortiço já não era o mesmo; estava muito diferente; mal dava ideia do que fora. O pátio, como João Romão havia prometido, estreitara-se com as edificações novas; agora parecia uma rua, todo calçado por igual e iluminado por três lampiões grandes, simetricamente dispostos. Fizeram-se seis latrinas, seis torneiras d'água e três banheiros. Desapareceram as pequenas hortas, os jardins de quatro a oito palmos e os imensos depósitos de garrafas vazias. À esquerda, até onde acabava o prédio do Miranda, estendia-se um novo correr de casinhas de porta e janela, e daí por diante, acompanhando todo o lado do fundo e dobrando depois para a direita até esbarrar no sobrado de João Romão, erguia-se um segundo andar, fechado em cima do primeiro por uma estreita e extensa varanda de grades de madeira, para a qual se subia por duas escadas, uma em cada extremidade. De cento e tantos, a numeração dos cômodos elevou-se a mais de quatrocentos; e tudo caiadinho e pintado de fresco; paredes brancas, portas verdes e goteiras encarnadas. Poucos lugares havia desocupados. Alguns moradores puseram plantas à porta e à janela, em meias tinas serradas ou em vasos de barro. Albino levou o seu capricho até à cortina de labirinto e chão forrado de esteira. A casa dele destacava-se das outras; era no andar de baixo, e cá de fora via-se-lhe o papel vermelho da sala, a mobília muito brunida, jarras de flores sobre a cômoda, um lavatório com o espelho todo cercado de rosas artificiais, um oratório grande, resplandecente de palmas doiradas e prateadas, toalhas de renda por toda a parte, num luxo de igreja, casquilho e defumado. E ele, o pálido lavadeiro, sempre com o seu lenço cheiroso à volta do pescocinho, a sua calça branca de boca larga, o seu cabelo mole caído por detrás das orelhas bambas, preocupava-se muito em arrumar tudo isso, eternamente, como se esperasse a cada instante a visita de um estranho. Os companheiros de estalagem elogiavam-lhe aquela ordem e aquele asseio; pena era que lhe dessem as formigas na cama! Em verdade, ninguém sabia por quê, mas a cama de Albino estava sempre coberta de formigas. Ele a destruí-las, e o demônio do bichinho a multiplicar-se cada vez mais e mais todos os dias. Uma campanha desesperadora, que o trazia triste e aborrecido da vida. Defronte justamente ficava a casa do Bruno e da mulher, toda mobiliada de novo, com um grande candeeiro de querosene em frente à entrada, cujo revérbero parecia olhar desconfiado lá de dentro para quem passava cá no pátio. Agora, entretanto, o casal vivia em santa paz. Leocádia estava discreta; sabia-se que ela dava ainda muito que fazer ao corpo sem o concurso do marido, mas ninguém dizia quando, nem onde. O Alexandre jurava que, ao entrar ou sair fora de horas, nunca a pilhara no vício; e a esposa, a Augusta Carne Mole, ia mais longe na defesa, porque sempre tivera pena de Leocádia, pois entendia que aquele assanhamento por homem não era maldade dela; era praga de algum boca do diabo que a quis e a pobrezinha não deixou. – Estava-se vendo disso todos os dias!– tanto que ultimamente, depois que a criatura pediu a um padre um pouco de água-benta e benzeu-se com esta em certos lugares, o fogo desaparecera logo, e ela aí vivia direita e séria que não dava que falar a ninguém! Augusta ficara com a família numa das casinhas do segundo andar, à direita; estava grávida outra vez; e à noite via-se o Alexandre, sempre muito circunspecto, a passear ao comprido da varanda, acalentando uma criancinha ao colo, enquanto a mulher dentro de casa cuidava de outras. A filharada crescia-lhes, que metia medo. "Era um no papo outro no saco!" Moravam agora também desse lado os dois cúm-

O CORTIÇO ~ 319

plices de Jerônimo, o Pataca e o Zé Carlos, ocupando juntos o mesmo cômodo; defronte da porta tinham um fogãozinho e um fogareiro, em que preparavam eles mesmos a sua comida. Logo adiante era o quarto de um empregado do correio, pessoa muito calada, bem vestida e pontual no pagamento; saía todas as manhãs e voltava às dez da noite, invariavelmente; aos domingos só ia à rua para comer, e depois fechava-se em casa e, houvesse o que houvesse no cortiço, não punha mais o nariz de fora. E, assim como este, notavam-se por último na estalagem muitos inquilinos novos, que já não eram gente sem gravata e sem meias. A feroz engrenagem daquela máquina terrível, que nunca parava, ia já lançando os dentes a uma nova camada social que, pouco a pouco, se deixaria arrastar inteira lá para dentro. Começavam a vir os estudantes pobres, com os seus chapéus desabados, o paletó fouveiro[1], uma pontinha de cigarro a queimar-lhes a penugem do buço, e as algibeiras muito cheias, mas só de versos e jornais; surgiam contínuos de repartições públicas, caixeiros de botequim, artistas de teatro, condutores de bondes e vendedores de bilhetes de loteria. Do lado esquerdo, toda a parte em que havia varanda foi monopolizada pelos italianos; habitavam cinco a cinco, seis a seis no mesmo quarto, e notava-se que nesse ponto a estalagem estava já muito mais suja que nos outros. Por melhor que João Romão reclamasse, formava-se aí todos os dias uma esterqueira de cascas de melancia e laranja. Era uma comuna ruidosa e porca a dos demônios dos mascates! Quase que se não podia passar lá, tal a acumulação de tabuleiros de louça e objetos de vidro, caixas de quinquilharia, molhos e molhos de vasilhame de folha de flandres, bonecos e castelos de gesso, realejos, macacos, o diabo! E tudo isso no meio de um fedor nauseabundo de coisas podres, que empesteava todo o cortiço. A parte do fundo da varanda era asseada felizmente e destacava-se pela profusão de pássaros que lá tinham, entre os quais sobressaía uma arara enorme que, de espaço a espaço, soltava um formidável sibilo estridente e rouco. Por debaixo ficava a casa da Machona, cuja porta, como a janela, Neném trazia sempre enfeitada de tinhorões e begônias. O prédio do Miranda parecia ter recuado alguns passos, perseguido pelo batalhão das casinhas da esquerda, e agora olhava a medo, por cima dos telhados, para a casa do vendeiro, que lá defronte erguia-se altiva, desassombrada, o ar sobranceiro e triunfante. João Romão conseguira meter o sobrado do vizinho no chinelo; o seu era mais alto e mais nobre, e então com as cortinas e com a mobília nova impunha respeito. Foi abaixo aquele grosso e velho muro da frente com o seu largo portão de cocheira, e a entrada da estalagem era agora dez braças mais para dentro, tendo entre ela e a rua um pequeno jardim com bancos e um modesto repuxo ao meio, de cimento, imitando pedra. Fora-se a pitoresca lanterna de vidros vermelhos; foram-se as iscas de fígado e as sardinhas preparadas ali mesmo à porta da venda sobre as brasas; e na tabuleta nova, muito maior que a primitiva, em vez de "Estalagem de São Romão" lia-se em letras caprichosas:

AVENIDA SÃO ROMÃO

O Cabeça de Gato estava vencido finalmente, vencido para sempre; nem já ninguém se animava a comparar as duas estalagens. À medida que a de João Romão prosperava daquele modo, a outra decaía de todo; raro era o dia em que a polícia não entrava lá e baldeava tudo aquilo a espadeirada de cego. Uma desmoralização completa! Muitos cabeças de gato viraram casaca, passando-se para os carapicus, entre os quais um homem podia até arranjar a vida, se soubesse trabalhar com jeito em tempo de eleições. Exemplos não faltavam!

Depois da partida de Rita, já se não faziam sambas ao relento com o choradinho da Bahia, e mesmo o cana-verde[2] pouco se dançava e cantava; agora o forte eram os forrobodós dentro de casa, com três ou quatro músicos, ceia de café com pão; muita calça branca e muito vestido engomado. – E toca a enfiar para aí quadrilhas e polcas até romper a manhã!

Mas naquele domingo o cortiço estava banzeiro[3]; havia apenas uns grupos magros, que se divertiam com a viola à porta de casa. O melhor, ainda assim, era o da das Dores. Piedade dirigiu-se logo para lá, sombria e cabisbaixa.

– Com o demo! você anda agora que nem o boi castrado! exclamou-lhe o Pataca, assentando-se ao lado dela. As tristezas atiram-se para trás das costas, criatura de Deus! A vida não dá pra tanto! O homem deixou-te? Ora sebo! mete-te com outro e põe o coração à larga!

Ela suspirou em resposta, ainda triste; porém a garrafa de parati correu a roda, de mão em mão, e, à segunda volta, Piedade já parecia outra. Começou a conversar e a tomar interesse no pagode. Daí a pouco era, de todos, a mais animada, falando pelos cotovelos, criticando e arremedando as figuras ratonas[4] da estalagem. O Pataca ria-se, a quebrar a espinha, caindo por cima dela e passando-lhe o braço na cintura.

– Você ainda é mulher pr'um homem fazer uma asneira!

– Olha pra que lhe deu a ébria! Solta-me a perna, estupor!

O grupo achava graça nos dois e aplaudia-os com gargalhadas. E o parati a circular sempre de mão em mão. A das Dores não descansava um momento; mal vinha de encher a garrafa lá dentro de casa, tinha de voltar outra vez para enchê-la de novo. "Olha que estafa! Vão beber pro diabo!" Afinal apareceu com o garrafão e pousou-o no meio da roda.

– Querem saber! Empinem por aí mesmo, que já estou com os quartos doendo de tanto andar de lá pra cá!

Essa noite, a bebedeira de Piedade foi completa. Quando João Romão entrou, de volta da casa do Miranda, encontrou-a a dançar ao som de palmas, gritos e risadas, no meio

322 ❧ ALUÍSIO AZEVEDO

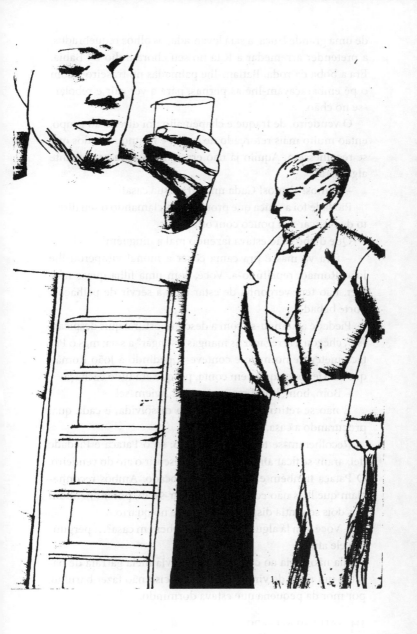

de uma grande troça, a saia levantada, os olhos requebrados, a pretender arremedar a Rita no seu choradinho da Bahia. Era a boba da roda. Batiam-lhe palmadas no traseiro e com o pé embaraçavam-lhe as pernas, para a ver cair e rebolar--se no chão.

O vendeiro, de fraque e chapéu alto, foi direito ao grupo, então muito mais reforçado de gente, e intimou a todos que se recolhessem. Aquilo já não eram horas para semelhante algazarra!

– Vamos! Vamos! Cada um para a sua casa!

Piedade foi a única que protestou, reclamando o seu direito de brincar um pouco com os amigos.

Que diabo! não estava fazendo mal a ninguém!

– Ora vá mas é pra cama cozer a mona! vituperou-lhe João Romão, repelindo-a. Você, com uma filha quase mulher, não tem vergonha de estar aqui a servir de palhaço?! Forte bêbada!

Piedade assomou-se com a descompostura, quis despicar--se[5], chegou a arregaçar as mangas e sungar[6] a saia; mas o Pataca meteu-se no meio e conteve-a, pedindo a João Romão que não levasse aquilo em conta, porque era tudo cachaça.

– Bom, bom, bom! mas aviem-se! Aviem-se!

E não se retirou sem ver a roda dissolvida, e cada qual procurando a casa.

Recolheram-se todos em silêncio; só o Pataca e Piedade deixaram-se ficar ainda no pátio, a discutir o ato do vendeiro. O Pataca também estava bastante tocado. Ambos reconheciam que lhes não convinha demorar-se ali, porém nenhum dos dois se sentia disposto a meter-se no quarto.

– Você tem lá alguma coisa que beber em casa?... perguntou ele afinal.

Ela não sabia ao certo; foi ver. Havia meia garrafa de parati e um resto de vinho. Mas era preciso não fazer barulho, por mor da pequena que estava dormindo.

324 ⁓ ALUÍSIO AZEVEDO

Entraram em ponta de pés, a falar surdamente. Piedade deu mais luz ao candeeiro.

– Olha agora! Vamos ficar às escuras! Acabou-se o gás!

O Pataca saiu, para ir à casa buscar uma vela, e de volta trouxe também um pedaço de queijo e dois peixes fritos, que levou ao nariz da lavadeira, sem dizer nada. Piedade, aos bordos, desocupou a mesa do engomado e serviu dois pratos. O outro reclamou vinagre e pimenta e perguntou se havia pão.

– Pão há. O vinho é que é pouco!

– Não faz mal! Vai mesmo com a caninha!

E assentaram-se. O cortiço dormia já e só se ouviam, no silêncio da noite, cães que ladravam lá fora na rua, tristemente. Piedade começou a queixar-se da vida; veio-lhe uma crise de lágrimas e soluços. Quando pôde falar contou o que lhe sucedera essa tarde, narrou os pormenores da sua ida com a filha à procura do marido, o jantar em comum com a peste da mulata, e afinal a sua humilhação de vir de lá enxovalhada e corrida.

Pataca revoltou-se, não com o procedimento de Jerônimo, mas com o dela.

Rebaixar-se àquele ponto! com efeito!… Ir procurar o homem lá na casa da outra!… Oh!

– Ele tratou-me bem, quando lá fui da primeira vez… Hoje é que não sei o que tinha: só faltou pôr-me na rua aos pontapés!

– Foi benfeito! Ainda acho pouco! Devia ter-lhe metido o pau, para você não ser tola!

– É mesmo!

– Pois não! O que não falta são homens, filha! O mundo é grande! Para um pé doente há sempre um chinelo velho!– E ferrou-lhe a mão nas pernas – chega-te para mim, que te esquecerás do outro!

Piedade repeliu-o. Que se deixasse de asneiras!

– Asneiras! É o que se leva desta vida!

A pequena acordara lá no quarto e viera descalça até à porta da sala de jantar, para espiar o que faziam os dois. Não deram por ela.

E a conversa prosseguiu, esquentando à medida que a garrafa de parati se esvaziava. Piedade deu de mão[7] aos seus desgostos, pôs-se a papaguear um pouco; as lágrimas foram-se-lhe; e ela manducou[8] então com apetite, rindo já das pilhérias do companheiro, que continuava a apalpar-lhe de vez em quando as coxas.

Aquelas coisas, assim, sem se esperar, é que tinham graça!… dizia ele, excitado e vermelho, comendo com a mão, a embeber pedaços de peixe no molho das pimentas. Bem tolo era quem se matava!

Depois lembrou que não viria fora de propósito uma xicrinha de café.

– Não sei se há, vou ver, respondeu a lavadeira, erguendo-se agarrada à mesa.

E bordejou até à cozinha, a dar esbarrões pela direita e pela esquerda.

– Tento no leme, que o mar está forte! exclamou Pataca, levantando-se também, para ir ajudá-la.

Lá perto do fogão agarrou-a de súbito, como um galo abafando uma galinha.

– Larga! repreendeu a mulher, sem forças para se defender.

Ele apanhou-lhe as fraldas.

– Espera! Deixa!

– Não quero!

E ria-se por ver a atitude cômica do Pataca vergado defronte dela.

– Que mal faz?… Deixa!

– Sai daí, diabo!

E, cambaleando, amparados um no outro, foram ambos ao chão.

– Olha que peste! resmungou a desgraçada, quando o adversário conseguiu saciar-se nela. Marraios[9] te partam!

E deixou-se ficar por terra. Ele pôs-se de pé e, ao encaminhar-se para a sala de jantar, sentiu uma ligeira sombra fugir em sua frente. Era a pequena, que fora espiar à porta da cozinha.

Pataca assustara-se.

– Quem anda aqui a correr como gato?... perguntou voltando a ter com Piedade, que permanecia no mesmo lugar; agora quase adormecida.

Sacudiu-a.

– Olá! Queres ficar aí, ó criatura! Levanta-te! Anda a ver o café!

E, tentando erguê-la, suspendeu-a por debaixo dos braços. Piedade, mal mudou a posição da cabeça, vomitou sobre o peito e a barriga uma golfada fétida.

– Olha o demo! resmungou Pataca. Está que se não pode lamber!

E foi preciso arrastá-la até a cama, que nem uma trouxa de roupa suja. A infeliz não dava acordo de si.

Senhorinha acudira, perguntando aflita o que tinha a mãe.

– Não é nada, filha! explicou o Pataca. Deixe-a dormir, que isso passa! Olha! se há limão em casa passa-lhe um pouco atrás da orelha, e verás que amanhã acorda fina e pronta pra outra!

A menina desatou a soluçar.

E o Pataca retirou-se, a dar encontrões nos trastes, furioso, porque, afinal, não tomara café.

– Sebo!

❧ XXI ❧

Ao mesmo tempo, João Romão, em chinelas e camisola, passeava de um para outro lado no seu quarto novo.

Um aposento largo e forrado de azul e branco com florinhas amarelas fingindo ouro; havia um tapete aos pés da cama, e sobre a peniqueira[1] um despertador de níquel, e a mobília toda era já de casados, porque o esperto não estava para comprar móveis duas vezes.

Parecia muito preocupado; pensava em Bertoleza que, a essas horas, dormia lá embaixo, num vão de escada, aos fundos do armazém, perto da comua[2].

Mas que diabo havia ele de fazer afinal daquela peste?...

E coçava a cabeça, impaciente por descobrir um meio de ver-se livre dela.

É que nessa noite o Miranda lhe falara abertamente sobre o que ouvira de Botelho, e estava tudo decidido: Zulmira aceitava-o para marido e Dona Estela ia marcar o dia do casamento.

O diabo era a Bertoleza!...

E o vendeiro ia e vinha no quarto, sem achar uma boa solução para o problema.

Ora, que raio de dificuldade armara ele próprio para se coser!... Como poderia agora mandá-la passear, assim, de um momento para outro, se o demônio da crioula o acompanhava já havia tanto tempo e toda a gente na estalagem sabia disso?

E sentia-se revoltado e impotente defronte daquele tranquilo obstáculo que lá estava embaixo, a dormir, fazendo-lhe em silêncio um mal horrível, perturbando-lhe estupidamente o curso da sua felicidade, retardando-lhe, talvez sem consciência, a chegada desse belo futuro conquistado à força de tamanhas privações e sacrifícios!

Que ferro!

Mas, só com lembrar-se da sua união com aquela brasileirinha fina e aristocrática, um largo quadro de vitórias rasgava-se defronte da desensofrida avidez da sua vaidade. Em primeiro lugar fazia-se membro de uma família tradicional-

328 ⤜ ALUÍSIO AZEVEDO

mente orgulhosa, como era, dito por todos, a de Dona Estela; em segundo lugar aumentava consideravelmente os seus bens com o dote da noiva, que era rica e, em terceiro, afinal, caber-lhe-ia mais tarde tudo o que o Miranda possuía, realizando-se deste modo um velho sonho que o vendeiro afagava desde o nascimento da sua rivalidade com o vizinho.

E via-se já na brilhante posição que o esperava: uma vez de dentro, associava-se logo com o sogro e iria pouco a pouco, como quem não quer a coisa, o empurrando para o lado, até empolgar-lhe o lugar e fazer de si um verdadeiro chefe da colônia portuguesa no Brasil; depois, quando o barco estivesse navegando ao largo a todo o pano – tome lá alguns pares de contos de réis e passe-me para cá o título de Visconde!

Sim, sim, Visconde! Por que não? e mais tarde, com certeza, Conde! Eram favas contadas![3]

Ah! ele, posto nunca o dissera a ninguém, sustentava de si para si nos últimos anos o firme propósito de fazer-se um titular mais graduado que o Miranda. E, só depois de ter o título nas unhas, é que iria à Europa, de passeio, sustentando grandeza, metendo invejas, cercado de adulações, liberal, pródigo, brasileiro[4], atordoando o mundo velho com o seu ouro novo americano!

E a Bertoleza? gritava-lhe do interior uma voz impertinente.

– É exato! E a Bertoleza?... repetia o infeliz, sem interromper o seu vaivém ao comprido da alcova.

Diabo! E não poder arredar logo da vida aquele ponto negro; apagá-lo rapidamente, como quem tira da pele uma nódoa de lama! Que raiva ter de reunir aos voos mais fulgurosos da sua ambição a ideia mesquinha e ridícula daquela inconfessável concubinagem! E não podia deixar de pensar no demônio da negra, porque a maldita ali estava perto, a rondá-lo ameaçadora e sombria; ali estava como o documento vivo das suas misérias, já passadas mas ainda palpitantes. Bertoleza devia ser esmagada, devia ser suprimida, porque era tudo que havia de mau na vida dele! Seria um crime conservá-la a seu lado! Ela era o torpe balcão da primitiva bodega; era o aladroado vintenzinho de manteiga em papel pardo; era o peixe trazido da praia e vendido à noite ao lado do fogareiro à porta da taberna; era o frege imundo e a lista cantada das comezainas à portuguesa; era o sono roncado num colchão fétido, cheio de bichos; ela era a sua cúmplice e era todo o seu mal – devia, pois, extinguir-se! Devia ceder o lugar à pálida mocinha de mãos delicadas e cabelos perfumados, que era o bem, porque era o que ria e alegrava, porque era a vida nova, o romance[5] solfejado ao piano, as flores nas jarras, as sedas e as rendas, o chá servido em porcelanas caras; era enfim a doce existência dos ricos, dos felizes e dos fortes, dos que herdaram sem trabalho ou dos que, a puro esforço, conseguiram acumular dinheiro, rompendo e subindo por entre o rebanho dos escrupulosos ou dos fracos. E o vendeiro tinha defronte dos olhos o namorado sorriso da filha do Miranda, sentia ainda a leve pressão do braço melindroso que se apoiara ao seu, algumas horas antes, em passeio pela praia de Botafogo; respirava ainda os perfumes da menina, suaves, escolhidos e penetrantes como palavras de amor; nos seus dedos grossos, curtos, ásperos e vermelhos, conservava a impressão da tépida carícia daquela mãozinha enluvada que, dentro em pouco, nos prazeres garantidos do matrimônio, afagar-lhe-ia as carnes e os cabelos.

Mas, e a Bertoleza?...

Sim! era preciso acabar com ela! despachá-la! sumi-la por uma vez!

Deu meia-noite no relógio do armazém. João Romão tomou uma vela e desceu aos fundos da casa, onde Bertoleza dormia. Aproximou-se dela, pé ante pé, como um criminoso que leva uma ideia homicida.

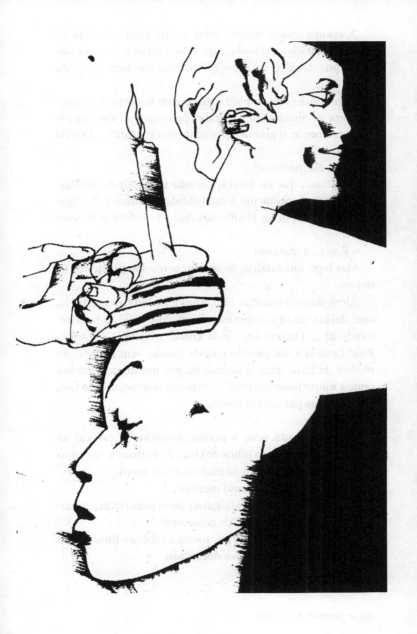

A crioula estava imóvel sobre o enxergão[6], deitada de lado, com a cara escondida no braço direito, que ela dobrara por debaixo da cabeça. Aparecia-lhe uma parte do corpo nua.

João Romão contemplou-a por algum tempo, com asco.

E era aquilo, aquela miserável preta que ali dormia indiferentemente, o grande estorvo da sua ventura!... Parecia impossível!

– E se ela morresse?...

Esta frase, que ele tivera, quando pensou pela primeira vez naquele obstáculo à sua felicidade, tornava-lhe agora ao espírito, porém já amadurecida e transformada nesta outra:

– E se eu a matasse?

Mas logo um calafrio de pavor correu-lhe por todos os nervos.

Além disso, como?... Sim, como poderia despachá-la, sem deixar sinais comprometedores do crime?... Envenenando-a?... Dariam logo pela coisa!... Matá-la a tiro?... Pior! Levá-la a um passeio fora da cidade, bem longe e, no melhor da festa, atirá-la ao mar ou por um despenhadeiro, onde a morte fosse infalível?... Mas como arranjar tudo isso, se eles nunca passeavam juntos?...

Diabo!

E o desgraçado ficou a pensar, abstrato, de castiçal na mão, sem despregar os olhos de cima de Bertoleza, que continuava imóvel, com o rosto escondido no braço.

– E se eu a esganasse aqui mesmo?...

E deu, na ponta dos pés, alguns passos para frente, parando logo, sem deixar nunca de contemplá-la.

Mas a crioula ergueu de improviso a cabeça e fitou-o com os olhos de quem não estava dormindo.

– Ah! fez ele.

– Que é, seu João?

– Nada. Vim só ver-te... Cheguei ainda não há muito... Como vais tu? Passou-te a dor do lado?...

Ela meneou os ombros, sem responder ao certo. Houve um silêncio entre os dois. João Romão não sabia o que dizer e saiu afinal, escoltado pelo imperturbável olhar da crioula, que o intimidava mesmo pelas costas.

– Teria desconfiado? pensou o miserável, subindo de novo para o quarto. Qual! Desconfiar de quê?...

E meteu-se logo na cama, disposto a não pensar mais nisso e dormir incontinenti. Mas o seu pensamento continuou rebelde a parafusar sobre o mesmo assunto.

– É preciso despachá-la! É preciso despachá-la quanto antes, seja lá como for! Ela, até agora, não deu ainda sinal de si; não abriu o bico a respeito da questão; mas, Dona Estela está a marcar o dia do casamento; não levará muito tempo para isso... o Miranda naturalmente comunica a notícia aos amigos... o fato corre de boca em boca... chega aos ouvidos da crioula, e esta, vendo-se abandonada, estoura! estoura com certeza! E agora o verás! Como deve ser bonito, hein?... Ir tão bem até aqui e esbarrar na oposição da negra!... E os comentários depois!... O que não dirão os invejosos lá da Praça?... "Ah, ah! ele tinha em casa uma amiga, uma preta imunda com quem vivia! Que tipo! Sempre há de mostrar que é gentinha de laia muito baixa!... E aqui a engazopar-nos[7] com uns ares de capitalista que se trata a vela de libra![8] Olha o carapicu para que havia de dar. Sai sujo!" E, então, a família da menina, com medo de cair também na boca do mundo, volta atrás e dá o dito por não dito! Bem sei que ela está a par de tudo; isso, olé se está! mas finge-se desentendida, porque conta, e com razão, que eu não serei tão parvo que espere o dia do casamento sem ter dado sumiço à negra! contam que a coisa correrá sem o menor escândalo! E eu, no entanto, tão besta que nada fiz! E a peste da crioula está aí senhora do terreiro como dantes, e não descubro meio de ver-me livre dela!… Ora já se viu como arranjei semelhante entalação?… Isto contado não se acredita!

E pisava e repisava o caso, sem achar meio de dar-lhe saída!

Diabo!

– Ela há muito que devia estar longe de mim… fiz mal em não cuidar logo disso antes de mais nada!… Fui um pedaço de asno! Se eu a tivesse despachado logo, quando ainda se não falava no meu casamento, ninguém desconfiaria da história: "Por que diabo iria o pobre homem dar cabo de uma mulher, com quem vivia na melhor paz e que era até, dentro de casa, o seu braço direito?…" Mas agora, depois de todas aquelas reformas de vida; depois da separação das camas, e principalmente depois que corresse a notícia do casamento, não faltaria decerto quem o acusasse, se a negra aparecesse morta de repente!

Diabo!

Deram quatro horas, e o desgraçado nada de pregar olho; continuava a matutar sobre o assunto, virando-se de um para o outro lado da sua larga e rangedora cama de casados. Só pelo abrir da aurora conseguiu passar pelo sono; mas, logo às sete da manhã, teve de pôr-se a pé: o cortiço estava todo alvoroçado com um desastre.

A Machona lavava à sua tina, ralhando e discutindo como sempre, quando dois trabalhadores, acompanhados de um ruidoso grupo de curiosos, trouxeram-lhe sobre uma tábua o cadáver ensanguentado do filho. Agostinho havia ido, segundo o costume, brincar à pedreira com outros dois rapazitos da estalagem; tinham, cabritando pelas arestas do precipício, subido a uma altura superior a duzentos metros do chão e, de repente, faltara-lhe o equilíbrio e o infeliz rolou de lá abaixo, partindo os ossos e atassalhando as carnes.

Todo ele, coitadinho, era uma só massa vermelha; as canelas, quebradas no joelho, dobravam moles para debaixo das coxas; a cabeça, desarticulada, abrira no casco e despejava o pirão dos miolos; numa das mãos faltavam-lhe todos os dedos e no quadril esquerdo via-se-lhe sair uma ponta de osso ralado pela pedra.

Foi um alarme no pátio quando ele chegou.

Cruzes! que desgraça!

Albino, que lavava ao lado da Machona, teve uma síncope; Neném ficou que nem doida, porque ela queria muito àquele irmão; a das Dores imprecou contra os trabalhadores, que deixavam um filho alheio matar-se daquele modo em presença deles; a mãe, essa apenas soltou um bramido de monstro apunhalado no coração e caiu mesquinha junto do cadáver, a beijá-lo, vagindo como uma criança. Não parecia a mesma!

As mães dos outros dois rapazitos esperavam imóveis e lívidas pela volta dos filhos, e, mal estes chegaram à estalagem, cada uma se apoderou logo do seu e caiu-lhe em cima, a sová-los ambos que metia medo.

– Mira-te naquele espelho, tentação do diabo! exclamava uma delas, com o pequeno seguro entre as pernas a encher-lhe a bunda de chineladas. Não era aquele que devia ir, eras tu, peste! aquele, coitado! ao menos ajudava à mãe, ganhava dois mil-réis por mês regando as plantas do Comendador, e tu, coisa-ruim, só serves para me dar consumições! Toma! Toma! Toma!

E o chinelo cantava entre o berreiro feroz dos dois rapazes.

João Romão chegou ao terraço de sua casa, ainda em mangas de camisa, e de lá mesmo tomou conhecimento do que acontecera. Contra todos os seus hábitos impressionou-se com a morte de Agostinho; lamentou-a no íntimo, tomado de estranhas condolências.

– Pobre pequeno! tão novo... tão esperto... e cuja vida não prejudicava a ninguém, morrer assim, desastradamente!... ao passo que aquele diabo velho da Bertoleza continuava agarrado à existência, envenenando-lhe a felicidade, sem se decidir a despachar o beco!

E o demônio da crioula parecia mesmo não estar disposta a ir só com duas razões; apesar de triste e acabrunhada, mostrava-se forte e rija. Suas pernas curtas e lustrosas eram duas peças de ferro unidas pela culatra, das quais ela trazia um par de balas penduradas em saco contra o peito; as roscas lustrosas do seu cachaço lembravam grossos chouriços de sangue, e na sua carapinha compacta ainda não havia um fio branco. Aquilo, arre! tinha vida para o resto do século!

– Mas deixa estar, que eu te despacho bonito e asseado!... disse o vendeiro de si para si, voltando ao quarto para acabar de vestir-se.

Enfiava o colete quando bateram pancadas familiares na porta do corredor.

– Então?! Ainda se está em val de lençóis?...[9]

Era a voz do Botelho.

O vendeiro foi abrir e fê-lo entrar ali mesmo para a alcova.

– Ponha-se a gosto. Como vai você?

– Assim. Não tenho passado lá essas coisas...

João Romão deu-lhe notícia da morte do Agostinho e declarou que estava com dor de cabeça. Não sabia que diabo tinha ele aquela noite, que não houve meio de pegar direito no sono.

– Calor... explicou o outro. E prosseguiu depois de uma pausa, acendendo um cigarro: pois eu vinha cá falar-lhe... Você não repare, mas...

João Romão supôs que o parasita ia pedir-lhe dinheiro e preparou-se para a defesa, queixando-se inopinadamente de que os negócios não lhe corriam bem; mas calou-se, porque o Botelho acrescentou com o olhar fito nas unhas:

– Não devia falar nisto... são coisas suas lá particulares, em que a gente não se mete, mas...

336 ⚜ ALUÍSIO AZEVEDO

O taberneiro compreendeu logo onde a visita queria chegar e aproximou-se dele, dizendo confidencialmente:

– Não! Ao contrário! fale com franqueza... Nada de receios...

– É que... sim, você sabe que eu tenho tratado do seu casamento com a Zulmirinha... Lá em casa não se fala agora noutra coisa... até a própria Dona Estela já está muito bem disposta a seu favor... mas...

– Desembuche, homem de Deus!

– É que há um pontinho que é preciso pôr a limpo... Coisa insignificante, mas...

– Mas, mas! você não desembuchará por uma vez?... Fale, que diabo!

Um caixeiro do armazém apareceu à porta, prevenindo de que o almoço estava na mesa.

– Vamos comer, disse João Romão. Você já almoçou?

– Ainda não, mas lá em casa contam comigo...

O vendeiro mandou o seu empregado dizer lá defronte à família do Barão que seu Botelho não ia ao almoço. E, sem tomar o casaco, passou com a visita à sala de jantar.

O cheiro ativo dos móveis, polidos ainda de fresco, dava ao aposento um caráter insociável de lugar desabitado e por alugar. Os trastes, tão nus como as paredes, entristeciam com a sua fria nitidez de coisa nova.

– Mas vamos lá! Que temos então?... inquiriu o dono da casa, assentando-se à cabeceira da mesa, enquanto o outro, junto dele, tomava lugar à extremidade de um dos lados.

– É que, respondeu o velho em tom de mistério, você tem cá em sua companhia uma... uma crioula, que... Eu não creio, note-se, mas...

– Adiante!

– É! Dizem que ela é coisa sua... Lá em casa rosnou!... O Miranda defende-o, afirma que não... Ah! aquilo é uma grande alma! mas Dona Estela, você sabe o que são mulheres!... torce o nariz e... Em uma palavra: receio que esta história nos traga qualquer embaraço!...

Calou-se, porque acabava de entrar um portuguesinho, trazendo uma travessa de carne ensopada com batatas.

João Romão não respondeu, mesmo depois que o pequeno saiu; ficou abstrato, a bater com a faca entre os dentes.

– Por que você a não manda embora?... arriscou o Botelho, despejando vinho no seu e no copo do companheiro.

Ainda desta vez não obteve logo resposta; mas o outro tomando, afinal, uma resolução, declarou confidencialmente:

– Vou dizer-lhe toda a coisa como ela é... e talvez que você até me possa auxiliar!...

Olhou para os lados, chegou mais a sua cadeira para junto da de Botelho e acrescentou em voz baixa:

– Esta mulher meteu-se comigo, quando eu principiava minha vida... Então, confesso... precisava de alguém nos casos dela, que me ajudasse... e ajudou-me muito, não nego! Devo-lhe isso! não! ajudar-me ajudou! mas...

– E depois?

– Depois, ela foi ficando para aí; foi ficando... e agora...

– Agora é um trambolho que lhe pode escangalhar a igrejinha! É o que é!

– Sim, que dúvida! pode ser um obstáculo sério ao meu casamento! Mas, que diabo! eu também, você compreende, não a posso pôr na rua, assim, sem mais aquelas!... Seria ingratidão, não lhe parece?...

– Ela já sabe em que pé está o negócio?...

– Deve desconfiar de alguma coisa, que não é tola!... Eu, cá por mim, não lhe toquei em nada...

– E você ainda faz vida com ela?

– Qual! há muito tempo que nem sombras disso...

– Pois, então, meu amigo, é arranjar-lhe uma quitanda em outro bairro; dar-lhe algum dinheiro e... Boa viagem! O dente que já não presta arranca-se fora!

João Romão ia responder, mas Bertoleza assomou à entrada da sala. Vinha tão transformada e tão lívida que só com a sua presença intimidou profundamente os dois. A indignação tirava-lhe faíscas dos olhos e os lábios tremiam-lhe de raiva. Logo que falou veio-lhe espuma aos cantos da boca.

– Você está muito enganado, seu João, se cuida que se casa e me atira à toa! exclamou ela. Sou negra, sim, mas tenho sentimentos! Quem me comeu a carne tem de roer-me os ossos! Então há de uma criatura ver entrar ano e sair ano, a puxar pelo corpo todo o santo dia que Deus manda ao mundo, desde pela manhãzinha até pelas tantas da noite, para ao depois ser jogada no meio da rua, como galinha podre?! Não! Não há de ser assim, seu João!

– Mas, filha de Deus, quem te disse que eu quero atirar-te à toa?... perguntou o capitalista.

– Eu escutei o que você conversava, seu João! A mim não me cegam assim só! Você é fino, mas eu também sou! Você está armando casamento com a menina de seu Miranda!

– Sim, estou. Um dia havia de cuidar de meu casamento!... Não hei de ficar solteiro toda a vida, que não nasci pra podengo[10]. Mas também não te sacudo na rua, como disseste; ao contrário agora mesmo tratava aqui com o seu Botelho de arranjar-te uma quitanda e...

– Não! Com quitanda principiei; não hei de ser quitandeira até morrer! Preciso de um descanso! Para isso mourejei junto de você enquanto Deus Nosso Senhor me deu força e saúde!

– Mas afinal que diabo queres tu?!

– Ora essa! Quero ficar a seu lado! Quero desfrutar o que nós dois ganhamos juntos! quero a minha parte no que fizemos com o nosso trabalho! quero o meu regalo, como você quer o seu!

– Mas não vês que isso é um disparate?... Tu não te conheces?... Eu te estimo, filha; mas por ti farei o que for bem

O CORTIÇO ∾ 339

entendido e não loucuras! Descansa que nada te há de faltar!... Tinha graça, com efeito, que ficássemos vivendo juntos! Não sei como não me propões casamento!

– Ah! Agora eu não me enxergo! agora eu não presto para nada! Porém, quando você precisou de mim não lhe ficava mal servir-se de meu corpo e aguentar a sua casa com o meu trabalho! Então a negra servia pra um tudo; agora não presta pra mais nada, e atira-se com ela no monturo do cisco! Não! assim também Deus não manda! Pois se aos cães velhos não se enxotam, por que me hão de pôr fora desta casa, em que meti muito suor do meu rosto?... Quer casar, espere então que eu feche primeiro os olhos; não seja ingrato!

João Romão perdeu por fim a paciência e retirou-se da sala, atirando à amante uma palavrada porca.

– Não val a pena encanzinar-se... segredou-lhe o Botelho, acompanhando-o até à alcova, onde o vendeiro enterrou com toda a força o chapéu na cabeça e enfiou o paletó com a mão fechada em murro.

– Arre! Não a posso aturar nem mais um instante! Que vá para o diabo que a carregue! em casa é que não me fica!

– Calma, homem de Deus! Calma!

– Se não quiser ir por bem, irá por mal! Sou eu quem o diz!

E o vendeiro esfuziou pela escada, levando atrás de si o velhote, que mal podia acompanhá-lo na carreira. Já na esquina da rua parou e, fitando no outro o seu olhar flamejante, perguntou-lhe:

– Você viu?!

– É... resmungou o parasita, de cabeça baixa, sem interromper os passos.

E seguiram em silêncio, andando agora mais devagar; ambos preocupados.

No fim de uma boa pausa, Botelho perguntou se Bertoleza era escrava quando João Romão tomou conta dela.

Esta pergunta trouxe uma inspiração ao vendeiro. Ia pensando em metê-la como idiota no Hospício de Pedro II, mas acudia-lhe agora coisa muito melhor: entregá-la ao seu senhor, restituí-la legalmente à escravidão.

Não seria difícil... considerou ele; era só procurar o dono da escrava, dizer-lhe onde esta se achava refugiada e aquele ir logo buscá-la com a polícia.

E respondeu ao Botelho:

– Era e é!

– Ah! Ela é escrava? De quem?

– De um tal Freitas de Melo. O primeiro nome não sei. Gente de fora. Em casa tenho as notas.

– Ora! então a coisa é simples!... Mande-a pro dono!

– E se ela não quiser ir?...

– Como não?! A polícia a obrigará! É boa!

– Ela há de querer comprar a liberdade...

– Pois que a compre, se o dono consentir!... Você com isso nada mais tem que ver! E se ela voltar à sua procura, despache-a logo; se insistir, vá então à autoridade e queixe-se! Ah, meu caro, estas coisas, para ser benfeitas, fazem-se assim ou não se fazem! Olhe que aquele modo com que ela lhe falou há pouco é o bastante para você ver que semelhante estupor não lhe convém dentro de casa nem mais um instante! Digo-lhe até: já não só pelo fato do casamento, mas por tudo! Não seja mole!

João Romão escutava, caminhando calado, sem mais vislumbres de agitação. Tinham chegado à praia.

– Você quer encarregar-se disto? propôs ele ao companheiro, parando ambos à espera do bonde; se quiser pode tratar, que lhe darei uma gratificação menos má...

– De quanto?...

– Cem mil-réis!

– Não! dobre!

– Terás os duzentos!

– Está dito! Eu cá, pra tudo que for pôr cobro[11] a relaxamentos de negro, estou sempre pronto!

– Pois então logo mais à tarde lhe darei, ao certo, o nome do dono, o lugar em que ele residia quando ela veio para mim e o mais que encontrar a respeito.

– E o resto fica a meu cuidado! Pode dá-la por despachada!

❧ XXII ❧

Desde esse dia Bertoleza fez-se ainda mais concentrada e resmungona e só trocava com o amigo um ou outro monossílabo inevitável no serviço da casa. Entre os dois havia agora desses olhares de desconfiança, que são abismos de constrangimento entre pessoas que moram juntas. A infeliz vivia num sobressalto constante; cheia de apreensões, com medos de ser assassinada; só comia do que ela própria preparava para si e não dormia senão depois de fechar-se à chave. À noite o mais ligeiro rumor a punha de pé; olhos arregalados, respiração convulsa, boca aberta e pronta para pedir socorro ao primeiro assalto.

No entanto, em redor do seu desassossego e do seu mal-estar, tudo ali prosperava forte em grosso, aos contos de réis, com a mesma febre com que dantes, em torno da sua atividade de escrava trabalhadeira, os vinténs choviam dentro da gaveta da venda. Durante o dia paravam agora em frente do armazém carroças e carroças com fardos e caixas, trazidas da alfândega, em que se liam as iniciais de João Romão; e rodavam-se pipas e mais pipas de vinho e de vinagre, e grandes partidas de barricas de cerveja e de barris de manteiga e de sacos de pimenta. E o armazém, com as suas portas escancaradas sobre o público, engolia tudo de um trago, para depois ir deixando sair de novo, aos poucos, com um lucro lindíssimo, que no fim do ano causava assombros. João Romão

fizera-se o fornecedor de todas as tabernas e armarinhos de Botafogo; o pequeno comércio sortia-se lá para vender a retalho. A sua casa tinha agora um pessoal complicado de primeiros, segundos e terceiros caixeiros, além do guarda-livros, do comprador, do despachante e do caixa; do seu escritório saíam correspondências em várias línguas e, por dentro das grades de madeira polida, onde havia um bufete sempre servido com presunto, queijo e cerveja, faziam-se largos contratos comerciais, transações em que se arriscavam fortunas; e propunham-se negociações de empresas e privilégios obtidos do governo; e realizavam-se vendas e compras de papéis; e concluíam-se empréstimos de juros fortes sobre hipotecas de grande valor. E ali ia de tudo: o alto e o baixo negociante; capitalistas adulados e mercadores falidos; corretores de praça, zangões[1], cambistas; empregados públicos, que passavam procuração contra o seu ordenado; empresários de teatro e fundadores de jornais, em apuros de dinheiro; viúvas, que negociavam o seu montepio[2]; estudantes, que iam receber a sua mesada; e capatazes de vários grupos de trabalhadores pagos pela casa; e, destacando-se de todos, pela quantidade, os advogados e a gente miúda do foro, sempre inquieta, farisqueira[3], a meter o nariz em tudo, feia, a papelada debaixo do braço, a barba por fazer, o cigarro babado e apagado a um canto da boca.

E, como a casa comercial de João Romão, prosperava igualmente a sua avenida. Já lá se não admitia assim qualquer pé-rapado: para entrar era preciso carta de fiança e uma recomendação especial. Os preços dos cômodos subiam, e muitos dos antigos hóspedes, italianos principalmente, iam, por economia, desertando para o Cabeça de Gato e sendo substituídos por gente mais limpa. Decrescia também o número das lavadeiras, e a maior parte das casinhas eram ocupadas agora por pequenas famílias de operários, artistas e praticantes de secretaria. O cortiço aristocratizava-se. Havia um alfaiate logo à entrada, homem sério, de suíças brancas, que cosia na sua máquina entre oficiais, ajudado pela mulher, uma lisboeta cor de nabo, gorda, velhusca, com um princípio de bigode e cavanhaque, mas extremamente circunspecta; em seguida um relojoeiro calvo, de óculos, que parecia mumificado atrás da vidraça em que ele, sem mudar de posição, trabalhava, da manhã até à tarde; depois um pintor de tetos e tabuletas, que levou a fantasia artística ao ponto de fazer, a pincel, uma trepadeira em volta da sua porta, onde se viam pássaros de várias cores e feitios, muito comprometedores para o crédito profissional do autor; mais adiante instalara-se um cigarreiro, que ocupava nada menos de três números na estalagem e tinha quatro filhas e dois filhos a fabricarem cigarros, e mais três operárias que preparavam palha de milho e picavam e desfiavam tabaco. Florinda, metida agora com um despachante de estrada de ferro, voltara para o São Romão e trazia a sua casinha em muito bonito pé de limpeza e arranjo. Estava ainda de luto pela mãe, a pobre velha Marciana, que ultimamente havia morrido no hospício dos doidos. Aos domingos o despachante costumava receber alguns camaradas para jantar e, como a rapariga puxava os feitios da Rita Baiana, as suas noitadas acabavam sempre em pagode de dança e cantarola, mas tudo de portas adentro, que ali já se não admitiam sambas e chinfrinadas ao relento. A Machona quebrara um pouco de gênio depois da morte de Agostinho e era agora visitada por um grupo de moços do comércio, entre os quais havia um pretendente à mão de Neném, que se mirrava já de tanto esperar a seco por marido. Alexandre fora promovido a sargento e empertigava-se ainda mais dentro da sua farda nova, de botões que cegavam; a mulher, sempre indiferentemente fecunda e honesta, parecia criar bolor na sua moleza úmida e tinha um ar triste de cogumelo; era vista com frequência a dar de mamar a um pequerrucho de poucos meses, empinando muito

O CORTIÇO ~ 345

a barriga para a frente, pelo hábito de andar sempre grávida. A sua comadre Léonie continuava a visitá-la de vez em quando, aturdindo a atual pacatez daquele cenóbio[4] com as suas roupas gritadoras. Uma ocasião em que lá fora, um sábado à tarde, produzira grande alvoroço entre os decanos da estalagem, porque consigo levava Pombinha, que se atirara ao mundo e vivia agora em companhia dela.

Pobre Pombinha! no fim dos seus primeiros dois anos de casada já não podia suportar o marido; todavia, a princípio, para conservar-se mulher honesta, tentou perdoar-lhe a falta de espírito, os gostos rasos e a sua risonha e fatigante palermice de homem sem ideal; ouviu-lhe, resignada, as confidências banais nas horas íntimas do matrimônio; atendeu-o nas suas exigências mesquinhas de ciumento que chora; tratou-o com toda a solicitude, quando ele esteve a decidir[5] com uma pneumonite aguda; procurou afinar em tudo com o pobre rapaz: não lhe falou nunca em coisas que cheirassem a luxo, a arte, a estética, a originalidade; escondeu a sua mal-educada e natural intuição pelo que é grande, ou belo, ou arrojado, e fingiu ligar interesse ao que ele fazia, ao que ele dizia, ao que ele ganhava, ao que ele pensava e ao que ele conseguia com paciência na sua vida estreita de negociante rotineiro; mas, de repente, zás! faltou-lhe o equilíbrio e a mísera escorregou, caindo nos braços de um boêmio de talento, libertino e poeta, jogador e capoeira. O marido não deu logo pela coisa, mas começou a estranhar a mulher, a desconfiar dela e a espreitá-la, até que um belo dia, seguindo-a na rua sem ser visto, o desgraçado teve a dura certeza de que era traído pela esposa, não mais com o poeta libertino, mas com um artista dramático, que muitas vezes lhe arrancara, a ele, sinceras lágrimas de comoção, declamando no teatro em honra da moral triunfante e estigmatizando o adultério com a retórica mais veemente e indignada.

Ah! não pôde iludir-se!... e, a despeito do muito que amava à ingrata, rompeu com ela e entregou-a à mãe, fugindo em seguida para São Paulo. Dona Isabel, que sabia já, não desta última falcatrua da filha, mas das outras primeiras, que bem a mortificaram, coitada! desfez-se em lágrimas, aconselhou-a a que se arrependesse e mudasse de conduta; em seguida escreveu ao genro, intercedendo por Pombinha, jurando que agora respondia por ela e pedindo-lhe que esquecesse o passado e voltasse para junto de sua mulher. O rapaz não respondeu à carta, e, daí a meses, Pombinha desapareceu da casa da mãe. Dona Isabel quase morre de desgosto. Para onde teria ido a filha?... "Onde está? onde não está? Procura daqui! procura dali!" Só a descobriu semanas depois; estava morando num hotel com Léonie. A serpente vencia afinal: Pombinha foi, pelo seu próprio pé, atraída, meter-se-lhe na boca. A pobre mãe chorou a filha como morta; mas, visto que os desgostos não lhe tiraram a vida por uma vez e, como a desgraçada não tinha com que matar a fome, nem forças para trabalhar, aceitou de cabeça baixa o primeiro dinheiro que Pombinha lhe mandou. E, desde então, aceitou sempre, constituindo-se a rapariga no seu único amparo da velhice e sustentando-a com os ganhos da prostituição. Depois, como neste mundo uma criatura a tudo se acostuma, Dona Isabel mudou-se para a casa da filha. Mas não aparecia nunca na sala quando havia gente de fora; escondia-se; e, se algum dos frequentadores de Pombinha a pilhava de improviso, a infeliz, com vergonha de si mesma, fingia-se criada ou dama de companhia. O que mais a desgostava, e o que ela não podia tolerar sem apertos de coração, era ver a pequena endemoninhar-se com champanha depois do jantar e pôr-se a dizer tolices e a estender-se ali mesmo no colo dos homens. Chorava sempre que a via entrar ébria, fora de horas, depois de uma orgia; e, de desgosto em desgosto, foi-se sentindo enfraquecer e enfermar, até cair de cama e mudar-se para uma casa de saúde, onde afinal morreu.

O CORTIÇO ∼ 347

Agora, as duas cocotes, amigas, inseparáveis, terríveis naquela inquebrantável solidariedade, que fazia delas uma só cobra de duas cabeças, dominavam o alto e o baixo Rio de Janeiro. Eram vistas por toda a parte onde houvesse prazer; à tarde, antes do jantar, atravessavam o Catete em carro descoberto, com a Juju ao lado; à noite, no teatro, em um camarote de boca chamavam sobre si os velhos conselheiros desfibrados pela política e ávidos de sensações extremas, ou arrastavam para os gabinetes particulares dos hotéis os sensuais e gordos fazendeiros de café, que vinham à corte esbodegar o farto produto das safras do ano, trabalhadas pelos seus escravos. Por cima delas duas passara uma geração inteira de devassos. Pombinha, só com três meses de cama franca, fizera-se tão perita no ofício como a outra; a sua infeliz inteligência, nascida e criada no modesto lodo da estalagem, medrou logo admiravelmente na lama forte dos vícios de largo fôlego; fez maravilhas na arte; parecia adivinhar todos os segredos daquela vida; seus lábios não tocavam em ninguém sem tirar sangue; sabia beber, gota a gota, pela boca do homem mais avarento, todo o dinheiro que a vítima pudesse dar de si. Entretanto, lá na Avenida São Romão, era, como a mestra, cada vez mais adorada pelos seus velhos e fiéis companheiros de cortiço; quando lá iam, acompanhadas por Juju, a porta da Augusta ficava, como dantes, cheia de gente, que as abençoava com o seu estúpido sorriso de pobreza hereditária e humilde. Pombinha abria muito a bolsa, principalmente com a mulher de Jerônimo, a cuja filha, sua protegida predileta, votava agora, por sua vez, uma simpatia toda especial, idêntica à que noutro tempo inspirara ela própria à Léonie. A cadeia continuava e continuaria interminavelmente; o cortiço estava preparando uma nova prostituta naquela pobre menina desamparada, que se fazia mulher ao lado de uma infeliz mãe ébria.

E era, ainda assim, com essas esmolas de Pombinha, que na casa de Piedade não faltava de todo o pão, porque já ninguém confiava roupa à desgraçada, e nem ela podia dar conta de qualquer trabalho.

Pobre mulher! chegara ao extremo dos extremos. Coitada! já não causava dó, causava repugnância e nojo. Apagaram-se-lhe os últimos vestígios do brio; vivia andrajosa, sem nenhum trato e sempre ébria, dessa embriaguez sombria e mórbida que se não dissipa nunca. O seu quarto era o mais imundo e o pior de toda a estalagem; homens malvados abusavam dela, muitos de uma vez, aproveitando-se da quase completa inconsciência da infeliz. Agora, o menor trago de aguardente a punha logo pronta; acordava todas as manhãs apatetada, muito triste, sem ânimo para viver esse dia, mas era só correr à garrafa e voltavam-lhe as risadas frouxas, de boca que já se não governa. Um empregado de João Romão, que ultimamente fazia as vezes dele na estalagem, por três vezes a enxotou, e ela, de todas, pediu que lhe dessem alguns dias de espera, para arranjar casa. Afinal, no dia seguinte ao último em que Pombinha apareceu por lá com Léonie e deixou-lhe algum dinheiro, despejaram-lhe os tarecos na rua.

E a mísera, sem chorar, foi refugiar-se, junto com a filha, no Cabeça de Gato que, à proporção que o São Romão se engrandecia, mais e mais ia-se rebaixando acanalhado, fazendo-se cada vez mais torpe, mais abjeto, mais cortiço, vivendo satisfeito do lixo e da salsugem que o outro rejeitava, como se todo o seu ideal fosse conservar inalterável, para sempre, o verdadeiro tipo da estalagem fluminense, a legítima, a legendária; aquela em que há um samba e um rolo por noite; aquela em que se matam homens sem a polícia descobrir os assassinos; viveiro de larvas sensuais em que irmãos dormem misturados com as irmãs na mesma lama; paraíso de vermes; brejo de lodo quente e fu-

megante, donde brota a vida brutalmente, como de uma
podridão.

❧ XXIII ❧

À porta de uma confeitaria da rua do Ouvidor, João Romão, apurado num fato novo de casimira clara, esperava pela família do Miranda, que nesse dia andava em
compras.

Eram duas horas da tarde e um grande movimento fazia-se ali. O tempo estava magnífico; sentia-se pouco calor. Gente entrava e saía, a passo frouxo, da Casa Pascoal.
Lá dentro janotas estacionavam de pé, soprando o fumo dos
charutos, à espera que desocupassem uma das mesinhas de
mármore preto; grupos de senhoras, vestidas de seda, faziam
lanche com vinho do Porto. Respirava-se um cheiro agradável de essências e vinagres aromáticos; havia um rumor
quente e garrido, mas bem-educado; namorava-se forte, mas
com disfarce, furtando-se olhares no complicado encontro
dos espelhos; homens bebiam ao balcão e outros conversavam, comendo empadinhas junto às estufas; algumas pessoas liam já os primeiros jornais da tarde; serventes, muito
atarefados, despachavam compras de doces e biscoitos e faziam, sem descansar, pacotes de papel de cor, que os compradores levavam pendurados num dedo. Ao fundo, de um dos
lados do salão, aviavam-se grandes encomendas de banque-
tes para essa noite, traziam-se lá de dentro, já prontas, tor-
res e castelos de balas e trouxas de ovos e imponentes peças
de cozinha caprichosamente enfeitadas; criados desciam das
prateleiras as enormes baixelas de metal branco, que os companheiros iam embalando em caixões com papel fino pica-
do. Os empregados das secretarias públicas vinham tomar
o seu vermute com sifão; repórteres insinuavam-se por en-

tre os grupos dos jornalistas e dos políticos, com o chapéu à ré, ávidos de notícias, uma curiosidade indiscreta nos olhos. João Romão, sem deixar a porta, apoiado no seu guarda-chuva de cabo de marfim, recebia cumprimentos de quem passava na rua; alguns paravam para lhe falar. Ele tinha sorrisos e oferecimentos para todos os lados; e consultava o relógio de vez em quando.

Mas a família do Barão surgiu afinal. Zulmira vinha na frente, com um vestido cor de palha justo ao corpo, muito elegante no seu tipo de fluminense pálida e nervosa; logo depois Dona Estela, grave, toda de negro, passo firme e ar severo de quem se orgulha das suas virtudes e do bom cumprimento dos seus deveres. O Miranda acompanhava-as de sobrecasaca, fitinha ao peito, o colarinho até ao queixo, botas de verniz, chapéu alto e bigode cuidadosamente raspado. Ao darem com João Romão, ele sorriu e Zulmira também; só Dona Estela conservou inalterável a sua fria máscara de mulher que não dá verdadeira importância senão a si mesma.

O ex-taverneiro e futuro visconde foi, todavia, ao encontro deles, cheio de solicitude, descobrindo-se desde logo e convidando-os com empenho a que tomassem alguma coisa.

Entraram todos na confeitaria e apoderaram-se da primeira mesa que se esvaziou. Um criado acudiu logo e João Romão, depois de consultar Dona Estela, pediu sanduíches, doces e moscatel de Setúbal. Mas Zulmira reclamou sorvete e licor. E só esta falava; os outros estavam ainda à procura de um assunto para a conversa; afinal o Miranda que, durante esse tempo contemplava o teto e as paredes, fez algumas considerações sobre as reformas e novos adornos do salão da confeitaria. Dona Estela dirigiu, de má, a João Romão várias perguntas sobre companhia lírica, o que confundiu por tal modo ao pobre homem, que o pôs vermelho e o desnorteou de todo. Felizmente, nesse instante chegava o Botelho e trazia uma notícia: a morte de um sargen-

352 ⚬ ALUÍSIO AZEVEDO

to no quartel; questão entre inferior e superior. O sargento, insultado por um oficial do seu batalhão, levantara a mão contra ele, e o oficial então arrancara da espada e atravessara-o de lado a lado. Estava direito! Ah! ele era rigoroso em pontos de disciplina militar! Um sargento levantara a mão para um oficial superior!... devia ficar estendido ali mesmo, que dúvida!

E faiscavam-lhe os olhos no seu inveterado entusiasmo por tudo que cheirasse a farda. Vieram logo as anedotas análogas; o Miranda contou um fato idêntico que se dera vinte anos atrás e Botelho citou uma enfiada deles interminável.

Quando se levantaram, João Romão deu o braço a Zulmira e o Barão à mulher, e seguiram todos para o Largo de São Francisco, lentamente, em andar de passeio, acompanhados pelo parasita. Lá chegados, Miranda queria que o vizinho aceitasse um lugar no seu carro, mas João Romão tinha ainda que fazer na cidade e pediu dispensa do obséquio. Botelho também ficou; e, mal a carruagem partiu, este disse ao ouvido do outro, sem tomar fôlego:

– O homem vai hoje, sabe? Está tudo combinado!

– Ah! vai? perguntou João Romão com interesse, estacando no meio do largo. Ora graças! Já não é sem tempo!

– Sem tempo! Pois olhe, meu amigo, que tenho suado o topete! Foi uma campanha!

– Há que tempo já tratamos disto!...

– Mas que quer você, se o homem não aparecia?... Estava fora! Escrevi-lhe várias vezes, como sabe, e só agora consegui pilhá-lo. Fui também à polícia duas vezes e já lá voltei hoje; ficou tudo pronto! mas você deve estar em casa para entregar a crioula quando eles lá se apresentarem...

– Isso é que seria bom se se pudesse dispensar... Desejava não estar presente...

– Ora essa! Então com quem se entendem eles?... Não! tenha paciência! é preciso que você lá esteja!

– Você podia fazer as minhas vezes...

– Pior! Assim não arranjamos nada! Qualquer dúvida pode entornar o caldo! É melhor fazer as coisas benfeitas. Que diabo lhe custa isto?... Os homenzinhos chegam, reclamam a escrava em nome da lei, e você a entrega – pronto! Fica livre dela para sempre, e daqui a dias estoura o champanha do casório! Hein, não lhe parece?

– Mas...

– Ela há de choramingar, fazer lamúrias e coisas, mas você põe-se duro e deixe-a seguir lá o seu destino!... Bolas! não foi você que a fez negra!...

– Pois vamos lá! creio que são horas.

– Que horas são?

– Três e vinte.

– Vamos indo.

E desceram de novo a rua do Ouvidor até ao ponto dos bondes de Gonçalves Dias.

– O de São Clemente não está agora, observou o velho. Vou tomar um copo d'água enquanto esperamos.

Entraram no botequim do lugar e, para conversar assentados, pediram dois cálices de conhaque.

– Olhe, acrescentou o Botelho; você nem precisa dizer palavra... faça como coisa que não tem nada com isso, compreende?

– E se o homem quiser os ordenados de todo o tempo em que ela esteve em minha companhia?...

– Como, filho, se você não a alugou das mãos de ninguém?!... Você não sabe lá se a mulher é ou era escrava; tinha-a por livre naturalmente; agora aparece o dono, reclama-a, e você a entrega, porque não quer ficar com o que lhe não pertence! Ela, sim, pode pedir o seu saldo de contas; mas para isso você lhe dará qualquer coisa...

– Quanto devo dar-lhe?

– Aí uns quinhentos mil-réis, para fazer a coisa à fidalga.

– Pois dou-lhos.

– E feito isso – acabou-se! O próprio Miranda vai logo, logo, ter com você! Verá!

Iam falar ainda, mas o bonde de São Clemente acabava de chegar, assaltado por todos os lados pela gente que o esperava. Os dois só conseguiram lugar muito separados um do outro, de sorte que não puderam conversar durante a viagem.

No Largo da Carioca uma vitória[1] passou por eles, a todo o trote. Botelho vergou-se logo para trás, procurando os olhos do vendeiro, a rir-se com intenção. Dentro do carro ia Pombinha, coberta de joias, ao lado do Henrique; ambos muito alegres, em pândega. O estudante, agora no seu quarto ano de medicina, vivia à solta com outros da mesma idade e pagava ao Rio de Janeiro o seu tributo de rapazola rico.

Ao chegarem à casa, João Romão pediu ao cúmplice que entrasse e levou-o para o seu escritório.

– Descanse um pouco... disse-lhe.

– É, se eu soubesse que eles se não demoravam muito ficava para ajudá-lo.

– Talvez só venham depois do jantar, tornou aquele, assentando-se à carteira.

Um caixeiro aproximou-se dele respeitosamente e fez-lhe várias perguntas relativas ao serviço do armazém, ao que João Romão respondia por monossílabos de capitalista; interrogou-o por sua vez e, como não havia novidade, tomou Botelho pelo braço e convidou-o a sair.

– Fique para jantar. São quatro e meia, segredou-lhe na escada.

Já não era preciso prevenir lá defronte, porque agora o velho parasita comia muitas vezes em casa do vizinho.

O jantar correu frio e contrafeito; os dois sentiam-se ligeiramente dominados por um vago sobressalto. João Romão foi pouco além da sopa e quis logo a sobremesa.

Tomavam café, quando um empregado subiu para dizer que lá embaixo estava um senhor, acompanhado de duas praças, e que desejava falar ao dono da casa.

– Vou já! respondeu este.

E acrescentou para o Botelho: – São eles!

– Deve ser, confirmou o velho.

E desceram logo.

– Quem me procura?... exclamou João Romão com disfarce, chegando ao armazém.

Um homem alto, com ar de estroina, adiantou-se e entregou-lhe uma folha de papel.

João Romão, um pouco trêmulo, abriu-a defronte dos olhos e leu-a demoradamente. Um silêncio formou-se em torno dele; os caixeiros pararam em meio do serviço, intimidados por aquela cena em que entrava a polícia.

– Está aqui com efeito... disse afinal o negociante. Pensei que fosse livre...

– É minha escrava, afirmou o outro. Quer entregar-ma?...

– Mas imediatamente.

– Onde está ela?

– Deve estar lá dentro. Tenha a bondade de entrar...

O sujeito fez sinal aos dois urbanos, que o acompanharam logo, e encaminharam-se todos para o interior da casa. Botelho, à frente deles, ensinava-lhes o caminho. João Romão ia atrás, pálido, com as mãos cruzadas nas costas.

Atravessaram o armazém, depois um pequeno corredor que dava para um pátio calçado, e chegaram finalmente à cozinha. Bertoleza, que havia já feito subir o jantar dos caixeiros, estava de cócoras no chão, escamando peixe, para a ceia do seu homem, quando viu parar defronte dela aquele grupo sinistro.

Reconheceu logo o filho mais velho do seu primitivo senhor, e um calafrio percorreu-lhe o corpo. Num relance de grande perigo compreendeu a situação; adivinhou tudo com a lucidez de quem se vê perdido para sempre: adivinhou que tinha sido enganada; que a sua carta de alforria era uma mentira, e que o seu amante, não tendo coragem para matá--la, restituía-a ao cativeiro.

Seu primeiro impulso foi de fugir. Mal, porém, circunvagou os olhos em torno de si, procurando escapula, o senhor adiantou-se dela e segurou-lhe o ombro.

– É esta! disse aos soldados que, com um gesto, intimaram a desgraçada a segui-los. – Prendam-na! É escrava minha!

A negra, imóvel, cercada de escamas e tripas de peixe, com uma das mãos espalmada no chão e com a outra segurando a faca de cozinha, olhou aterrada para eles, sem pestanejar.

Os policiais, vendo que ela se não despachava, desembainharam os sabres. Bertoleza então, erguendo-se com ímpeto de anta bravia, recuou de um salto e, antes que alguém conseguisse alcançá-la, já de um só golpe certeiro e fundo rasgara o ventre de lado a lado.

E depois emborcou para a frente, rugindo e esfocinhando moribunda numa lameira de sangue.

João Romão fugira até ao canto mais escuro do armazém, tapando o rosto com as mãos.

Nesse momento parava à porta da rua uma carruagem. Era uma comissão de abolicionistas que vinham, de casaca, trazer-lhe respeitosamente o diploma de sócio benemérito.

Ele mandou que os conduzissem para a sala de visitas.

❧ Notas ❧

EPÍGRAFE

1. *Periculum dicendi non recuso*: Não me esquivo ao perigo de falar.
2. *Cícero* (106 a.C.): orador romano. Partidário de Júlio César, tornou-se famoso pela eloquência e habilidade argumentativa. Opôs-se ao sucessor de Júlio César, Antônio, que atacou veementemente nas *Filípicas*, sendo por ordem dele assassinado.
3. *La vérité, toute la vérité, rien que la vérité (Droit Criminel)*. A verdade, toda a verdade, nada mais que a verdade (*Direito Criminal*): Fórmula de juramento que as testemunhas prestam perante o tribunal.
4. *Timon* (séc. IV a.C.): filósofo grego famoso por sua antipatia pela espécie humana.
5. *Azorrague*: chicote, açoite; punição.
6. *João Francisco Lisboa* (1812-1863): escritor maranhense. Liberal e abolicionista, foi fundador do satírico *Jornal de Timon*. Combateu a corrupção no sistema eleitoral e defendeu os valores cívicos, o respeito ao próximo e a tolerância.
7. "Um pássaro que se chamava cigarra estava numa figueira, e Francisco esticou sua mão e chamou aquele pássaro, e logo ele obedeceu e veio sobre sua mão. E ele lhe disse: Canta, minha irmã, e louva nosso Senhor. E então cantou sem demora, e não se foi antes que tivesse permissão."
8. *Jacques de Voragine*: ou Jacopo da Varazze (1230-1292), cronista italiano da Idade Média. Na referida obra, *A Legenda Áurea*, narra a vida de vários santos e mártires cristãos.

I

1. *Refolhos*: profundezas.
2. *Para a terra*: para Portugal.
3. *De jornal*: por dia de trabalho; aqui, significa que a escrava pagava uma quantia fixa ao proprietário, com base no rendimento médio diário do trabalho.
4. *Estrompado*: fatigado, extenuado.
5. *Ativo*: conjunto de bens de uma pessoa ou de uma empresa.
6. *Passivo*: soma das dívidas.
7. *Ter para peras*: ter grande trabalho por muito tempo.
8. *Legítima*: parte dos bens reservada por lei aos herdeiros próximos, ascendentes ou descendentes.
9. *Zuarte*: tecido grosseiro de algodão, geralmente preto ou azul.
10. *Riscado*: tecido barato de algodão listrado.
11. *Hasta pública*: leilão promovido pelo poder público.
12. *Rente*: que chega a tempo, constante, assíduo, sem falha, sem falta.
13. *De alcateia*: de vigia, à espreita.
14. *Cortiço*: habitação coletiva para a população pobre.
15. *Dez réis de mel coado*: pequena quantia; insignificância.
16. *Fazenda*: tecidos, panos.
17. *Fumaças*: maneiras presunçosas, ostentação.
18. *Regime dotal*: regime no qual o conjunto de bens pertencentes à mulher (dote) é transmitido ao marido, para que este o administre, retirando o que for necessário para a vida do casal, sob condição de devolvê-lo em caso de término da sociedade conjugal.
19. *Perjuro*: aquele que falta ao seu juramento; traidor.
20. *Patentear*: mostrar, exibir.
21. *Empolgar*: agarrar, prender.
22. *Sopear*: reprimir, domar.
23. *Estremunhamento*: estado de quem acabou de despertar; desorientação.
24. *Capitoso*: embriagador, inebriante.

25. *Rezinga*: disputa, altercação.
26. *Ave-marias*: entardecer, fim de tarde.
27. *Casa de pasto*: restaurante.
28. *Finório*: espertalhão, sagaz.
29. *Burra*: caixa de madeira onde se guardavam coisas diversas; cofre.
30. *Quinto*: barril equivalente à quinta parte da pipa.
31. *Jornaleiro*: trabalhador que recebe por dia de trabalho.
32. *Atamancar*: executar às pressas.
33. *Encarnado*: vermelho.

II

1. *Preguiçosa*: espreguiçadeira, cadeira de armar, com assento e encosto de pano.
2. *Fartum*: odor desagradável de alguns animais, bodum.
3. *Perder a tramontana*: perder o rumo; perturbar-se.
4. *África*: proeza, façanha.
5. *Ludíbrio*: logro; aqui, traição.
6. *Espiga*: aborrecimento, tédio.
7. *Preparatórios*: estudos para ingresso em um curso superior.
8. *Capilé*: bebida refrescante à base de xarope de avenca.
9. *Orfe*: corruptela de *órfão*.
10. *Lei Rio Branco*: ou Lei do Ventre Livre, promulgada em 28 de setembro de 1871 pelo Visconde do Rio Branco, que concedia liberdade aos filhos de escravos nascidos no Brasil.
11. *Cáfila*: no sentido original, bando de camelos; aqui, no sentido de bando, multidão.
12. *Espírito*: líquido obtido por meio de destilação; álcool.
13. *Rua do Ouvidor*: centro da vida social e política do Rio de Janeiro à época.
14. *Estopada*: chateação.
15. *Soalheira*: calor intenso.
16. *Mimalho*: pessoa mimada.

17. *Encanecido*: experiente.
18. *Por dá cá aquela palha*: por qualquer razão.
19. *Saber a gaitas*: ter grande sabor.
20. *Escovar*: bater, dar pancadas – no caso, o sentido é sexual.

III

1. *Casco*: crânio.
2. *Vasilhame de folha*: recipiente de lata.
3. *Algaraviar*: falar de modo confuso, ininteligível.
4. *Fato*: vísceras, miúdos.
5. *Folha de flandres*: fina chapa de ferro laminado, coberta com estanho; lata.
6. *Proazinha*: vaidade, presunção.
7. *Chão*: simples, sem afetação, sincero, franco.
8. *Dar tu*: dirigir-se a alguém na 2ª pessoa, ou seja, de forma íntima.
9. *Erisipela*: inflamação da pele que causa vermelhidão e dor na parte inflamada.
10. *Bandó*: cada uma das partes em que o cabelo é repartido ao meio e esticado para os lados da cabeça, sendo preso atrás, geralmente por um coque.
11. *Achamalotado*: tecido cuja posição do fio produz um efeito ondeado.
12. *Pitadear*: tomar pitadas de rapé; absorver pelo nariz.
13. *Desvelo*: dedicação, cuidado.
14. *Caiporismo*: azar, má sorte.
15. *Rol*: lista de alguma coisa; aqui, de roupas lavadas.
16. *Bolo*: pancada de palmatória.
17. *Alvião*: instrumento de ferro de dois lados, sendo um uma espécie de enxada e o outro, um tipo de picareta.
18. *Cabravasco*: cabra, mestiço.
19. *Boneca de anil*: saquinho com anil usado para branquear a roupa.

20. *Est'ro dia*: outro dia.
21. *Martelo*: medida de capacidade para líquidos equivalente a 0,165 litro.
22. *Cachaço*: a parte posterior do pescoço.
23. *Frege*: (por frege-moscas) taberna.
24. *Parati*: aguardente.
25. *Verde*: vinho dotado de efervescência natural, feito com uvas colhidas cedo nas regiões portuguesas do Minho e do Douro.

IV

1. *Macaqueiro*: aquele que faz paralelepípedos.
2. *Cavouqueiro*: cavador.
3. *Toutiço*: o mesmo que cachaço.
4. *Chorado*: baião; tipo de música do Nordeste.
5. *Lundu*: canção popular de ritmo africano.
6. *Linfático*: apático, sem vigor, sem vida.
7. *Enticar*: mexer com alguém, provocar, importunar.
8. *Galego*: português (depreciativo).
9. *De chapa*: em cheio; plenamente.
10. *Canteiro*: artífice que lavra pedra esquartejada para construções.
11. *Escopro*: instrumento metálico usado para lavrar madeira, pedras, metais etc.
12. *Macete*: tipo de martelo usado para esculpir madeira.
13. *Fralda*: a parte inferior, sopé.
14. *Macaco*: paralelepípedo.
15. *Ensombro*: toldo, abrigo.
16. *Cordoveias*: tendões e veias quando salientes.
17. *Enxárcia*: conjunto de cabos e degraus roliços, de corda, madeira ou ferro, que sustentam os mastros de embarcações a vela.
18. *Pletórico*: que se encontra em estado exuberante; que tem excesso de sangue.

V

1. *Andorinha*: veículo fechado para transporte de mudanças.
2. *Cabeção*: espécie de gola larga e pendente de certos modelos de camisa feminina.
3. *Manga*: peça afunilada que serve de proteção à luz do candeeiro.
4. *Ror*: quantidade.
5. *Levar a breca*: sair-se mal; desaparecer; aqui, morrer.
6. *Furo*: oportunidade.
7. *Monte de socorro*: estabelecimento oficial que empresta, sob penhor, dinheiro a juros; montepio.
8. *Ordem Terceira*: ordem religiosa destinada a leigos, agregada a uma grande ordem monástica. No caso, a referência é o hospital, mantido pelos religiosos, que se localizava próximo ao Convento de Santo Antonio.
9. *Palangana*: tigela grande.
10. *Caldo de unto*: caldo temperado com banha de porco.
11. *Pão de quatro*: pão feito à base de trigo, milho, centeio e cevada.

VI

1. *Fato*: roupa, vestuário.
2. *Jogar a placa*: jogar malha, um tipo de jogo que consiste em derrubar, com discos de metal, um ou mais paus colocados dentro de uma determinada área.
3. *Laranjinha*: aguardente de cana aromatizada com casca de laranja.
4. *Tisnado*: sujo de tisna (fuligem do carvão), enegrecido.
5. *Samburá*: cesto bojudo e de boca estreita, geralmente feito de cipó.
6. *Carapeta*: corruptela de *capeta*.
7. *Quartos*: quadris.
8. *Chufa*: caçoada.
9. *Entrudo*: brincadeira de carnaval que consistia em lançar água ou outras substâncias uns nos outros.
10. *Por mor de*: (por amor de) por causa de.

VII

1. *Capadócio*: malandro.
2. *Gaforina*: cabelo em desalinho. O nome provém do penteado da soprano italiana, Elisabetta Gafforini, que fez sucesso no início do século XIX.
3. *Porrete de Petrópolis*: espécie de bengalão que se fabricava em Petrópolis e era geralmente usado por policiais.
4. *Malta*: bando.
5. *Manduca da Praia*: famoso capoeirista do Rio de Janeiro, por volta de 1850.
6. *Encanudado*: engomado fazendo caneluras.
7. *Quartilho*: unidade de medida com a capacidade equivalente a 0,568 litro.
8. *Infusa*: espécie de bilha.
9. *Zorô*: prato tradicional do Norte, preparado com camarões, quiabo, azeite e muitos condimentos.
10. *Cassange*: da nação africana cujo idioma pertence ao grupo banto.
11. *Dar o cavaco*: exasperar-se, enraivecer-se, demonstrar irritação.
12. *Fazer-se fino*: atrever-se.
13. *Bródio*: festa, banquete animado.
14. *Encordoar*: zangar-se, pegar corda.
15. *Fomentar-se*: danar-se; lixar-se.
16. *Xubregas*: bronco, boçal.
17. *Escorvar os galhos*: ao pé da letra, lustrar os chifres; aqui, com o sentido de liquidar.
18. *Sumítico*: avarento, sovina.
19. *Algibeira*: bolso.
20. *Farripas*: cabelos curtos e ralos.
21. *Rir a bandeiras despregadas*: ri muito, gargalhar.
22. *Servir de palito*: ser alvo de escárnio, servir de divertimento.
23. *Conseguinte*: aquilo que se segue; aqui, caminho.
24. *Lunetas*: óculos.
25. *Alacridade*: animação.

26. *Bogari*: trepadeira cultivada em jardim, que dá flores muito brancas de perfume penetrante.
27. *Sem tugir nem mugir*: ficar sem palavras.
28. *Gameleira*: nome dado a diversas árvores da família das moráceas, cuja madeira é geralmente usada para a confecção de gamelas e utensílios domésticos.
29. *Coma*: cabeleira.
30. *Ilharga*: cada um dos lados do corpo, anca.
31. *Chuchurreado*: bebido aos goles, com ruído.

VIII

1. *Dar à língua*: conversar, bater papo.
2. *Febre amarela*: doença infecciosa grave transmitida ao homem por mosquitos com incidência significativa no Rio de Janeiro da época.
3. *Almíscar*: substância de odor penetrante e persistente, usada como fixador em perfumes.
4. *Mezinha*: remédio.
5. *Rezinguento*: que está sempre a resmungar.
6. *Calaçaria*: ociosidade, vagabundagem.
7. *Restilo*: aguardente.
8. *À porfia*: em disputa, em competição.
9. *Fralda*: roupa íntima.
10. *Passadio*: comida habitual.
11. *Biraia*: megera, prostituta.
12. *Muscar*: (moscar) fugir do ataque das moscas, como o gado; desaparecer da presença de alguém.
13. *Despachar o beco*: retirar-se, desocupar o beco, desinfetar o caminho, ir embora.
14. *Chim*: o mesmo que *chinês*.
15. *Azoinar*: perturbar, embaraçar.
16. *Sebo*: interjeição que exprime irritação.
17. *Irmão do santíssimo*: membro da Irmandade do Santíssimo, associação religiosa da Igreja católica composta por leigos.

18. *Salva*: espécie de bandeja, para recolher esmolas.
19. *Colombino*: que tem a forma de uma pomba.
20. *Alguidar*: vaso cuja borda tem diâmetro muito maior que o fundo.
21. *Bacio*: penico.
22. *Vá de rumor!*: hoje seria: vamos acabar com a bagunça.
23. *Bichanar*: sussurrar, segredar.
24. *Refle*: sabre.
25. *Tílburi*: carro de duas rodas e dois lugares, com capota e sem boleia, puxado por apenas um animal.

I X

1. *Crisálida*: estágio intermediário da metamorfose dos lepidópteros; estado latente; em expectativa de ação ou revelação.
2. *Açorda*: papa de miolo de pão ensopado em água fervente ou em caldo, temperada com azeite e alho.
3. *Rala*: a parte mais grossa da farinha de trigo.
4. *Saber*: ter gosto, ter sabor.
5. *Calhau*: pedaço de rocha dura.
6. *Gazear*: ausentar-se das aulas ou do trabalho para vadiar.
7. *Cartel*: mensagem.
8. *Lançar*: vomitar, deitar pela boca.
9. *Gengibirra*: bebida alcoólica feita com gengibre.
10. *Cobrir*: ter relações sexuais.
11. *Magote*: ajuntamento.
12. *Palavrada*: palavrão.
13. *Urbano*: soldado da polícia.
14. *Pantafaçudo*: ridiculamente exótico ou grotesco.
15. *Catita*: bem-vestida; bonita; elegante.
16. *Espavento*: luxo, ostentação.
17. *Sobranceria*: soberba, arrogância.
18. *Loureira*: mulher de costumes libertinos, meretriz.
19. *Teteia*: objeto delicado, gracioso; enfeite.

X

1. *Jornal do Comércio*: famoso jornal carioca fundado na primeira metade do século XIX.
2. *Penteador*: espécie de roupão usado por quem vai ter os cabelos cortados ou penteados.
3. *Gigo*: cesto ou engradado de vime usado para transportar louça.
4. *Canastra*: espécie de cesta quadrangular feita com ripas de madeira entrelaçadas.
5. *Vinha-d'alhos*: espécie de molho feito com vinagre (ou vinho), alho, cebola, louro, em que se deixam carnes, peixes, aves etc. para pegar o tempero antes de cozer.
6. *Carapinha*: cabelo crespo.
7. *Comenda*: distinção honorífica; condecoração.
8. *Crachá*: distintivo; medalha condecorativa.
9. *Grã-cruz*: insígnia em forma de cruz.
10. *Venera*: medalha condecorativa.
11. *Aljofrado*: salpicado de pequenas gotas, como orvalho.
12. *Renque*: ala, fileira.
13. *Fátuo*: fugaz; insensato.
14. *A cavaleiras*: montado, como se monta num cavalo, escanchado.
15. *Bolas*: imprestável.
16. *Fona*: pessoa avarenta, sovina.
17. *Carcamano*: italiano (depreciativo); grosseirão.
18. *Serrazinar*: importunar.
19. *Ir à tábua*: ir às favas, despedir.
20. *Cadeia*: aqui, corrente para relógio de algibeira, de bolso.
21. *Acoito*: esconderijo.
22. *Gira*: doido.
23. *Surriada*: alarido, vaia.
24. *Ir às do cabo*: chegar às vias de fato, desencadear a briga.
25. *Maracajá*: espécie de gato-do-mato.
26. *Cabra*: mestiço indefinido, de pele morena; usado aqui com o sentido genérico de pessoa.

27. *Sarilho*: confusão, desordem.

28. *Cor de lousa*: escuro, nublado.

29. *Varapau*: bastão de madeira usado como apoio e arma de defesa.

30. *Minhoto*: relativo ao Minho, região de Portugal.

31. *Embastilhado*: colocado na Bastilha, famosa prisão francesa do tempo da monarquia.

32. *À capa de*: sob o pretexto de.

33. *Surumbamba*: desordem, confusão, conflito.

34. *Morcego*: alcunha de soldado de polícia, mata-cachorro.

35. *Espadeirada*: pancada, golpe de espada.

XI

1. *Lavrar*: crescer, espalhar-se.

2. *Carpir*: arrancar os cabelos em sinal de dor, lastimar-se.

3. *Fanico*: migalha, pedaço pequeno.

4. *Dobadoura*: azáfama, barafunda, confusão.

5. *Macarronear*: falar ou escrever mal, com sotaque estrangeiro.

6. *Farândola*: grupo de pessoas.

7. *Roupa de francês*: coisa em que todos mexem ou na qual todos se julgam no direito de intervir.

8. *Fazer mossa*: machucar, fazer mal.

9. *Casquilho*: enfeitado; da última moda.

10. *Foie gras*: (francês) patê de fígado de ganso.

11. *Seltz*: aldeia da Prússia famosa pela qualidade de sua água gasosa.

12. *Poma*: seio de mulher, mama, pomo.

13. *Espolinhar*: deitar-se de costas no chão, rebolando-se e revolvendo-se como fazem o cavalo, o burro, o cachorro etc.

14. *Exânime*: desfalecido.

15. *Corrido*: envergonhado, vexado.

16. *Desgalgar*: o contrário de galgar, descer.

17. *Gasosa*: água gasosa; soda.

18. *Forrar-se*: economizar.

19. *Quebranto*: prostração, abatimento.
20. *Tinhorão*: erva nativa do Brasil e Peru de folhas verdes com o centro vermelho.

XII

1. *Verônica*: a imagem de Cristo estampada, gravada ou pintada sobre um tecido. Diz a tradição que uma mulher de nome Verônica teria enxugado a face de Jesus com o véu que lhe cobria a cabeça a caminho do Calvário; como recompensa pelo gesto, Cristo teria deixado no véu a impressão de seu rosto.
2. *Bisca*: denominação dada a vários jogos de baralho para duas ou quatro pessoas.
3. *Toscanejar*: cabecear de sono, abrindo e fechando os olhos rapidamente.
4. *Dar-se a maços*: entregar-se a trabalho aborrecido, incomodar-se.
5. *Aos paus*: em dificuldade, bêbado.
6. *Tulipar*: neologismo: dispor as mãos em forma de tulipa, em concha.
7. *Atassalhar-se*: morder-se, abocanhar-se reciprocamente.
8. *Peregrino*: raro, estranho.
9. *Camarinha*: gotícula.
10. *Ressumbrado*: marejado.
11. *Maganão*: malandro.

XIII

1. *De gravata lavada*: de algum prestígio.
2. *Pela sorrelfa*: dissimuladamente, às escondidas.
3. *Caloji*: casa de cômodos; cortiço.
4. *Retrete*: latrina, vaso sanitário.
5. *Passeio Público*: parque com jardim localizado no Centro histórico do Rio de Janeiro, e que foi, durante o século XIX, ponto de encontro da população carioca.

6. *Teatro São Pedro de Alcântara*: antigo Real Teatro de São João, inaugurado em 1813, por ocasião do aniversário de João VI, foi o primeiro teatro de importância da antiga capital, centro da vida artística, política e social.

7. *Na cepa torta*: na mesma situação. Provém da expressão "não passar da cepa torta", que se diz da pesssoa que, por mais que se esforce, nunca melhora de posição, ou que, por mais que estude, nunca aprende.

8. *Não meter prego sem estopa*: não fazer coisa alguma sem segunda intenção.

9. *Facetear*: zombar, galhofar.

10. *Passos de granadeiro*: passo de soldado em marcha.

11. *Piegas*: constrangimentos, mesuras.

12. *Rancho*: grupo.

13. *Neófito*: novato, iniciante.

14. *Bodum*: cheiro forte de animal ou de transpiração humana.

XIV

1. *Ter mouro na costa*: haver novidade.

2. *Chapéu à ré*: chapéu para trás.

3. *Cábula*: vadio, enganador.

4. *Mela*: surra.

5. *Cavaquear*: bater papo, jogar conversa fora.

6. *Tasca*: taberna, botequim.

7. *Bandulho*: barriga.

8. *Desforço*: vingança; desagravo.

9. *Obtemperar*: ponderar.

XV

1. *Enxugar*: beber até a última gota, excessivamente.

2. *Agimbado*: endinheirado.

3. *Dar bordos*: cambalear; bordejar.

4. *Guarda Velha*: uma marca de cachaça.
5. *Sardinha*: navalha.
6. *Surdir*: manifestar-se; jorrar.
7. *Bisbórria*: salafrário.
8. *Apuração*: aqui apuração da raça, torná-la mais pura com um casamento fora da raça.
9. *Rótula*: grade de madeira usada em janelas.
10. *Ordem*: no caso, designa o hospital, cf. nota 8 do cap. V, p. 363.
11. *Cumaru*: árvore leguminosa em cujo fruto há uma semente parecida com a fava.

XVI

1. *Remancho*: lentidão, preguiça.
2. *Cutruca*: indivíduo sem instrução, inculto.
3. *Vavau*: alvoroço.
4. *Permanente*: soldado do corpo de permanentes, antigos soldados da Guarda Nacional.

XVII

1. *Voa-pé*: tipo de golpe na luta de capoeira.
2. *Justa*: conflito, disputa.
3. *Zumbo*: ruído confuso, rumor, barulho.
4. *Manga*: mangueira.

XVIII

1. *Objurgar*: censurar, repreender.
2. *Estorrilho*: queimado.

XIX

1. *A trouxe e mouxe*: a esmo, desordenadamente.
2. *Chapéu de sol*: guarda-chuva, sombrinha.

3. *Madraço*: preguiçoso.

4. *Mimoso*: pessoa favorecida, mimada.

5. *Roda*: roda dos enjeitados: caixa giratória, instalada à porta de certos conventos, asilos etc., no qual eram colocados os bebês que os pais rejeitavam, não queriam criar.

6. *Alcançado*: empenhado, adiantado (salário).

7. *Morgadinha*: herdeira; filha mais velha.

XX

1. *Fouveiro*: castanho-claro.

2. *Cana-verde*: dança e canção típica do Norte de Portugal.

3. *Banzeiro*: melancólico, triste.

4. *Ratão*: excêntrico.

5. *Despicar-se*: vingar-se.

6. *Sungar*: erguer, levantar.

7. *Dar de mão*: pôr de lado, desviar-se; renunciar.

8. *Manducar*: comer.

9. *Marraios*: maus raios.

XXI

1. *Peniqueira*: caixa ou mesa de cabeceira onde se guardava o penico.

2. *Comua*: latrina.

3. *Favas contadas*: algo que ocorrerá inevitavelmente.

4. *Brasileiro*: emigrado geralmente bem-sucedido que volta do Brasil para Portugal.

5. *Romance*: poema em versos curtos, próprio para ser musicado; cantiga.

6. *Enxergão*: espécie de colchão grosseiro.

7. *Engazopar*: iludir, mentir.

8. *Tratar à vela de libra*: tratar muito bem.

9. *Val*: vale; no caso, "em val de lençóis" significa *na cama*.

10. *Podengo*: cão de caça.
11. *Cobro*: fim; cobrança.

XXII

1. *Zangão*: indivíduo que faz transações com cambiais e moedas, contra o que estabelece a lei.
2. *Montepio*: pensão; renda periódica paga a alguém.
3. *Farisqueiro*: farejador, bisbilhoteiro, mexeriqueiro.
4. *Cenóbio*: convento.
5. *Decidir*: morrer.

XXIII

1. *Vitória*: carruagem descoberta de quatro rodas, para dois passageiros, lançada na época da Rainha Vitória, da Inglaterra.

❦ Aluísio Azevedo – Vida e Obra ❧

A Aluísio Tancredo Gonçalves Azevedo, irmão do comediógrafo Artur de Azevedo, atribuem-se o início do Naturalismo no Brasil e o fato de ter sido um dos poucos escritores até então a viver – a duras penas – exclusivamente da literatura.

O autor nasceu em São Luís do Maranhão em 14 de abril de 1857, filho do comerciante e vice-cônsul português David Gonçalves de Azevedo e da brasileira Emília Amália Pinto de Magalhães, que viviam juntos, embora não fossem casados, num ambiente familiar propício à literatura e às artes em geral. Além de Aluísio e Artur, que obtiveram grande reconhecimento em seu tempo, também o irmão mais novo de ambos, Américo, morto precocemente, se dedicou às letras.

No início, a forma artística preferencial de Aluísio era o desenho. Foi para desenvolver e apreciar o talento nessa arte que ele se mudou para o Rio de Janeiro, assim que concluiu os estudos secundários, para estudar pintura na Imperial Academia de Belas-Artes. No Rio, trabalhou como caricaturista nos jornais *O Fígaro*, *O Mequetrefe*, *Zig-Zag* e *Semana Ilustrada*. Com a morte do pai, em 1878, voltou à cidade natal, abandonando o desenho como atividade profissional, embora a arte ainda o fosse acompanhar durante a carreira de escritor: consta que desenhava suas personagens em papelão e as colocava de pé, de modo a compor a cena na qual estivesse trabalhando, num procedimento que poderíamos relacionar à tendência atual, no cinema, propaganda e afins, do rascunho em *storyboard*. Em São Luís, escreveu crônicas com críticas à sociedade maranhense em jornais como *A Pacotilha* e *O Pensador*, de tendências anticlericais.

Desenho publicado em O Fígaro, nº 20, 13 de maio de 1876, com o qual Aluísio se apresentava ao público como novo caricaturista do periódico.

"As Três Idades do Brasil". Caricatura de Aluísio Azevedo para
O Mequetrefe, nº 94, 19 de março de 1877.

Em 1880 publicou seu primeiro romance, *Uma Lágrima de Mulher*, de caráter sentimental. E em 1881 deu a público aquele que é considerado o primeiro romance naturalista brasileiro, *O Mulato*, em que aborda o tema do preconceito racial e com o qual desperta a fúria dos meios conservadores de São Luís. Em virtude de tal recepção, transferiu-se novamente para o Rio, onde o livro tivera ótima acolhida de nomes como Sílvio Romero, Capistrano de Abreu e Raul Pompeia. Passando a viver das letras, escreveu simultaneamente obras românticas, determinadas pela necessidade financeira, e obras naturalistas, na linha de Émile Zola e Eça de Queirós. Entre as primeiras, mais afeitas ao gosto burguês, estão *A Condessa de Vésper* (1882), publicada em folhetim sob o nome *Memórias de um Condenado*; *Girândola de Amores* (1883), publicada em folhetim com o título *Mistérios da Tijuca*; *Filomena Borges* (1884); *O Esqueleto* (1890); *A Mortalha de Alzira* (1893); entre as segundas, estão *Casa de Pensão* (1884), romance baseado num crime que marcou a sociedade carioca por volta de 1876; *O Homem* (1887); *O Coruja* (em parceria com Olavo Bilac, 1889); *O Cortiço* (1890); *Livro de Uma Sogra* (1895). Além disso, escreveu contos, crônicas, comédias, entre outros gêneros. Deixou ainda material em manuscritos ou publicações avulsas, que só postumamente saiu em livro, como *O Japão* e *O Touro Negro*.

A despeito do reconhecimento como escritor, Aluísio não encontrou na literatura segurança financeira e, em 1891, ajudado pelo amigo e escritor Coelho Neto, passou a integrar a burocracia. Essa primeira experiência durou apenas seis meses, pois quando o marechal Deodoro da Fonseca, primeiro presidente da República, foi substituído por Floriano Peixoto, substituíram-se também os funcionários e assessores nomeados por ele. A almejada estabilidade só lhe veio quando ingressou no serviço diplomático, em dezembro de 1895 – ano em que publicou seu último romance, *Livro de*

Uma Sogra –, sendo designado para servir em Vigo, na Espanha. De suas cartas e do testemunho dos amigos sabe-se que esperava então, assegurado o sustento material, dedicar-se apenas a projetos relevantes para produzir obras de qualidade, sem ter de se render à composição apressada de textos para suprir à necessidade econômica. Entretanto, a demanda de trabalho no serviço consular logo frustrou o escritor, que passou a queixar-se de ter cada vez menos tempo para a literatura. Fosse por excesso de trabalho ou por outra razão, o certo é que, depois de consolidar-se na vida diplomática, Aluísio Azevedo, com menos de quarenta anos, nunca voltou a publicar outro livro.

Em 1897, quando foi fundada a Academia Brasileira de Letras, Aluísio Azevedo foi eleito para ocupar uma das suas quarenta cadeiras. Nesse mesmo ano foi nomeado cônsul em Yokohama, no Japão.

Como diplomata, serviu, após o período na Espanha e no Japão, na Argentina, no Uruguai, na Inglaterra, na Itália e novamente na Argentina, em cuja capital veio a falecer em 21 de janeiro de 1913.

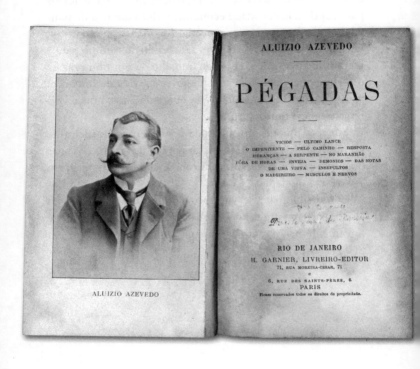

Fotografia do autor e frontispício da coletânea de contos, Pegadas, publicada em 1898.

Bibliografia

AZEVEDO, Aluísio. *Ficção Completa em Dois Volumes*. Rio de Janeiro, Nova Aguilar, 2005.

BORNECQUE, J.-H. e P. Cogny. *Réalisme et Naturalisme – l'histoire, la doctrine, les oeuvres*. Paris, Hachette, 1969. Classiques Hachette.

CANDIDO, Antonio. "De Cortiço a Cortiço". *O Discurso e a Cidade*. São Paulo/Rio de Janeiro, Duas Cidades/Ouro sobre Azul, 2004.

COGNY, Pierre. *Le Naturalisme*, 5. ed., Paris, Presses Universitaires de France, 1976.

LEVIN, Orna Messer. "Aluísio Azevedo Romancista". Em Aluísio Azevedo. *Ficção Completa em Dois Volumes*, cit.

LINS, Álvaro. *Jornal de Crítica – segunda série*. Rio de Janeiro, José Olympio, 1943.

MÉRIAN, Jean-Yves. *Aluísio Azevedo – Vida e Obra (1857-1913) – O Verdadeiro Brasil do Século XIX*. Rio de Janeiro, Espaço e Tempo, 1988.

PEREIRA, Lúcia Miguel. *História da Literatura Brasileira: Prosa de Ficção (de 1870 a 1920)*. Belo Horizonte/São Paulo, Itatiaia/Edusp, 1988.

SANT'ANA, Affonso Romano de. "O Cortiço". *Análise Estrutural de Romances Brasileiros*. Petrópolis, Vozes, 1975.

SÜSSEKIND, Flora. *Tal Brasil, Qual Romance?* Rio de Janeiro, Achiamé, 1984.

ZOLA, Emile. *Do Romance: Stendhal, Flaubert e os Goncourt*. Trad. Plínio Augusto Coelho. São Paulo, Editora Imaginário/Edusp, 1995.

ZOLA, Emile. *O Romance Experimental e o Naturalismo no Teatro*. Trad. Italo Caroni e Célia Berrettini. São Paulo, Perspectiva, 1982.

Coleção Clássicos Ateliê

Ateneu, O – Raul Pompéia
  Apresentação e Notas: Emilia Amaral
Auto da Barca do Inferno – Gil Vicente
  Apresentação e Notas: Ivan Teixeira
Bom Crioulo – Adolfo Caminha
  Apresentação e Notas: Salete de Almeida Cara
Carne, A – Júlio Ribeiro
  Apresentação e Notas: Marcelo Bulhões
Casa de Pensão – Aluísio Azevedo
  Apresentação e Notas: Marcelo Bulhões
Cidade e as Serras, A – Eça de Queirós
  Apresentação: Paulo Franchetti. Notas: Leila Guenther
Clepsidra, Camilo Pessanha
  Organização, Apresentação e Notas: Paulo Franchetti.
Dom Casmurro – Machado de Assis
  Apresentação: Paulo Franchetti. Notas e Comentários:
  Leila Guenther
Espumas Flutuantes – Castro Alves
  Apresentação e Notas: José De Paula Ramos Jr.
Farsa de Inês Pereira – Gil Vicente
  Apresentação e Notas: Izeti Fragata e
  Carlos Cortez Minchillo
*Gil Vicente (O Velho da Horta, Auto da Barca do Inferno e
Farsa de Inês Pereira)* – Gil Vicente
  Apresentação e Notas: Segismundo Spina
Guarani, O – José de Alencar
  Apresentação e Notas: Eduardo Vieira Martins
Ilustre Casa de Ramires, A – Eça de Queirós
  Apresentação e Notas: Marise Hansen
Iracema: Lenda do Ceará – José de Alencar
  Apresentação: Paulo Franchetti. Notas: Leila Guenther
Lira dos Vinte Anos – Álvares de Azevedo
  Apresentação e Notas: José Emílio Major Neto
Lusíadas, Os – Luís de Camões
  Apresentação e Notas: Ivan Teixeira
Memórias de um Sargento de Milícias – Manuel Antônio de Almeida
  Apresentação e Notas: Mamede Mustafa Jarouche
Memórias Póstumas de Brás Cubas – Machado de Assis
  Apresentação e Notas: Antônio Medina Rodrigues
Noviço, O – Martins Pena
  Apresentação e Notas: José De Paula Ramos Jr.

Poemas Reunidos – Cesário Verde
Introdução e Notas: Mario Higa
Primo Basílio, O – Eça de Queirós
Apresentação e Notas: Paulo Franchetti
Relíquia, A – Eça de Queirós
Apresentação e Notas: Fernando Marcílio L. Couto
Só – Antônio Nobre
Apresentação e Notas: Annie Gisele Fernandes e
Helder Garmes
Sonetos de Camões – Luís de Camões
Apresentação e Notas: Izeti Fragata Torralvo e
Carlos Cortez Minchillo
Til – José de Alencar
Apresentação e Notas: Ivan Teixeira
Triste Fim de Policarpo Quaresma – Lima Barreto
Apresentação: Ivan Teixeira. Notas: Ivan Teixeira e
Gustavo Martins
Várias Histórias – Machado de Assis
Apresentação e Notas: José De Paula Ramos Jr.
Viagens na Minha Terra – Almeida Garrett
Apresentação e Notas: Ivan Teixeira

Título	O Cortiço
Autor	Aluísio Azevedo
Apresentação	Paulo Franchetti
Notas	Leila Guenther
Ilustrações	Carlos Clémen
Editor	Plinio Martins Filho
Produção Editorial	Camyle Cosentino
	Aline Sato
Capa	Carlos Clémen (ilustração)
	Tomás Martins (projeto)
Revisão	Geraldo Gerson de Souza
Estabelecimento do Texto	Tâmis Parron
Editoração Eletrônica	Fabiana Soares Vieira
Pesquisa Iconográfica	Paulo Franchetti
Formato	12 x 18 cm
Tipologia	Minion Pro
Papel	Chambril Avena 70 g/m² (miolo)
	Cartão Super 6 250 g/m² (capa)
Número de Páginas	384
Impressão e Acabamento	Rettec